Sophocle

Tragédies

THÉÂTRE COMPLET :

Les Trachiniennes
Antigone – Ajax
Œdipe Roi
Électre – Philoctète
Œdipe à Colone

Préface
de Pierre Vidal Naquet

Traduction de Paul Mazon
Notes de René Langumier

Gallimard

*Cette traduction a été publiée
dans la collection des Universités de France sous le patronage
de l'Association Guillaume Budé.*

Œdipe à Athènes

Pour Jacques Brunschwig.

I. Le poète et la cité

« *Heureux Sophocle ! Il est mort après une longue vie, homme de chance et de talent ; il a fait des tragédies nombreuses et belles et il a connu une belle fin, sans jamais avoir subi aucun mal.* » Ainsi le poète comique Phrynichos saluait-il, en 405 av. J.-C., dans sa comédie les Muses la mort récente (406) de Sophocle, âgé d'environ quatre-vingt-dix ans. L'allusion est claire au début des Trachiniennes (1-3) : « *C'est une vérité admise depuis bien longtemps chez les hommes, qu'on ne peut savoir, pour aucun mortel avant qu'il ne soit mort, si la vie lui fut ou douce ou cruelle* », et à la fin d'Œdipe Roi : « *Gardons-nous d'appeler jamais un homme heureux, avant qu'il ait franchi le terme de sa vie sans avoir subi un chagrin* » (1529-1530). La vie de Sophocle fut donc tout le contraire d'une tragédie. Elle fut aussi une vie hautement publique et politique, en quoi Sophocle diffère aussi bien d'Eschyle, ce simple citoyen, combattant de Marathon mais n'ayant jamais occupé aucune charge, que d'Euripide, cet homme privé qui mourut, peu avant son aîné Sophocle, à la cour du roi de Macédoine. La vie de Sophocle accompagne la grandeur athénienne et elle s'éteint deux ans avant l'effondrement de 404. Il naît en 496 ou 495 — une douzaine d'années après les réformes de Clisthène (508) qui donnent leur cadre à la future démocratie athénienne — fils d'un riche Athénien, Sophilos, propriétaire d'esclaves forgerons et charpentiers. Son dème est Colone à la limite de la ville et de la campagne, et il le dépeindra dans sa dernière œuvre. Auteur tragique, il renonce à jouer ses œuvres à cause de la faiblesse de sa voix. Époux d'une Athénienne et amant d'une Sicyonienne, il a connu certaines difficultés familiales, son fils légitime, Iophon, lui-même auteur tragique, lui reprochant de favoriser son petit-fils illégitime, le poète Sophocle le Jeune, mais il est douteux qu'il ait été accusé par ses enfants de sénilité comme le veut un biographe anonyme. Son succès aux concours tragiques fut sans précédent. Il aurait été couronné vingt-quatre fois et ne fut jamais troisième. Eschyle ne le fut que treize fois, et Euripide ne connut que cinq victoires dont une posthume. Il est hellénotame en 443, c'est-à-dire administrateur du trésor athénien versé par les « alliés » d'Athènes, stratège en 440 aux côtés de son ami Périclès, auprès duquel il participe à l'expédition de Samos, puis de nouveau quelques années plus tard auprès du « modéré » Nicias. Après le désastre de Sicile (413), il est un des dix « commissaires du conseil » (probou-loi), à la suite d'une sorte de coup d'État qui devait aboutir à l'éphémère régime oligarchique de 411. Cette longue carrière politique favorisée probablement par ses succès d'auteur tragi-que, l'occupation de ces fonctions électives et non tirées au sort, ne firent pas de Sophocle un technicien de la chose politique. En ce domaine, déclare son contemporain Ion de Chios, « il n'était ni habile ni doué d'initiative, il était un honnête homme d'Athènes [1] ». Honnête homme, traduisons riche et ajoutons conformiste. Homme pieux, membre d'un groupe rendant un culte au héros-médecin, Amynos (le Secourable), il donne asile en 421 à la statue d'Asclépios que les Athéniens avaient fait venir d'Épidaure. Mort, il connut l'honneur suprême de l'héroïsation. Il fut Dexion, l'Accueillant. On raconte que les rangs des assiégeants d'Athènes s'ouvrirent pour laisser passer son convoi mortuaire.

---

1. *Apud* Athénée, XIII, 604 d.

L'Orestie d'Eschyle (458) peut être considérée comme un témoignage sur les réformes démocratiques d'Éphialte dont Périclès fut l'adjoint puis le successeur. Il est à peine besoin de rappeler que les Perses *(472) sont notre « source » la plus directe sur la victoire navale de Salamine (480). A travers l'œuvre d'Euripide (dont dix-sept pièces sont parvenues jusqu'à nous), c'est toute l'histoire d'Athènes au Vᵉ siècle qu'il est possible et légitime de reconstituer* [1]. *Il est paradoxal mais vrai de dire que l'œuvre du seul des trois grands tragiques qui ait été mêlé, au plus haut niveau, à la vie politique athénienne ne se laisse pas interpréter au fil de l'événement. Les allusions à l' « actualité » sont rares et d'interprétation difficile et discutée. Elles n'éclairent ni les œuvres ni l'actualité elle-même. Que Sophocle ait été patriote et ait aimé son bourg de Colone ne nous apprend que peu de chose. Dans l'*Ajax, *Tecmesse plaint le sort des bâtards. Faut-il y voir une allusion à la loi de 451 définissant comme citoyens ceux-là seuls qui étaient de père et mère athéniens* [2] *? Sophocle avait vécu les conséquences de cette loi dans sa propre famille, mais Périclès aussi, qui était l'auteur de la loi. L'*Ajax *ne se trouve ni éclairé, ni daté par ce rapprochement. L'épidémie, la « peste » qui est décrite au début de l'*Œdipe Roi *peut renvoyer à la peste d'Athènes de 430, mais elle peut aussi s'inspirer du chant I de l'*Iliade. *De toute l'aventure athénienne du Vᵉ siècle, les guerres médiques, la domination impériale, la guerre du Péloponnèse, rien ou presque rien ne se reflète directement dans l'œuvre. Le lien entre tragédie sophocléenne et politique athénienne existe pourtant, mais il se situe à un tout autre niveau. Il est non moins inutile de chercher à séparer la pensée de l'homme Sophocle de son œuvre. Il n'existe pas de « journal » de l'*Œdipe Roi. *On peut certes rapprocher tel ou tel moment d'une tragédie de fragments d'Héraclite ou de* Protagoras, *mais Sophocle n'a pas, comme Euripide semble*

---

1. Voir R. Goossens, *Euripide et Athènes*, Bruxelles, 1960.
2. C'est la thèse soutenue par F. Robert, « Sophocle, Périclès, Hérodote et la date d'*Ajax* », *Revue de Philologie*, XXXVIII, 1964, pp. 213-227.

avoir parfois, de porte-parole, il n'a pas d'autre politique et pas d'autre philosophie que celle de la tragédie elle-même, et c'est déjà beaucoup.

De cette œuvre qui fut immense — cent vingt-trois pièces selon un lexicographe byzantin — il nous reste sept tragédies, résultat d'un choix dû à quelque universitaire du Haut Empire romain. Les papyrus trouvés en Égypte montrent que ces sept pièces étaient effectivement les plus lues. La même source nous a ainsi restitué de longs fragments d'un « drame satyrique »[1], les Limiers. *D'autres fragments sont connus soit par des citations d'auteurs anciens, soit par des papyrus. Il n'est pas totalement invraisemblable qu'une pièce entière soit un jour découverte en Égypte. Mais Sophocle était moins populaire à l'époque hellénistico-romaine que Ménandre ou même qu'Euripide. De ces pièces, deux seulement sont datées avec précision : l'*Œdipe à Colone, *qui est son œuvre ultime et fut représentée après sa mort (406) en 401 par les soins de son petit-fils Sophocle le Jeune, et le* Philoctète *qui est de 409. De l'*Antigone *nous savons qu'elle fut représentée avant l'élection de Sophocle comme stratège (441). On date généralement — au moyen de critères discutables — les* Trachiniennes *et* Ajax *des années 450-440,* Œdipe Roi *et* Électre *des environs de 430-420. Autant dire que nous ne savons rien des débuts de Sophocle dont la première victoire se situe en 468. Qu'il ait eu, selon son propre témoignage rapporté par Plutarque[2], trois « manières » différentes, comme Beethoven, ne peut être vérifié.*

II. Le mythe, le héros, la cité

La tragédie prend naissance, suivant le mot frappant de Walter Nestle, quand on commence à regarder le mythe avec

---

1. Les tragédies étaient représentées par groupe de trois (trilogies) auxquelles venaient s'ajouter un drame satyrique, dont le chœur était formé par des acteurs déguisés en satyres. Aucune trilogie de Sophocle n'a été conservée. Une trilogie et un drame satyrique forment une tétralogie.
2. Plutarque, *Œuvres morales (Du progrès dans la vertu)*, 79 b.

l'œil du citoyen. Le poète tragique puise en effet dans l'immense répertoire des légendes héroïques qu'Homère et les auteurs des autres cycles épiques avaient mises en forme et que les peintres imagiers d'Athènes ont représentées sur les vases. Les héros tragiques sont tous empruntés à ce répertoire, et l'on peut dire que lorsque Agathon, jeune contemporain d'Euripide, qui incarne la Tragédie dans le *Banquet* de Platon, écrivit pour la première fois une tragédie dont les personnages étaient de son cru, la tragédie classique est morte, ce qui ne l'empêche pas de subsister en tant que forme littéraire. Il n'y a pas d'autre origine de la tragédie que la tragédie elle-même. Que le protagoniste sorte du chœur qui chante un « dithyrambe » en l'honneur de Dionysos, qu'un deuxième (avec Eschyle) puis un troisième acteur (avec Sophocle) viennent s'ajouter à lui dans l'affrontement du héros et du chœur, ne peut s'expliquer en termes d' « origines ». Et on n'expliquera rien de plus en disant que le mot « tragédie » signifie peut-être : chant déclamé à l'occasion du sacrifice du bouc (*tragos*). Ce ne sont pas des boucs qui meurent dans la tragédie mais des hommes et, si sacrifice il y a, c'est un sacrifice détourné de son sens.

Une anecdote rapportée par Hérodote est pourtant éclairante (V, 67). Au VIᵉ siècle le tyran Clisthène de Sicyone, grand-père du révolutionnaire athénien, aurait aboli le culte du héros argien Adraste et transféré les chœurs tragiques célébrés en son honneur au culte populaire de Dionysos. Adraste était un héros de la légende des Sept contre Thèbes dont Eschyle fit une tragédie. Le héros, en tant que catégorie religieuse, est une création de la cité qui ne semble pas remonter beaucoup plus haut que le VIIIᵉ siècle. Qu'une tombe royale s'entoure de tombes plus modestes et devienne un lieu de culte, comme l'archéologie nous le fait constater à la fin du VIIIᵉ siècle et au début du VIIᵉ siècle à Érétrie en Eubée, et le héros est né. Les héros sont recrutés, si l'on peut dire, un peu partout, de bric et de broc, dieux déchus ou rois promus. L'important est de signaler que leur culte est lié à leur tombe, et que celle-ci s'inscrit sur le sol en des lieux que la cité tient pour symboliques : l'agora, les portes de la ville, les frontières par exemple. Le héros « chthonien » (lié à la terre)

s'oppose ainsi au dieu « ouranien » (céleste) ; mais une
deuxième distance se crée, dont rend compte l'historiette narrée
par Hérodote, avec la cité en voie de démocratisation du VIᵉ siècle
et la cité démocratique du Vᵉ siècle. Le héros et la légende se
rattachent à cet univers de ces familles nobles qui, à tous les
points de vue, pratiques sociales, formes de religiosité, comporte-
ment politique, représente cela même que la cité nouvelle a rejeté
au cours de cette mutation historique profonde qui commence à
Athènes avec Dracon et Solon (fin du VIIᵉ et début du VIᵉ siècle)
pour se poursuivre avec Clisthène, Éphialte et Périclès. Entre le
mythe héroïque et la cité, la distance s'est creusée, pas assez
cependant pour que le héros ne demeure présent et même
menaçant. L'abolition de la tyrannie à Athènes ne date que de
510 et Œdipe n'est pas le seul personnage tragique à être un
tyrannos. Le droit (la dikè) conteste la tradition nobiliaire et
tyrannique, mais il s'agit d'un droit qui n'est pas encore fixé.
La tragédie oppose constamment une dikè à une autre, et l'on
voit le droit se déplacer et se transformer en son contraire, ainsi
dans les dialogues entre Antigone et Créon, entre Créon et
Hémon, ainsi dans l'Œdipe Roi où le héros est à la fois
l'enquêteur agissant par délégation de la cité et l'objet même de
l'enquête.

   Le mythe héroïque en lui-même n'est pas tragique, c'est le
poète tragique qui le rend tel. Les mythes comportent certes, en
aussi grand nombre qu'on le voudra, ces transgressions dont
se nourrissent les tragédies : l'inceste, le parricide, le matricide,
l'acte de dévorer ses enfants, mais ils ne comportent en eux-
mêmes aucune instance qui juge de tels actes comme celles qu'a
créées la cité, comme celles qu'exprime à sa façon le chœur.
Partout où l'on a la chance de connaître la tradition où s'est
exprimé le mythe, on constate que c'est le poète tragique qui
boucle le cercle qu'est la tragédie. Il en est ainsi chez Sophocle.
L'Œdipe d'Homère meurt sur le trône de Thèbes[1], ce sont
Eschyle et Sophocle qui en ont fait un aveugle volontaire et un
exilé. Dans les Trachiniennes, le poison qui fait mourir

___

1. Odyssée, XI, 275-276.

Héraclès n'est pas le sperme du centaure Nessos mais le sang de l'hydre de Lerne. En introduisant cette modification, Sophocle ne cherche pas à « atténuer la brutalité de la version primitive » (Paul Mazon), il lie l'action par laquelle Déjanire tue « involontairement », mais poussée par l'amour, son époux Héraclès, au plus utile, au plus incontestable des exploits de celui-ci : la liquidation d'un monstre. C'est encore Sophocle qui crée l'opposition Antigone-Créon et l'opposition Antigone-Ismène. Auparavant, Antigone et Ismène étaient châtiées non par le tyran Créon mais par Laodamas, fils et héritier légitime d'Étéocle. La légende de Philoctète, celle d'un guerrier exilé à la suite d'une blessure, puis rappelé à Troie et guéri parce que son arc est indispensable à la prise de la ville, n'imposait nullement l'affrontement tragique, autour du thème de la ruse et du combat loyal, entre le vieillard exclu de la cité et le jeune homme qui n'y est pas encore entré. L'Ajax de la légende se tuait, semble-t-il, après sa crise de fureur, c'est Sophocle qui lui fait retrouver sa lucidité avant la mort. Le jugement qui a attribué à Ulysse les armes d'Achille n'est plus prononcé par les Troyennes mais par le vote des pairs du héros[1]. De même qu'Antigone s'oppose à Ismène, Électre s'oppose à Chrysothémis, personnage inconnu d'Eschyle lui-même et peut ainsi devenir l'intransigeante gardienne du foyer d'Agamemnon. Et pour revenir encore une fois à l'*Œdipe Roi*, qu'est-ce que la légende d'Œdipe avant les Tragiques ? Celle d'un enfant trouvé et conquérant pour qui tuer son père et coucher avec sa mère n'a peut-être pas d'autre signification que celle d'un mythe d'avènement royal dont il est bien d'autres exemples.

Le héros se sépare donc de la cité qui le juge, et, en dernière instance, les juges seront ceux-là mêmes qui attribuent le prix au vainqueur du concours tragique, le peuple assemblé au théâtre. Là même où, par un retournement génial, Sophocle a dépeint non la séparation mais le retour, dans le Philoctète et dans l'*Œdipe à Colone*, tragédie de l'héroïsation à Athènes du

---

1. Ce vote est représenté sur des vases à figure rouge du Ve siècle, dès avant Sophocle. Il est absent des vases de l'époque archaïque.

vieillard exilé de Thèbes, il faut que la séparation ait eu lieu.
« *C'est donc quand je ne suis plus rien que je deviens vraiment
un homme* » *(393).*

III. Tragédie et histoire

*Hérodote est un contemporain de Sophocle dont il fut même
l'ami. Il est un des créateurs du discours historique au même
titre qu'Eschyle et Sophocle ont été les créateurs du discours
tragique. On rencontre dans l'œuvre d'Hérodote non certes des
tragédies proprement dites, car la tragédie ne peut être séparée de
la* représentation *tragique, de ce double dédoublement qu'est,
d'une part, l'opposition entre le héros et le chœur, et, de l'autre,
du rapport qui s'établit entre le chœur et les acteurs et la cité
présente sur les gradins, mais des schémas tragiques. Ainsi
l'histoire de Crésus, celle des Achéménides, Cyrus, Cambyse,
Xerxès se déroulent selon un ordre familier aux lecteurs de
tragédie : oracles ambigus et compris de travers, choix invaria-
blement mauvais engendrant en série les catastrophes person-
nelles et politiques. Faute d'avoir correctement interprété des
oracles qui ne sont clairs que pour nous, Crésus perd à la fois
son fils et son empire. Mais qui sont ces héros quasi tragiques,
atteints de démesure* (hybris) *et précipités par la vengeance
divine* (atê) *? Dans la quasi-totalité des cas, ces héros sont des
despotes orientaux ou des tyrans grecs (ainsi Polycrate de Samos
et quelques autres), c'est-à-dire des hommes qui ont confisqué la
cité à leur profit. La cité, avec ses organes de délibération et
d'exécution, fonctionne chez Hérodote comme une machine anti-
tragique ; et cela qu'elle soit « archaïque » comme Sparte ou
nouvellement démocratique comme Athènes. Léonidas, roi de
Sparte, est tué aux Thermopyles en 480 avec ses trois cents
guerriers. Les Spartiates ont consulté l'oracle de Delphes*[1] *avant
d'entrer en guerre. L'oracle n'offre aucunement ce caractère
d'ambiguïté qui caractérise l'oracle tragique et tant d'oracles*

---

1. Hérodote, VII, 220.

épars dans l'œuvre d'Hérodote. Il se présente en termes de choix politique fort simple : ou bien Sparte subsistera mais un de ses rois mourra, ou bien Sparte sera vaincue, mais son roi survivra. Le choix de Léonidas est un choix politique, sa mort n'est pas une mort tragique.

Miltiade d'Athènes apparaît chez Hérodote sous deux aspects différents et même opposés. Il est à Marathon (490) un des dix stratèges élus d'Athènes, parfaitement intégré par conséquent à la cité démocratique. Mais il est aussi l'ancien tyran de Chersonèse, où il fut le vassal du roi des Perses, et, à Athènes même, après Marathon, son rôle est moins celui d'un citoyen que d'un candidat à la tyrannie ; il entraîne les Athéniens, sous des prétextes mensongers, à une expédition contre Paros. A la veille de Marathon, la situation est celle, politique entre toutes, d'un partage des voix. Sur dix stratèges, cinq sont partisans d'attaquer, cinq d'attendre. L'arbitre est le chef nominal de l'armée, le « polémarque » Callimaque. Miltiade va le trouver et lui dit : « Nous pouvons, si les dieux restent impartiaux, triompher dans cette rencontre. Il dépend de toi qu'Athènes soit libre... » (VI, 109). Si les dieux sont impartiaux... les dieux de la tragédie ne sont jamais impartiaux même si ce sont les hommes qui accomplissent tous les gestes décisifs. La décision prise à Marathon est une décision politique prise librement par une majorité. Mais le même Miltiade, quelques semaines après, demande aux Athéniens de lui fournir soixante-dix vaisseaux, des hommes et de l'argent « sans rien dire du pays qu'il comptait attaquer ». L'expédition échoue : Miltiade, guidé par une prêtresse de Paros, pénètre dans le sanctuaire réservé aux femmes, de Déméter Thesmophore, ce qui est un acte de démesure. Pris de panique, il recule et subit une blessure dont il mourra. La Pythie consultée par les Pariens fit savoir que la prêtresse avait été l'instrument de la vengeance divine : « Miltiade devait mal finir, et Timô [la prêtresse] lui était apparue pour l'engager dans son malheur » (VI, 132-136). L'oracle intervient après, et non avant l'action, mais Miltiade n'en a pas moins été dupé par un signe divin trompeur : il s'est conduit en tyran, il meurt à la façon d'une victime tragique.

IV. Le héros et le chœur

*Au centre de l'*orchestra *circulaire, la* thymelê *est l'autel rond de Dionysos. C'est vers cet autel que se dirigent, sur un rythme de marche, les choreutes, lors de l'entrée ou* parodos *du chœur, moment solennel de la tragédie. C'est par rapport à la* thymelê *qu'évoluent les choreutes tournant tantôt dans un sens, tantôt dans l'autre, et tantôt se tenant immobiles. Tangente à l'*orchestra *est la* skênê *(d'où notre scène), baraque où se préparent les acteurs. C'est Sophocle qui le premier la fit peindre, ce qui ne signifie aucunement l'introduction d'un décor mais probablement d'un simple effet de perspective. Au centre : une porte qui peut symboliser à volonté la porte d'un palais, d'un temple, ou l'entrée d'une caverne, comme dans le* Philoctète. *Aux deux extrémités : deux issues permettent entrées et sorties côté ville et côté campagne. On a discuté et on discutera longtemps encore du lieu exact où se tiennent les acteurs. L'archéologie ne permet guère de répondre car les théâtres du v*e *siècle étaient en bois et nos théâtres, remaniés aux époques hellénistiques et romaines, datent au mieux, comme celui d'Épidaure, du iv*e *siècle. Il n'est cependant guère douteux, d'après le témoignage des textes eux-mêmes et celui des vases, qu'une étroite plate-forme séparait les acteurs du chœur, devant la* skênê. *Des marches permettaient du reste la rencontre et le dialogue. Ainsi, au début de l'*Œdipe à Colone, *le chœur invite Œdipe à se tenir sur le « degré » que forme le roc. Le mot grec est* bêma *qui désigne à la fois la marche de l'escalier, mais aussi la tribune depuis laquelle l'orateur s'adresse aux citoyens assemblés. Au-dessus de la* skênê, *une machine simple permet les apparitions divines, comme celle d'Héraclès à la fin du* Philoctète ; *à travers la porte centrale peut se glisser une plate-forme mobile qui permet, par exemple, l'exposition du corps de Clytemnestre à la fin de l'*Électre.

La dualité fondamentale est celle qui oppose et confronte les trois acteurs qui jouent tous les rôles héroïques — tous sont des hommes, et c'est le même acteur qui joue, dans les Trachi-

niennes, *les rôles successifs de Déjanire et d'Héraclès — et les
quinze choreutes. Le chœur est collectif et les héros, qu'ils soient
Créon ou Antigone, sont individuels. Et le chœur et les héros
sont costumés et masqués, mais les choreutes portent, comme les
hoplites de la cité, un uniforme : le chef du chœur lui-même (le
coryphée), intermédiaire obligatoire entre les héros et les
choreutes, ne se distingue pas par son costume. Au contraire, les
masques et costumes des acteurs sont individualisés. Le chœur
exprime donc à sa façon, face au héros atteint de démesure, la
vérité collective, la vérité moyenne, la vérité de la cité. Le héros
meurt ou subit, comme Philoctète ou Créon, une mutation
décisive, le chœur subsiste. Il n'a pas le premier mot, il a
toujours, par la bouche du coryphée, le dernier, ainsi dans
Œdipe à Colone : « L'histoire ici se clôt définitivement. »*
   *Mais tout ce qui vient d'être dit peut maintenant être
retourné, et notons d'abord ce détail technique mais significa-
tif : dans l'entreprise publique qu'est le concours tragique au
même titre que la construction des vaisseaux de guerre, la cité,
qui est responsable du gros œuvre des trières, fournit les acteurs,
et de même que le triérarque finance à titre de liturgie les agrès
du navire et la solde de l'équipage, c'est un riche Athénien, peut-
être même un métèque, qui, sous le contrôle de l'archonte,
recrutera et dirigera ou fera diriger le chœur, l'ensemble était
jugé par les citoyens. C'est le chœur ; expression de la cité qui
honore par ses évolutions l'autel de Dionysos, c'est-à-dire du
dieu qui, entre tous les dieux de l'Olympe, est celui qui est le
plus étranger à la cité. Entre le langage tenu par les héros et
celui tenu par le chœur, il y a bien des échanges, ne serait-ce que
lorsque l'un et l'autre dialoguent, ou modulent leurs chants,
mais il reste que, d'une façon générale, le chœur, quand il
s'exprime collectivement, utilise une langue et une métrique
extraordinairement complexes, tandis que les héros parlent une
langue simple, parfois presque prosaïque (qu'on lise ainsi, dans
l'*Antigone, le dialogue entre Créon et le garde). Mieux, si le
chœur est l'organe de l'expression collective et civique, il est tout
à fait exceptionnel qu'il soit composé de ceux qui étaient les
citoyens moyens, c'est-à-dire les adultes mâles en âge de*

combattre. Sur les trente-deux tragédies qui nous sont parvenues sous le nom d'Eschyle, de Sophocle et d'Euripide (l'une, le Rhésos d'Euripide, est probablement une œuvre du IVe siècle), trois seulement (l'Ajax, le Philoctète et le Rhésos) ont un chœur composé de guerriers (ou de marins) adultes. Dans neuf (dont l'Électre et les Trachiniennes), le chœur est composé de femmes et parfois de femmes esclaves ; dans vingt autres cas (dont l'Antigone, l'Œdipe Roi et l'Œdipe à Colone), il est composé de vieillards. L'exception de l'Ajax et du Philoctète en est à peine une, car guerriers de la première pièce et marins de la seconde, sont sous la dépendance étroite de leurs maîtres héroïques Ajax et Néoptolème. Les femmes, esclaves ou libres, ne sont pas, dans les cités grecques, des citoyennes ; elles se situent en deçà de la cité. Des vieillards, on est tenté de dire au contraire qu'ils sont des super-citoyens, puisqu'ils sont privilégiés à l'assemblée (où ils ont les premiers le droit à la parole) ou au conseil (dont on ne peut faire partie sans avoir franchi une limite d'âge qui est, à Athènes, de trente ans). Mais infra ou super-citoyens, qu'il s'agisse des femmes de Trachis ou des démotes de Colone, la marginalité n'en est pas moins réelle. A Athènes, le conseil propose et l'assemblée décide, dans les tragédies le chœur ne décide jamais, ou ses décisions sont frappées de dérision ; en règle générale, c'est le héros — ou la force qui le meut — qui prend les résolutions irrévocables qui sont au fond de toute tragédie.

V. L'oikos et la cité

La cité est faite de foyers qui doivent subsister et se perpétuer pour entretenir le culte familial dont le siège est précisément l'âtre (hestia) domestique ; sur l'agora, le prytanée où la cité traite les hôtes qu'elle veut honorer est le foyer commun de la polis grecque, un des lieux qui la symbolisent le mieux. La cité est faite de ces foyers. Pour être stratège à Athènes il faut être propriétaire d'un bien en Attique et père d'enfants légitimes et avoir ainsi un héritage à défendre. Mais la cité n'est pas faite *que de ces foyers, elle les englobe et elle les nie, parfois brutalement comme à Sparte où l'antagonisme cité-famille apparaît à l'état pur, parfois plus subtilement comme à Athènes. Au Ve siècle, les grandes familles, les* genê, *continuent certes à jouer un rôle essentiel, c'est dans leur sein que se recrutent nombre de dirigeants. Périclès est un « Bouzyge » et il est rattaché par sa mère au* genos *des « Alcméonides » qui a joué à la fin du VIe siècle un rôle déterminant dans l'élimination des tyrans. Mais la cité démocratique s'est faite aussi contre ces grandes familles et l'art funéraire du Ve siècle exprime à merveille la répression à laquelle est soumise l'expression des sentiments familiaux, fût-ce au moment de la mort. Le mot* oikos *que nous traduisons parfois par famille est lui-même difficilement traduisible. Il désigne parfois la famille au sens étroit du terme, tantôt la maison et tous ceux qui gravitent autour du foyer, parents, enfants et esclaves.*

*La tragédie exprime cette tension entre l'*oikos *et la cité. Dans l'île déserte où se situe le* Philoctète, *le choix qui est offert aux deux héros, choix authentiquement tragique, est entre l'armée qui combat devant Troie, c'est-à-dire la cité, et le retour au foyer, c'est-à-dire la désertion. C'est ce dernier parti qu'ils prendraient s'ils n'en étaient empêchés par Héraclès. Déjanire veut intégrer à son foyer Iole, la captive silencieuse, en tant qu'esclave, elle ne peut, face au héros panhellénique Héraclès, diviser son* oikos *en admettant la présence d'une seconde épouse. Dans l'*Électre, *la tragédie oppose jusqu'au meurtre la femme qui est passée du côté des hommes, Clytemnestre, et sa fille qui entend perpétuer le foyer paternel mais dont le destin « normal » serait pourtant de le quitter. Toutes deux par un jeu de mots caractéristique sont « alektroi », c'est-à-dire hors du lit conjugal.*

*L'*Antigone *est l'exemple le plus célèbre de cette tension, c'est aussi celui qui a été le plus souvent mal compris, malgré les quelques lignes lumineuses que lui avait consacrées Hegel dans l'*Esthétique. *Conflit entre la « jeune fille sauvage » incarnée par Antigone et la froide raison d'État représentée par Créon ? Ce n'est pas Sophocle, c'est Jean Anouilh qui a représenté ce*

drame. C'est dans son Antigone que Créon (ou Pierre Laval ?)
réunit le conseil des ministres après la mort de tous les siens. Le
Créon de Sophocle est, lui, brisé par la catastrophe, comme
Antigone elle-même ; il est « un cadavre qui marche ». La
philia, l'amour d'Antigone, qui s'exprime dès les premiers
vers : « Tu es mon sang, ma sœur, Ismène... » est un sentiment
qui s'adresse à son oikos, à sa famille qu'elle se refuse à diviser
entre le frère loyal à la cité et celui qui est mort (tué par son frère
et le tuant) en lui donnant l'assaut, mais l'oikos dont elle est le
défenseur démesuré est celui incestueux et monstrueux d'Œdipe
et des Labdacides.

   « Ils remontent loin, chante le chœur, les maux que je vois,
sous le toit (oikos) des Labdacides, toujours après les morts,
s'abattre sur les vivants, sans qu'aucune génération jamais
libère la suivante » (594-596). Le mariage civique se situe entre
deux extrêmes, l'extrême proche qui est l'inceste, lorsque
« l'oiseau mange chair d'oiseau » pour reprendre une image
d'Eschyle, et l'extrême lointain qui est le mariage à l'étranger.
Œdipe a commis l'inceste et Polynice a épousé une princesse
argienne : « Ah ! fatal hymen d'une mère ! Incestueuse étreinte
qui aux bras de mon père ont uni ma mère infortunée. De quels
coupables suis-je issue, misérable ! Et ce sont ceux qu'aujour-
d'hui, maudits, sans hymen, je m'en vais rejoindre à mon tour.
Ah ! le malheureux hymen que tu as donc rencontré, frère,
puisque, même mort, tu as pu perdre encore la sœur qui t'avait
survécu » (862-871). Et le chœur peut répliquer à Antigone :
« Ta passion n'avait pris conseil que d'elle-même, et ainsi elle
t'a perdue » (875). Mais Créon n'est pas, de son côté, le
magistrat légitime d'une cité. Sans doute est-il défini, dès le
vers 8, comme le « stratège » (le « chef » dans la traduction de
Paul Mazon) de Thèbes, et Ismène entend obéir « aux pouvoirs
établis » (très exactement « à ceux qui sont en charge »,
expression technique qui désigne les magistrats — le pluriel est
caractéristique — en fonction dans la cité). Créon lui-même fait
tout pour affirmer sa légitimité. Mais cette légitimité est
précisément contestée radicalement par ceux-là mêmes qui sont,
selon les règles de la cité, les moins bien placés pour le faire, la

jeune fille Antigone qui proclame : « Les Thébains pensent comme moi, mais ils tiennent leur langue », et le propre fils de Créon, Hémon, fils affrontant son père, jeune homme s'opposant à un adulte, mais citoyen s'opposant au tyran. Créon peut invoquer « ce citoyen docile qui... saura commander quelque jour, tout comme il se laisse aujourd'hui commander » (668-669), ce qui est la définition même de la démocratie antique. Or Hémon répond, dans le grand discours qui réplique à celui de Créon : « Ton visage intimide le simple citoyen » (690). Et quand s'engage entre le père et le fils le dialogue, vers à vers, le spectateur athénien entendait ceci — Créon : Thèbes aurait donc à me dicter mes ordres ? — Hémon : Tu le vois, tu réponds tout à fait en enfant. — Ce serait alors pour un autre que je devrais gouverner ce pays ? — Il n'est point de cité qui soit le bien d'un seul. — Une cité n'est plus alors la chose de son chef ? — Ah ! tu serais bien fait pour commander tout seul dans une cité vide ! — Il me semble que ce garçon se fait le champion de la femme. — Si tu es femme, oui, car c'est toi seul qui m'intéresses (734-741).

Le chef légitime, l'homme, l'adulte est un tyran, une femme, un enfant. Au-dessus de la cité (hupsipolis), il est hors de la cité (apolis). Entre ceux qui s'affrontent, le chœur n'a pu, dans l'immédiat, trancher : « On a fort bien parlé ici dans les deux sens » (725), la logique tragique, cette logique de l'ambigu, tranche en conduisant jusqu'à leur terme ces deux droits qui sont aussi deux démesures.

VI. Temps des dieux et temps des hommes

Les réflexions sur l'instabilité des droits humains sont aussi nombreuses et aussi banales chez les tragiques qu'elles le sont chez leur contemporain Hérodote ou chez leurs prédécesseurs, les lyriques. Ainsi Ulysse dans l'*Ajax* : « *Je vois bien que nous ne sommes, nous tous qui vivons ici, rien de plus que des fantômes ou que des ombres légères* » (125-126), et Athéna de répondre : « *Un jour suffit pour faire monter ou descendre toutes les*

infortunes humaines » (131-132). Mais quand Œdipe s'est vu
révéler son malheur, le chœur chante : « Le temps qui voit tout,
malgré toi t'a découvert ! » (1213). Ainsi s'opposent le temps
instable des gestes humains et le temps souverain des dieux, celui
qui met chacun à la place qu'il doit occuper dans le plan divin.
Temps des dieux et temps des hommes se rejoignent quand la
vérité se fait jour. Œdipe peut dire après s'être aveuglé :
« Apollon, mes amis ! oui, c'est Apollon qui m'inflige à cette
heure ces atroces, ces atroces disgrâces qui sont mon lot, mon lot
désormais. Mais aucune autre main n'a frappé que la mienne,
malheureux » (1329-1333). L'opposition de ces deux catégories
temporelles est, en soi, beaucoup plus ancienne que les Tragiques, mais la scène tragique est précisément le lieu où les deux
temps, d'abord disjoints, se rejoignent.

Entre les dieux et les hommes un des modes normaux de
communication, dans la société grecque, est la divination
oraculaire. La souveraineté de l'oracle est, dans les tragédies,
cela même que le chœur ne contestera jamais. Jocaste propose
pourtant, parce qu'elle a désormais compris la vérité, le seul
moyen possible de contester la vérité oraculaire : « Vivre au
hasard, comme on le peut, c'est de beaucoup le mieux encore... »
(979). Vivre au hasard, c'est cela même que ne fait pas le héros
tragique. Mais entre les oracles réels, ceux qui nous sont connus
par les inscriptions de Delphes ou de Dodone, et l'oracle
tragique, les différences sont éclatantes. Les questions posées par
les consultants, individuels ou collectifs, sont ambivalentes : Me
marierai-je ou ne me marierai-je pas ? Devons-nous faire la
guerre ou ne le devons-nous pas ? La réponse, elle, est
affirmative ou négative. La situation se renverse dans le cas de
l'oracle tragique. C'est la question qui est simple. Elle peut se
résumer dans l'interrogation que posent dans la tragédie la
plupart des héros : Que ferai-je ? Œdipe a été averti par Delphes
qu'il tuerait son père et épouserait sa mère, mais l'oracle ne lui a
pas dit que le roi et la reine de Corinthe n'étaient pas ses
parents. Créon revint de Delphes ayant appris qu'un homme
souillait le sol de Thèbes, mais l'oracle n'a pas dit qui incarnait
cette souillure. La technique tragique permet toutes les solutions

imaginables autour de cette ambiguïté fondamentale. Ainsi dans le Philoctète, *la prophétie du devin troyen Hélénos n'est révélée que de façon fractionnée. Est-ce Néoptolème qui prendra Troie ? Néoptolème et l'arc de Philoctète ? Néoptolème, Philoctète et son arc ? Nous ne l'apprendrons que progressivement et, sans ce progrès dans la révélation, on ne comprendrait pas le rapt de l'arc du héros exilé, ordonné par Ulysse, accompli par Néoptolème. A la limite, gestes humains et plan divin suivent un ordre inverse. De même que l'*Orestie *d'Eschyle, l'*Électre *de Sophocle commence à l'aube et se termine par la nuit. L'aube met en scène Oreste et le désespoir d'Électre, la nuit tombe sur le meurtre, dans l'obscurité du palais d'Égisthe. Entre-temps une fausse temporalité, une fausse tragédie dans la vraie, a été introduite par le récit de la prétendue mort d'Oreste à la course de chars de Delphes.*

*Mais c'est évidemment dans l'*Œdipe Roi *que se montre avec le plus extraordinaire éclat cette inclusion du temps humain dans le temps divin. Quand débute la pièce, tout est déjà accompli mais personne ne le sait encore. Œdipe a successivement interrogé l'oracle, quitté ses « parents » de Corinthe, tué un voyageur qui lui barrait la route, libéré Thèbes de la Sphinge, épousé la reine de la cité, occupé le trône royal, sans voir dans cette succession autre chose qu'une succession. L'enquête judiciaire à laquelle il procède devant l'énigme que pose la peste, avec les moyens classiques de la procédure athénienne : consultation de l'oracle, du devin, des témoins, le révèle à lui-même : « Tout est désormais devenu clair. » L'énigme posée par la Sphinge avait une réponse qui était « l'homme ». L'énigme posée par Œdipe a une réponse et qui est lui-même. Comme le notait Aristote (*Poétique, *52 a 29 et suiv.), ces deux éléments essentiels qui sont dans la tragédie grecque la péripétie, c'est-à-dire le renversement de la situation du personnage, et la reconnaissance, c'est-à-dire la découverte de l'identité, sont dans l'*Œdipe *réunis. Avant la découverte finale, une hypothèse ultime est cependant formulée. Œdipe n'est pas le fils de Polybe et Mérope de Corinthe. Ne serait-il pas le fils de la fortune (*tuchê*) et même un homme sauvage ? « Je me*

tiens, moi, pour fils de la Fortune, Fortune la Généreuse, et n'en
éprouve point de honte. C'est Fortune qui fut ma mère, et les
années qui ont accompagné ma vie m'ont fait tour à tour et petit
et grand » (1080-1083), et le chœur de définir le Cithéron, la
frontière sauvage qui sépare Thèbes d'Athènes, comme le
« compatriote d'Œdipe ». Mais, en dernier ressort, il n'y a pas
dans la tragédie grecque de Fortune ni d'homme sauvage.
Œdipe, le « tyran », c'est-à-dire le roi de hasard, est au début
de la pièce vénéré presque comme un dieu par le peuple de Thèbes
assemblé, jeunes et vieux confondus, en présence d'un autel dont
on peut croire qu'il lui est consacré. C'est au moment où il se
découvre citoyen et même roi légitime de Thèbes qu'il est chassé
de sa cité. Tous les actes accomplis au hasard ont désormais un
sens et ce sens l'aveugle.

VII. Discours double

Un sophiste du Vᵉ siècle avait rédigé des dissoi logoi, des
« discours doubles », pour démontrer que la thèse et l'antithèse
pouvaient être successivement plaidées. La logique de la
contradiction faisait avec éclat son entrée dans la Grèce du Vᵉ
siècle. Les Tragiques — et Sophocle en particulier —
n'ignoraient ni le mot ni la chose, mais le dissos logos n'est
pas chez eux le double discours, celui qui sépare le pour et le
contre, mais le discours double, le discours ambigu. L'ambiguïté
est présente partout, au niveau de ce que nous appellerions le jeu
de mots, ainsi l'Antigone joue sur le nom d'Hémon (en grec
Haimon), fils de Créon, que le poète rapproche du mot qui
signifie le sang (haima). Le célèbre discours ambigu d'Ajax
(646-692) est compris par le chœur comme marquant la
résignation du héros devant l'ordre des dieux et le commandement des Atrides. « J'ai enfin trouvé le salut », mais le
spectateur comprend, lui, qu'Ajax a décidé de se tuer. Ce sont
enfin les structures mêmes des pièces qui sont ambiguës et
énigmatiques. On l'a déjà noté ici à propos de l'Œdipe Roi ou
de l'Électre. Il faut essayer de comprendre pourquoi.

La pratique politique, sociale, religieuse de la cité est une pratique de séparation visant à installer chacun dans son domaine, les hommes par rapport aux hommes, les hommes par rapport aux dieux. Ainsi le territoire de la cité oppose le monde des champs cultivés dont vivent les citoyens et celui, sauvage, de la frontière réservé à Dionysos et aux chasseurs. Le sacrifice qui met en communication les hommes et les dieux, mais qui les fixe dans leurs statuts différenciés (aux hommes la viande, aux dieux la fumée) est foncièrement lié au monde des champs cultivés sur lesquels règne Déméter. L'animal sacrificiel est un animal domestique, le compagnon de l'homme dans le labeur. Monde sauvage et terre arable, chasse et sacrifice ne doivent pas interférer.

Dans cette pratique sociale qu'est la guerre une polarité du même ordre apparaît. La guerre est une activité collective qui relève de l'ensemble des hoplites, compagnons de rang et interchangeables. Le lieu normal où elle s'exerce est la plaine cultivée propre à l'affrontement des phalanges, face à face, et qui est aussi cela même que la cité doit défendre. Toute autre activité guerrière, l'embuscade, le combat nocturne, l'escarmouche aux frontières, relève du monde sauvage et est confiée à la part sauvage de la cité, c'est-à-dire à la jeunesse.

Par le spectacle tragique la cité se met en question elle-même. Et les héros et le chœur incarnent successivement valeurs civiques et valeurs anticiviques. Aussi la tragédie fait-elle interférer ce que la cité sépare et cette interférence est une des formes fondamentales de la transgression tragique. L'Héraclès divin du Philoctète *représente les vertus hoplitiques et c'est lui qui enverra les deux héros de la pièce combattre côte à côte devant Troie. L'Héraclès strictement humain des* Trachiniennes *est lui tout différent. Face au fleuve à « l'aspect de taureau » (509) Achélôos, il est décrit comme venant « du pays de Bacchos, de Thèbes. Il brandit à la fois l'arc que l'on ploie dans la bataille [littéralement : l'arc à courbure inverse des Scythes], des javelines, une massue » (510-512), les armes de la ruse, celles du combat classique, celles de la brutalité. Quand, dans l'*Électre, *Oreste entre en scène, il a été averti par l'oracle qu'il* devait « *seul, sans bouclier, sans armes, par la ruse, en dissimulant, pourvoir au juste sacrifice qui est réservé à son bras* ». Avant d'être tué par Oreste, Égisthe peut poser la question : « *Pourquoi, si l'acte est beau, a-t-il besoin de l'ombre ?* » (1493-1494) et il déclare au fils d'Agamemnon : « *Ce n'est pourtant pas de ton père que tu tiens l'art dont tu te vantes là* » (1500). Par une ambiguïté suprême, le héros de l'*Œdipe Roi* est chasseur, mais le gibier qu'il traque n'est autre que lui-même. Il est laboureur, mais le sol qu'il a ensemencé n'est autre que le champ maternel. Ajax a cru chasser et sacrifier des hommes, des guerriers, il a accompli en réalité une boucherie sur des moutons. Son geste final, accompli non devant l'armée mais devant la mer, à la limite du monde sauvage, est un sacrifice humain, celui de lui-même. « *Le couteau du sacrifice est donc là, dressé, de manière à trancher au mieux...* » (815-816). Son ultime adieu s'adresse précisément au sol de sa cité, à la plaine où combat l'armée : « *Sol sacré de ma terre natale, Salamine, qui sers d'assise au foyer de mes aïeux... Et vous, sources et fleuves que j'ai là sous les yeux, plaine de Troade tous ensemble, je vous salue ici : adieu, vous qui m'avez nourri !* » (859-863).

VIII. Savoir, art, pouvoir

Athènes avait voulu affirmer sa supériorité sur Sparte par la possession d'un art, d'un métier, d'une technê *étrangère au combat traditionnel du Grec, la* technê *navale.* « *Ce qui touche au monde de la flotte est affaire de métier* », *dit Périclès dans Thucydide (I, 142). C'est aussi un art, un métier que prétendaient enseigner les Sophistes quand ils se proposaient comme éducateurs de la démocratie. Un chœur célèbre de l'*Antigone *exalte les aspects prométhéens de l'homme et ce n'est pas un hasard s'il met au premier rang des conquêtes humaines la maîtrise de la mer :* « *Il est bien des merveilles en ce monde, il n'en est pas de plus grande que l'homme. Il est l'être qui sait traverser la mer grise, à l'heure où soufflent le vent du*

Sud et ses orages, et qui va son chemin au milieu des abîmes que lui ouvrent les flots soulevés » (332-337). *La maîtrise de la terre et de l'agriculture ne vient qu'après. Dans l'éloge d'Athènes que prononce le chœur de l'Œdipe à Colone l'Ordre est renversé, du monde sauvage « que fréquente Dionysos le Bacchant », le poète passe à la terre et à l'olivier, aux chevaux de Poséidon, et enfin seulement à la mer. En réalité, l'ambiguïté figurait déjà dans le chœur de l'Antigone et le mot que traduit le français « merveilles » (deina) signifie en grec à la fois « merveilleux » et « terrible ». L'œuvre de Sophocle présente toute une gamme de personnages incarnant le rationalisme humaniste appuyé sur la technê qui est un aspect, mais un aspect seulement, de la Grèce du Ve siècle. Ainsi, au niveau le plus simple, Jocaste. « Jamais, dit-elle, créature humaine ne posséda l'art de prédire » (708-709, le mot est encore technê). L'oracle rendu à Apollon émanait non du dieu « mais de ses serviteurs ». « Ne redoute pas, dit-elle encore, l'hymen d'une mère, bien des mortels ont déjà dans leurs rêves partagé le lit maternel » (980-982) ; et de fait, au témoignage d'Hérodote, la divination pouvait donner de l'union avec la mère une interprétation optimiste. La Déjanire des Trachiniennes emploie pour reconquérir l'amour d'Héraclès un art différent ; elle prépare le baume magique (en réalité un poison) dont le Centaure Nessos lui avait indiqué la recette.*

Œdipe se situe, lui, à un tout autre niveau. Par un jeu fréquent sur son nom (Oidipous) et sur le verbe signifiant « je sais » (oida), Sophocle fait d'Œdipe celui qui sait. C'est par le savoir et par l'art qu'il a délivré Thèbes de la redoutable musicienne, la Sphinge. C'est au savoir d'Œdipe que fait appel le prêtre, porte-parole du peuple au début de la pièce : « Que la voix d'un dieu te l'enseigne ou qu'un mortel t'en instruise, n'importe » (42-43). Quand Tirésias parlant à son tour par énigme affirme que « vit en lui la force du vrai », Œdipe qui met l'art du devin sur un plan inférieur à son savoir réplique : « Et qui t'aurait appris le vrai ? Ce n'est certes pas ton art » (357).

Face à Créon de retour de Delphes, Œdipe raisonne en

technicien de la chose politique. Il croit découvrir entre le devin et son beau-frère un complot destiné à le chasser du pouvoir. Car pour Œdipe, savoir et pouvoir vont de pair.

Seul est pourtant un savoir infaillible : celui que procure la mantique, et Œdipe en est bien conscient qui s'affirme lui-même, face à Tirésias, comme possédant l'art du devin, mais les devins véritables sont aussi clairvoyants qu'impuissants.

Au siècle qui suivra celui de la tragédie, Platon opposera à la formule de Protagoras : « L'homme est la mesure de toutes choses », sa formule à lui qui fait de Dieu la mesure de toutes choses. Et il est vrai que la divinité, chez les Tragiques, est elle aussi mesure, mais elle est mesure au terme de la tragédie. C'est alors et alors seulement que le monde, ou le plan des dieux, devient « intelligible ». Platon oppose moins monde sensible et monde intelligible qu'il n'explique le premier, simple reflet, par le second que le philosophe a la possibilité de découvrir. Mais le monde tragique ne comporte pas de philosophes aptes à classer les êtres dans leur hiérarchie véritable, et c'est du reste pourquoi Platon rejette la tragédie. Dans le Banquet, le poète tragique Agathon doit s'incliner, tout comme Aristophane, devant Socrate. Le monde tragique exclut la hiérarchie des savoirs et l'union du savoir et du pouvoir que le philosophe entendra réaliser. Pouvoirs et savoirs s'affrontent dans cet opaque qui sépare le monde des dieux de celui des hommes et au sens duquel il faut à tout moment choisir. Le chœur de l'Antigone à la gloire de l'homme le dit encore : « Maître d'un savoir dont les ingénieuses ressources dépassent toute espérance, il peut prendre ensuite la route du mal tout comme du bien » (364-366). L'Œdipe à Colone qui montre le héros thébain entrer dans l'éternité à l'appel des dieux et sous la conduite du fondateur mythique de la démocratie athénienne Thésée montre que cette dernière hypothèse n'est pas inconcevable.

IX. Le drame et le lecteur

La trilogie dont faisait partie l'Œdipe Roi n'avait pas remporté le premier prix au concours des Grandes Dionysies.

Celui-ci était allé au neveu d'Eschyle, Philoclès, dont l'œuvre ne nous est pas parvenue (mais qui avait peut-être présenté une œuvre de son oncle). Le risque de perdre était un des éléments du concours tragique. Écrites en 406, au moment de la mort de Sophocle, les Grenouilles *d'Aristophane montrent pourtant que dès cette date, Eschyle, Sophocle et Euripide jouissent d'une primauté que personne ne conteste plus, bien que l'ordre dans lequel il convient de les classer soit encore matière à débat. Au IVe siècle, dans l'Athènes de Lycurgue, ce contemporain d'Aristote, les effigies des trois grands Tragiques sont coulées en bronze et le peuple finance les reprises de leurs pièces. Nous sommes les héritiers de ce premier classicisme, entre-temps émondé par les professeurs romains.*

L'histoire moderne du théâtre de Sophocle commence à ces 3 et 5 mars 1585 où Edipo Tiranno *fut représenté avec une somptuosité princière dans le « théâtre olympique » de Palladio à Vicence*[1]. *Mais, de même qu'une église de L. B. Alberti n'est pas un temple grec, le théâtre de Palladio n'est pas un théâtre antique ; il en est même en un sens tout le contraire. Le ciel colorié qui domine la scène n'est pas le plein air du théâtre grec. La séparation de la scène et des gradins exclut l'orchestra qui assure la médiation entre les acteurs et le public. Le mécénat de l'Accademia Olimpica n'est pas le jugement populaire, et la représentation d'un chef-d'œuvre n'est pas un concours tragique où s'affrontent auteurs, acteurs et chœurs de trois tétralogies.*

Nous pouvons, bien entendu, aujourd'hui représenter Œdipe Roi *au théâtre d'Épidaure, mais une lecture archéologique reste une lecture moderne et rien ne peut faire qu'il n'en soit pas ainsi, même si chaque génération entend découvrir, par une opération de décapage, le vrai Sophocle et le vrai Œdipe. La seule supériorité dont puisse se targuer la nôtre est peut-être d'être consciente de ces accumulations successives de lectures.*

Que des grilles contradictoires aient été proposées (l'avant-dernière est la lecture psychanalytique) ne doit donc ni nous

1. Voir Léo Schrade, *La Représentation d'Edipo Tiranno au Teatro Olimpico*, Paris, CNRS, 1960, et P. Vidal-Naquet, « Œdipe à Vicence et à Paris », *Mythe et tragédie*, II, Paris, La Découverte, 1986, pp. 217-229.

étonner ni nous indigner. *Quand nous essayons aujourd'hui de
comprendre la tragédie grecque par une confrontation systémati-
que des œuvres avec les institutions, le vocabulaire, les formes de
décision qui caractérisaient l'Athènes du Vᵉ siècle, nous ne
prétendons pas au savoir absolu (il n'y a pas de secret de
l'Œdipe Roi, et en cela Freud, fasciné par l' « illustre
déchiffreur d'énigmes », s'est trompé) et encore moins retrouver,
une fois pour toutes, le sens qu'avait, pour son auteur et pour son
public, la tragédie représentée au Vᵉ siècle. Nous ne disposons
que des œuvres et il n'existe pas d'absolu du sens.*

Du moins ce mot même d'« œuvre » doit-il nous servir de
garde-fou, car l'œuvre est précisément ce qu'il ne faut pas briser,
ce en dehors de quoi nous n'avons pas à chercher un sens. Il est
peut-être vrai que, pour comprendre le mythe d'Œdipe, il faille,
comme l'a affirmé non sans paradoxe Claude Lévi-Strauss,
réunir toutes les versions du mythe, celles qui sont antérieures à
Sophocle, celle du poète tragique, celle de ses successeurs et,
parmi eux, l'inventeur du « complexe d'Œdipe »; mais une
œuvre n'est pas un mythe et ne se laisse pas décomposer en
éléments premiers. Le mythe ne facilitera la lecture d'une œuvre
que de façon différentielle, dans la mesure où nous saurons, ce
qui n'est pas toujours le cas, ce que le poète ajoute et ce qu'il
retranche. Ainsi la Sphinge de l'Œdipe Roi n'est pas le
monstre féminin issu de la terre et violant les jeunes gens que
d'autres documents permettent de reconstituer, ni la fille de
Laïos qu'elle est selon une tradition rapportée par Pausanias.
Elle est l' « horrible chanteuse » qui posait l'énigme et c'est tout.

Cela ne signifie pas qu'il ne faille pas éclairer la tragédie par
autre chose qu'elle-même. Spectacle tout à la fois politique et
religieux, la tragédie peut utilement être confrontée avec d'autres
modèles politiques et religieux. Ainsi a-t-on pu rappeler [1] qu'à
l'époque où paraissait au théâtre Œdipe, divin purificateur et
sauveur de sa cité, puis souillure abominable que la cité rejette et
exile, existaient à Athènes, et ailleurs en Grèce, deux institu-

---

1. Cf. J.-P. Vernant, « Ambiguïté et renversement. Sur la structure
énigmatique d'*Œdipe Roi* », *Mythe et tragédie*, I, Paris, Maspero, 1972,
pp. 117-131.

tions dont la seconde apparaît comme la version politisée de la première. Le *pharmakos* était un « *bouc émissaire* » (mais recruté parmi les hommes) que la cité expulsait annuellement de la ville, comme symbole des souillures accumulées pendant l'année, au besoin après l'avoir entretenu pendant un an, tel un roi dérisoire, aux frais du trésor public, et « *Œdipe porte effectivement le poids de tout le malheur qui accable ses concitoyens* » et dont ceux-ci à l'ouverture de la pièce le supplient de les débarrasser. L'ostracisme, procédure qui passe pour avoir été instituée à Athènes par Clisthène et qui fut utilisée entre 487 et 416, vise par des moyens politiques à obtenir un résultat comparable : expulser, provisoirement, de la cité celui des citoyens dont la supériorité risque d'attirer sur elle la vindicte divine sous la forme de la tyrannie. « *La démesure, dit le chœur de l'Œdipe Roi, engendre la tyrannie* » (873). Celui, dira Aristote[1], qui ne peut vivre en communauté « *ne fait en rien partie de la cité et se trouve par conséquent soit une bête brute, soit un dieu* ». Tel est bien le destin du personnage de Sophocle.

De même quand on se souvient que dans le mythe, et encore dans une large mesure dans les institutions de l'époque archaïque et classique, le jeune citoyen était avant d'être intégré dans les rangs des hoplites installé aux frontières de la cité, voué militairement aux embuscades, voire, comme à Sparte, à la chasse et à l'exploit rusé et nocturne qui en fait comme l'inverse du citoyen normal, il est difficile de ne pas rapprocher cette série de faits de la situation de Néoptolème, dans le Philoctète, fils d'Achille, futur vainqueur de Troie, mais, pour l'heure, adolescent ayant l'âge d'un éphèbe athénien, débarquant dans une île déserte et contraint par son chef Ulysse à accomplir le vol de l'arc de Philoctète, « exploit » contre lequel protestent et le passé de son père et son futur à lui. A l'issue de la tragédie, l'homme ensauvagé qu'était devenu Philoctète et le jeune homme provisoirement voué à la traîtrise réintègrent le monde de la cité[2].

1. *Politique*, 1, 1253 a.
2. Voir P. Vidal-Naquet, « Le Philoctète de Sophocle et l'Éphébie », in *Mythe et Tragédie*, I, pp. 169-184.

Ce sont là des hypothèses et on pourrait en proposer d'autres applicables à d'autres pièces de Sophocle. Disons simplement, pour conclure, qu'elles ne visent en aucun cas à se substituer à la lecture que chacun en définitive fait et fera, pour son propre compte, de l'œuvre du poète grec.

AVERTISSEMENT

Conformément aux principes généraux adoptés dans la Collection publiée par l'Association Guillaume Budé pour la traduction des tragiques, les *parties parlées* de l'original grec sont imprimées ici en romain, et les *parties chantées* en italique. Les morceaux précédés du signe figurant deux flûtes entrecroisées (✕) étaient *récités sur un accompagnement instrumental* qui en soulignait fortement le rythme.

Dans les parties chantées, les alinéas correspondent à la division en périodes de chaque strophe. Cette division peut être établie, surtout chez Sophocle, avec une quasi-certitude. Mais nous ne l'avons indiquée que dans les chants du chœur situés en dehors de l'action. Nous avons renoncé à la marquer extérieurement dans la traduction des autres parties lyriques pour une raison purement matérielle : le morcellement excessif du texte eût empêché le lecteur de saisir la structure générale des ensembles construits par le poète.

Les indications de mouvement placées avant les morceaux chantés ne sont pas entièrement arbitraires : elles se fondent sur l'observation de quelques faits précis. Il ne faut pas cependant leur attribuer une valeur absolue. Elles sont surtout importantes à l'intérieur d'un ensemble lyrique, parce qu'elles signalent un changement de rythme, qui ne peut être sans signification pour le mouvement même de la pensée.

Les Trachiniennes [1]

PERSONNAGES

DÉJANIRE, *fille d'Œnée, femme d'Héraclès.*

LA NOURRICE.

HYLLOS, *fils d'Héraclès et de Déjanire.*

CHŒUR DE TRACHINIENNES.

UN MESSAGER.

LICHAS, *compagnon d'Héraclès.*

HÉRACLÈS, *fils de Zeus et d'Alcmène, époux de Déjanire.*

UN VIEILLARD.

A Trachis, devant la maison prêtée par Céyx à Héraclès.
Déjanire et la Nourrice sortent du gynécée.

DÉJANIRE : C'est une vérité admise depuis bien longtemps chez les hommes qu'on ne peut savoir, pour aucun mortel, avant qu'il soit mort, si la vie lui fut ou douce ou cruelle [1]. La mienne, je sais, moi, bien avant d'être descendue aux enfers, qu'elle n'est que malheur et peine. J'habitais encore à Pleuron, dans la maison d'Œnée, mon père, lorsque le mariage m'apprit à connaître la plus douloureuse angoisse qu'ait jamais connue femme d'Étolie. Mon prétendant était un fleuve, Achélôos [2], qui me venait demander à mon père sous trois aspects divers : tantôt c'était un vrai taureau, tantôt un serpent aux nœuds scintillants, tantôt une forme humaine, mais ayant un front de taureau et dont la barbe épaisse laissait couler des flots d'eau vive. Dans l'attente d'un tel prétendant, la malheureuse que j'étais souhaitait à toute heure mourir plutôt qu'approcher d'un tel lit. A la fin, assez tard, mais à ma grande joie, arrive le fils de Zeus et d'Alcmène. Il entre en concurrence et en lutte avec l'autre, et il me délivre de lui. Comment se passa le combat [3] ? Je ne saurais le dire ; je l'ignore et je laisse le soin d'en parler à qui aura pu sans émoi assister à pareil spectacle. Moi, j'étais là, passive, atterrée par la crainte que ma beauté en fin de compte ne me valût que des souffrances. Cependant le Zeus des Tournois régla heureusement l'affaire. Mais puis-je dire « heureusement » ? car, depuis que l'arrêt de Zeus m'a mise comme épouse dans les bras d'Héraclès, je ne cesse de nourrir frayeur sur frayeur et de me tourmenter pour lui. La même nuit qui m'enlève un chagrin m'en apporte un autre à son tour. Nous avons eu des enfants ; mais lui, comme un paysan[1] qui a pris la charge d'un domaine au loin, ne les a jamais vus qu'une fois ou l'autre, aux seules époques des semailles ou de la moisson. Ainsi le voulait l'existence qui, sans répit, quand il rentrait chez lui, l'en éloignait bien vite, attaché qu'il était au service d'un autre. Et c'est au moment même où il a surmonté toutes ces épreuves, c'est alors que je sens plus de peur que jamais. Depuis qu'il a tué le puissant Iphitos[2], transplantés ici, à Trachis, nous y habitons chez un hôte ; mais lui-même, où est-il ? Personne qui le sache. La seule chose sûre, c'est que son absence m'inflige ici pour lui des tourments bien amers. Je suis presque certaine qu'il lui est arrivé malheur. Ce n'est pas depuis quelques jours, c'est depuis dix mois, suivis de cinq autres, qu'il demeure ainsi sans nous envoyer le moindre message[3]. Oui ! il y a là quelque affreux malheur : j'en dois croire la tablette qu'il m'a laissée en partant et que je prie souvent les dieux de n'avoir pas reçue pour mon propre malheur.

LA NOURRICE : O reine Déjanire, je t'ai vue déjà bien des fois pousser en gémissant des plaintes éplorées sur cette absence d'Héraclès. Mais aujourd'hui — s'il n'est pas anormal qu'on fasse la leçon à des hommes libres en leur offrant des opinions d'esclave — c'est moi qui dois te dire tout simplement ceci : Comment, alors que tu as tant d'enfants, n'envoies-tu pas l'un d'eux rechercher ton époux ? Et celui-là d'abord qui est tout désigné, Hyllos, s'il a quelque souci de s'assurer que son père est en vie. Le voici justement qui approche et qui, bien à propos, accourt vers le palais ; de sorte que tu peux, si mon conseil te paraît opportun, tirer parti du même coup et de l'homme et de mes avis.

(Entre Hyllos, se dirigeant vers la maison. Mais sa mère aussitôt l'appelle.)

DÉJANIRE : O mon enfant, mon fils, je vois que des gens sans naissance peuvent trouver des mots qui tombent juste. Cette femme n'est qu'une esclave, elle n'en a pas moins parlé aussi bien qu'une femme libre.

HYLLOS : Que t'a-t-elle dit ? Apprends-le-moi, mère, si du moins c'est chose que je puisse apprendre.

DÉJANIRE : Qu'au moment où ton père s'attarde si longtemps en pays étranger, tu ne cherches pas, toi, à savoir où il est, pour toi, c'est une honte.

HYLLOS : C'est qu'en fait je le sais, si l'on peut avoir foi dans ce que l'on raconte.

DÉJANIRE : Et en quel point du monde le dit-on fixé, mon enfant ?

HYLLOS : Toute la longue année qui vient de s'écouler, il l'aurait passée au service d'une femme de Lydie[1].

DÉJANIRE : On peut tout entendre, à ce compte, s'il a vraiment subi ce sort.

HYLLOS : Mais de cet esclavage on le dit aussi libéré.

DÉJANIRE : Et où, vivant ou mort, serait-il donc fixé ?

HYLLOS : Il ferait campagne, dit-on, sur la terre d'Eubée, au pays d'Eurytos, ou du moins s'y préparerait.

DÉJANIRE, *vivement* : En ce cas, sais-tu, mon enfant, qu'il m'a laissé de sûrs oracles au sujet de ce pays-là ?

HYLLOS : Lesquels ? J'ignore, mère, de quoi tu veux parler.

DÉJANIRE : Ou il trouvera là le terme de sa vie, ou il triomphera et dès lors à jamais passera dans le calme le reste de ses jours. Le voici donc à l'heure décisive : ne veux-tu pas courir, mon enfant, à son aide ? Nous sommes tous sauvés, s'il garde la vie sauve, ou nous sommes morts avec lui.

HYLLOS : Alors, mère, je pars ! Si j'avais été mieux instruit des termes de ces prophéties, je serais déjà depuis longtemps sur place. Mais le destin coutumier de mon père ne me permettait ni appréhension ni crainte excessive. Aujourd'hui je comprends, et je veux tout faire pour savoir sur ce point l'entière vérité.

DÉJANIRE : Va donc, mon fils : même pour qui n'est pas parti à temps, le succès, quand il se révèle n'en livre pas moins son profit.

(Il sort. Entre le Chœur. Il est formé de jeunes filles du pays.)

Assez large.

LE CHŒUR : *Toi qui, en naissant de la Nuit, la dépouilles de ses étoiles, tout comme elle endort ta flamme à son tour, Soleil, Soleil, je t'implore,*
viens me dire où gîte, où gîte le fils d'Alcmène, ô dieu qui t'illumines d'un éclat fulgurant !
Est-il au milieu des détroits marins[1] *? est-il fixé sur l'un de nos deux continents ? A toi de nous le dire : nul œil ne vaut le tien.*

J'apprends qu'en son cœur amoureux la fiancée si disputée naguère, maintenant pareille à un pauvre oiseau, Déjanire,
n'arrive pas à endormir la passion inscrite en ses yeux ni à en arrêter les larmes, mais nourrit au contraire l'inquiétude obsédante née du départ de son époux,
sur la couche anxieuse où languit son veuvage et où la malheureuse n'attend plus qu'un affreux destin.

Comme on voit sur la vaste mer, sous l'infatigable poussée des vents du midi ou du nord, les lames par milliers tour à tour s'éloigner et puis repartir à la charge,

ainsi notre Thébain est tantôt culbuté et tantôt exalté par les
flots d'une vie aux labeurs sans fin, pareille à la mer,
    à la mer de Crète[1] *! Mais un dieu toujours est là, qui lui*
épargne la défaite et l'écarte des portes d'Hadès.

Voilà ce que je te reproche. Avec respect, mais bien en face, je
te donnerai mon avis : non, non, laisser en toi s'user le doux
espoir, cela, je te l'assure,
    tu n'en as pas le droit. Aussi bien le Cronide, le roi qui règle
tout, n'a jamais aux mortels octroyé de lots sans souffrances.
    Joies et peines pour tous toujours vont alternant : on croirait
voir la ronde des étoiles de l'Ourse.

Un peu plus animé.

Pour les hommes, rien qui dure, ni la nuit étoilée, ni les
malheurs, ni la richesse ;
    tout cela un jour brusquement a fui, et c'est déjà au tour d'un
autre de jouir — avant de tout perdre.
    Et c'est pourquoi je t'invite, ma reine, à retenir ces vérités
toujours aux heures de l'attente. Qui donc a jamais vu Zeus si
insoucieux de ses enfants[2] *?*

DÉJANIRE : Tu as appris ma peine, et c'est là,
j'imagine, pourquoi tu es ici. Mais les affres qu'é-
prouve mon cœur, puisses-tu pour les comprendre ne
pas avoir à les subir, et les ignorer pour ton compte
demain tout comme aujourd'hui ! La jeunesse grandit
dans un domaine qui n'appartient qu'à elle, où ni
l'ardeur du ciel ni la pluie ni les vents ne viennent
l'émouvoir, et c'est dans les plaisirs, loin de toute
souffrance, que sa vie se déploie, jusqu'au jour où la
vierge, prenant le nom de femme, reçoit dès lors sa
part des soucis de la nuit et ne cesse plus de trembler
pour son mari, pour ses enfants. C'est alors seulement
qu'elle sera capable, en jugeant par son propre sort, de
pleinement comprendre les maux dont je porte le
poids. Bien des chagrins m'ont fait pleurer déjà. Il en

est un pourtant dont je n'ai pas encore trouvé l'égal et
que je veux te dire sans tarder. La dernière fois que le
maître de cette maison, Héraclès, en est parti, il a
laissé chez lui une vieille tablette, qui porte inscrites
des consignes qu'il ne s'était jamais encore décidé à
nous donner telles, alors qu'il nous quittait pour tant
d'autres combats. C'est qu'il savait alors qu'il mar-
chait au succès, et non pas à la mort. Cette fois au
contraire, comme s'il n'était déjà plus, il indiquait
quels biens je devais hériter à titre d'épouse, quelle
part aussi de son patrimoine il assignait à ses enfants.
Et il fixait une date d'avance : lorsqu'il aurait été
absent de ce pays une année entière et trois mois [1],
l'heure décisive serait venue pour lui : ou il succombe-
rait, ou s'il échappait à la mort, il vivrait désormais
exempt de tout chagrin. Tel était, selon lui, le sort
établi par les dieux qui marquerait la fin des labeurs
d'Héraclès : le chêne antique de Dodone l'avait un
jour proclamé, disait-il, par la voix de ses deux
prêtresses [2]. Or, la vérité de ces prophéties justement
concorde à cette heure avec les données prévues pour
leur accomplissement ; et c'est pourquoi, alors que je
goûtais la douceur du sommeil, une terreur soudaine
m'a jetée à bas de mon lit : je tremble, mes amies, à
l'idée de rester privée du plus noble de tous les
hommes.

LE CORYPHÉE : N'en dis pas plus : je vois venir
quelqu'un qui porte une couronne ; et cela fait prévoir
de joyeuses nouvelles.

(Un Trachinien arrive en courant.)

LE MESSAGER : Reine Déjanire, je serai le premier
dont le message te tirera d'angoisse. Sache donc que le
fils d'Alcmène vit et est vainqueur, et qu'il amène ici,
pour les dieux du pays, les prémices de sa victoire.

DÉJANIRE : Ah ! vieillard, que me dis-tu là ?

LE MESSAGER : Je te dis que l'époux que chacun

t'envie va bientôt être de retour. Il reparaît, suivi d'un triomphe éclatant.

DÉJANIRE : Et de qui tiens-tu la nouvelle ? D'un étranger ou bien d'un citoyen ?

LE MESSAGER : C'est son serviteur, Lichas, le héraut, qui est en train de le clamer, dans la prairie où pâturent nos bœufs. Je l'ai entendu de sa bouche, et j'ai aussitôt bondi. Il fallait que je fusse le premier à te l'annoncer, pour en avoir par toi quelque profit et pour m'acquérir ta faveur.

DÉJANIRE : Mais comment se fait-il qu'il ne soit pas là en personne, alors qu'il a pareille chance ?

LE MESSAGER : La chose, femme, ne lui est guère aisée. Le peuple maliaque est là tout entier, qui l'entoure, qui l'interroge, et il ne peut plus avancer. Chacun tient à satisfaire son envie de tout savoir ; personne qui le lâche avant de l'avoir fait parler à son gré, et ce n'est pas pour son plaisir, c'est pour le leur, qu'il reste ainsi au milieu d'eux. Mais tu vas l'avoir devant toi dans un instant.

DÉJANIRE : O Zeus, ô maître des prairies inviolées de l'Œta [1], tu nous as donc enfin accordé de la joie ! Élevez vos voix, ô femmes, et dans la maison et hors du palais. Elle dépasse mon attente, la clarté qui jaillit d'une telle nouvelle et nous réjouit maintenant.

VII.

LE CHŒUR : *Oui, elle éclatera en clameurs de triomphe autour de son foyer, la maison qui attend l'époux. Allons ! qu'avec ensemble les voix des garçons*

montent vers le ciel, chantant le dieu qui porte le carquois, Apollon Protecteur, alors qu'en même temps, nous autres, jeunes filles, entonnant le péan — le péan ! —

vous chanterez sa sœur, Artémis d'Ortygie [2], la déesse qui chasse les biches et qui tient deux torches en main, avec les Nymphes, ses voisines.

Je me sens soulevée de terre et ne veux pas me dérober à l'appel de ta flûte, ô maître de mon âme[1].

Vois, ton lierre me met en branle — évohé ! évohé ! — et déjà peu à peu rappelle en moi l'émulation bachique.

Iô, iô, Péan ! Ah ! vois donc, ma chère, le spectacle qui, devant toi, s'offre là, en clair, à tes yeux.

> (Entre Lichas, suivi d'un groupe de captives. Iole est au milieu d'elles.)

DÉJANIRE : Je vois, mes amies ; mes yeux veillent, et ce cortège ne leur a pas échappé. Et je dis au héraut si longtemps attendu : « Sois en joie, si toi-même tu nous apportes quelque joie ! »

LICHAS : Mais oui, tout est au mieux, et notre retour et ton accueil, femme, puisqu'il s'accorde au succès remporté. A un heureux vainqueur un bienveillant salut : c'est son profit normal.

DÉJANIRE : O le plus cher des hommes, apprends-moi avant tout ce qu'avant tout je veux savoir : recevrai-je ici Héraclès vivant ?

LICHAS : Je l'ai quitté, ma foi, en pleine force, bien vivant, florissant, ne souffrant d'aucun mal.

DÉJANIRE : Mais où ? dis-moi. Sur le sol paternel ou en terre barbare ?

LICHAS : Il est un cap d'Eubée, où il s'occupe à consacrer autels et offrandes de fruits, en l'honneur de Zeus Cénéen[2].

DÉJANIRE : Pour accomplir un vœu ? ou obéir à un oracle ?

LICHAS : Oui, le vœu qu'il a fait, à l'heure où il cherchait à conquérir la terre qu'a depuis ravagée sa lance, la terre de ces femmes qui sont là sous tes yeux.

DÉJANIRE : Ces femmes, au nom des dieux, dis-moi leur origine. Qui sont-elles ? Elles appellent la pitié — à moins que ce ne soit leurs malheurs qui m'abusent.

LICHAS : Ce sont celles qu'Héraclès, après avoir

détruit la ville d'Eurytos, a prises comme part de choix pour lui-même et pour les dieux.

DÉJANIRE : Est-ce donc devant cette ville qu'il est resté un temps si imprévu, pendant des jours sans nombre ?

LICHAS : Non, ce temps-là, pour la plus grande part, il l'a passé retenu en Lydie, non pas comme homme libre, mais, il l'avoue lui-même, comme esclave acheté — il n'y a pas lieu, femme, de s'offenser du mot, quand Zeus est l'auteur de la chose. Ainsi donc, vendu à Omphale la Barbare, il est resté chez elle un an entier, dit-il, et l'affront lui fut si cuisant qu'il se promit, qu'il se jura alors un grand serment, de réduire à son tour en servage, avec femme et enfant, l'homme qui lui avait fait connaître un pareil opprobre. Et ce n'a pas été une vaine menace. Sitôt purifié, il lève une armée et marche sur la ville de cet Eurytos, qu'il tient parmi les hommes pour le seul responsable du sort qu'il a subi. C'est lui, en effet, qui, du jour où Héraclès était venu s'asseoir à son foyer à titre de vieil hôte, l'avait ensuite provoqué sans répit par les propos, les malices d'un cœur malfaisant. Il lui déclarait : « Si tu as en main des "traits infaillibles", tu restes par là même inférieur à mes fils [1] dans un concours d'archers. » Ou encore il clamait : « Eh quoi ! es-tu rien de plus que l'esclave d'un homme libre qui est en train de te briser ? » Enfin, dans un dîner, le voyant pris de vin, il l'avait fait jeter dehors. C'est pourquoi, rempli de rancune, lorsqu'Iphitos à son tour était venu gravir la rampe de Tirynthe [2], pour suivre la piste de chevaux errants [3], au moment même où il avait l'œil d'un côté, l'esprit d'un autre, Héraclès l'avait poussé du haut d'une terrasse des remparts. Mais ce bel exploit-là souleva la colère du maître de l'Olympe, de Zeus, père de tous, qui envoya le coupable en servage et n'admit pas qu'Héraclès eût pu, ne fût-ce qu'une fois, tuer un homme par traîtrise. S'il s'était vengé de façon loyale, Zeus lui eût

pardonné d'avoir frappé suivant son droit : les dieux
sont les premiers à détester la démesure ; et, en fait,
ceux-là mêmes qui s'étaient alors déployés en propos
méchants habitent tous aujourd'hui les enfers ; leur
ville est désormais esclave, et les femmes que tu vois là
vont échanger leur opulence contre un sort moins
enviable. Elles viennent à toi par ordre de ton époux,
ordre que j'exécute en loyal serviteur. Pour lui, compte
qu'il reviendra aussitôt achevé le pieux sacrifice qu'il
doit pour sa conquête à son père Zeus ; et de tout ce
long et heureux message, c'est encore là, je pense, le
plus agréable à entendre.

LE CORYPHÉE : Reine, tu as cette fois clairement
matière à te réjouir. Des faits, les uns sont sous tes
yeux ; les autres, son récit vient de te les apprendre.

DÉJANIRE : Et comment n'être pas joyeuse, et de tout
cœur, du succès d'un époux ? N'est-il pas naturel que
la joie suive le succès ? Et cependant, à bien considérer
les choses, il y a lieu de craindre pour le vainqueur lui-
même : il peut choir aussi quelque jour. Une étrange
pitié, mes amies, me pénètre, quand je vois là ces
malheureuses, perdues en pays étranger, sans maison,
sans famille. Nées de parents libres sans doute, les
voilà aujourd'hui vivant des vies d'esclaves. O Zeus de
la Déroute, puissé-je ne jamais te voir venir ainsi sur
mes propres enfants ! Ou, si tu dois leur faire quelque
mal, que ce ne soit pas du moins de mon vivant !
J'éprouve tant d'angoisse à voir ici ces femmes. (*A
Iole.*) Pauvre enfant, qui es-tu parmi ces jeunes filles ?
Une vierge ? ou déjà une mère ? Tout ton être répugne
à pareille misère. Serais-tu pas de noble sang ?... D'où
est issue, Lichas, cette étrangère ? De quelle mère, dis-
moi, de quel père est-elle née ? A la voir, je me sens
pour elle plus de pitié que pour toute autre — d'autant
qu'elle est seule à se dominer.

LICHAS : Comment le saurais-je ? Pourquoi même

me le demander ? C'était sans doute une enfant de bonne famille là-bas.

DÉJANIRE : Famille royale peut-être ? Eurytos avait-il des enfants ?

LICHAS : Je ne sais ; je ne m'en suis pas longuement enquis.

DÉJANIRE : N'as-tu pas su son nom d'une de ses compagnes ?

LICHAS : Non certes : j'ai rempli mes fonctions en silence.

DÉJANIRE : A moi alors, ma pauvre enfant, va, dis-le donc de ton plein gré. C'est un malheur de plus pour toi que nous ne sachions qui tu es.

(Iole demeure muette.)

LICHAS : Non, elle restera, je le vois bien, la même, et je doute qu'elle se décide à parler. Elle n'a dit encore un seul mot, long ni bref, mais, le cœur toujours lourd de cette dure épreuve, elle pleure, la malheureuse, sans répit, depuis le jour qu'elle a quitté sa ville dispersée aux vents. Si son sort est cruel, il lui donne du moins droit à quelque indulgence.

DÉJANIRE : Laissons-la donc en paix. Qu'elle entre sous ce toit avec le moins de déplaisir possible, et qu'à ses chagrins présents je n'aille pas moi-même en ajouter un à mon tour ! C'est bien assez de ceux qu'elle a. Rentrons donc sans tarder. Tu pourras de cette façon te rendre au plus vite où tu veux, tandis que j'irai, moi, tout ordonner comme il convient dans la maison.

(Lichas franchit le seuil avec les captives. La Reine va le suivre, quand le Messager la retient.)

LE MESSAGER : Commence par rester et attends un moment. Il faut que tu apprennes, mais en dehors d'eux, à qui tu ouvres là ta porte, et que, des faits dont on ne t'a rien dit, tu saches tout ce que tu dois savoir. Je les connais, moi, et parfaitement.

DÉJANIRE : Qu'est-ce donc ? et pourquoi m'arrêter de la sorte ?

LE MESSAGER : Demeure et écoute. Tu n'as pas perdu ton temps à m'entendre tout à l'heure : il en sera de même, je crois bien, cette fois.

DÉJANIRE : Dois-je rappeler les autres ici ? Ou est-ce à moi et à ces femmes seules que tu souhaites parler ?

LE MESSAGER : A toi et à ces femmes, soit ! rien ne s'y oppose. Mais laisse aller les autres.

DÉJANIRE : Ils sont partis. Et maintenant que ton propos s'explique.

LE MESSAGER : Dans tout ce que cet homme vient de te raconter, il n'y a rien qui soit sincère et vrai. Ou c'est à cette heure qu'il ment, ou c'est avant qu'il se montrait un infidèle messager.

DÉJANIRE : Que dis-tu ? Fais-moi savoir exactement tout ce que tu as dans l'esprit. Je comprends assez mal ce que tu me dis.

LE MESSAGER : Eh bien ! je l'ai entendu, ce même homme, et devant de nombreux témoins, déclarer que c'était pour cette jeune fille qu'Héraclès avait abattu et Eurytos et les hauts remparts d'Œchalie. La seule magie de l'amour lui aurait fait prendre les armes, et non son séjour en Lydie, avec son odieux servage chez Omphale [1], ni le précipice mortel où il a fait choir Iphitos — bien que notre homme maintenant laisse l'amour de côté et s'exprime tout autrement. La vérité est qu'Héraclès, n'arrivant pas à convaincre le père de lui donner sa fille pour une union secrète, s'est alors saisi d'un léger grief, d'un simple prétexte, pour partir en guerre contre le pays de la jeune fille, où, comme l'autre te l'a dit, Eurytos avait le trône royal. Il tue ainsi le roi son père en même temps qu'il détruit sa cité. Et elle, le voici, au moment de rentrer chez lui, qui te l'envoie en personne et certes pas sans dessein, ni pour qu'elle soit ton esclave — cela, femme, n'y compte pas ! Serait-ce d'ailleurs vraisemblable, alors

qu'il est enflammé de désir ? Aussi me suis-je décidé à
te révéler, reine, tout ce que j'ai appris par l'homme.
Et cette histoire-là, bien d'autres, en pleine place de
Trachis, l'ont entendue tout comme moi, qui seraient
prêts à le confondre. Si je t'apprends ainsi des choses
de nature à te déplaire, je le fais moi-même certes sans
plaisir : je t'aurai du moins dit toute la vérité.

DÉJANIRE : Hélas ! infortunée, en quel ennui me voilà
donc ! A quel désastre aurai-je ouvert ma porte, et sans
m'en douter, malheureuse ! N'a-t-elle vraiment point
de nom, comme son guide le jurait ?

LE MESSAGER : Dis plutôt que son nom a tout autant
d'éclat que sa beauté, puisque par la naissance elle
était fille d'Eurytos et qu'on l'appelait Iole. Si notre
homme ne savait pas son origine, c'est sans doute qu'il
ne s'en était guère enquis.

LE CORYPHÉE : Ah ! que périssent donc, sinon tous
les méchants, du moins ceux qui pratiquent une félonie
qui les déshonore !

DÉJANIRE : O femmes, que faire ? Je suis atterrée de
ce que j'entends.

LE CORYPHÉE : Va-t'en questionner l'homme. Peut-
être te dira-t-il la vérité, si tu consens à user de rigueur
en l'interrogeant.

DÉJANIRE : J'y vais ; l'avis est loin d'être déraisonnable.

LE MESSAGER : Et moi, dois-je rester ? Sinon, que
dois-je faire ?

DÉJANIRE : Demeure : l'homme est là, sans que j'aie
eu besoin de le faire chercher. Il vient de lui-même, il
sort de la maison.

*(Lichas apparaît sur le seuil et s'adresse à la
Reine.)*

LICHAS : Eh bien ! qu'irai-je dire, femme, à Héraclès ? A toi de me l'apprendre, car, tu vois, je pars.

DÉJANIRE : Comme tu t'en vas précipitamment,

après t'être fait si longtemps attendre! Nous n'avons
pas encore repris notre entretien.

LICHAS : As-tu autre chose à me demander? Je suis à
tes ordres.

DÉJANIRE : Auras-tu donc la loyauté d'être entièrement sincère?

LICHAS : J'en jure par le grand Zeus — tout au
moins pour ce que je sais.

DÉJANIRE : Eh bien! dis-moi quelle est la femme que
tu nous amènes ici.

LICHAS : Une Eubéenne; mais fille de qui? je
l'ignore.

(Le Messager intervient brusquement.)

LE MESSAGER : Hé là! l'homme, regarde-moi. A qui
crois-tu donc parler?

LICHAS : Mais, toi-même, pourquoi me demander
cela?

LE MESSAGER : Daigne répondre à ma demande, si
du moins tu es sain d'esprit.

LICHAS : Je parle à la Reine, Déjanire, la fille
d'Œnée, la femme d'Héraclès — si mes yeux ne
m'abusent — et de plus ma maîtresse.

LE MESSAGER : C'est bien cela, c'est cela même que
je voulais t'entendre dire. Tu reconnais que c'est là ta
maîtresse.

LICHAS : En toute loyauté.

LE MESSAGER : Quel châtiment alors penses-tu mériter, si l'on arrive à te convaincre de déloyauté envers
elle?

LICHAS : Déloyauté? que veux-tu dire? De quelles
couleurs uses-tu là?

LE MESSAGER : Je n'use d'aucune couleur. C'est bien
plutôt ton fait, à toi.

LICHAS : Je te cède la place. J'ai été bien naïf de
t'écouter aussi longtemps.

LE MESSAGER : Pas avant d'avoir répondu à une simple question.

LICHAS : Eh bien! va, parle, si tu veux. Aussi bien tu ne sais te taire.

LE MESSAGER : La captive amenée par toi, tu la connais sans aucun doute?

LICHAS : Mais oui; pourquoi cette demande?

LE MESSAGER : N'est-ce pas elle en ce cas — celle que tu conduis, celle que tes yeux voient sans la connaître — n'est-ce pas elle que tu disais Iole, fille d'Eurytos?

LICHAS : Et devant qui donc? Qui viendra témoigner pour toi qu'il a de ses oreilles entendu de moi tel propos?

LE MESSAGER : Des centaines de citoyens. C'est une foule énorme qui l'a entendu de ta bouche, en pleine place de Trachis.

LICHAS : Eh! oui, je racontais l'avoir entendu dire. Mais ce n'est pas la même chose de rapporter une opinion et d'énoncer un fait précis.

LE MESSAGER : Une opinion, allons donc! Ne prétendais-tu pas — tu t'en portais garant — que tu menais ici la femme d'Héraclès?

LICHAS : La femme d'Héraclès, moi! Au nom des dieux, chère maîtresse, dis-moi donc quel est cet individu.

LE MESSAGER : Un homme qui était là et qui t'a entendu parler. C'est par amour pour cette fille qu'Héraclès s'en serait allé conquérir tout son pays, et ce n'est pas la Lydienne qui en aurait causé la ruine, mais bien cette passion.

LICHAS : Ah! que ce personnage s'en aille donc, maîtresse! Un homme sain d'esprit ne bavarde pas avec un malade.

DÉJANIRE : Non, je t'en supplie, par ce Zeus dont la foudre illumine la haute combe de l'Œta, ne me cache

pas ce dont il s'agit. En me parlant, tu parleras à une
femme indulgente et qui sait bien que la nature
humaine ne se complaît pas éternellement aux mêmes
objets. Qui veut tenir tête à l'Amour, qui prétend,
comme un lutteur, en venir aux mains avec lui
témoigne de bien peu de sens. L'Amour commande
aux dieux suivant son caprice, aussi bien qu'à moi :
comment donc pourrait-il ne pas faire de même avec
d'autres pareilles à moi ? Dès lors m'en prendre à mon
époux, le jour où il se trouve atteint du même mal,
serait absurde de ma part ; ou encore à cette fille, sous
prétexte qu'elle serait cause de ce qui n'est pas après
tout un déshonneur ni un désastre. Il ne s'agit pas de
cela. Non, mais si c'est ton maître qui t'a fait la leçon
pour que tu mentes ainsi, ce n'est pas bien belle leçon
que tu cherches à appliquer là. Si c'est toi au contraire
qui t'es instruit toi-même, tu vas, sache-le, pour avoir
voulu être trop honnête, apparaître un malhonnête
homme. Allons ! dis-moi la vérité. Pour un homme
libre être appelé menteur ne constitue pas un titre de
gloire. Et quant à me tromper, cela non plus, tu n'y
parviendras pas : trop de gens ont ouï tes propos, qui
viendront me les rapporter. Enfin si tu as peur, eh
bien ! crois-moi, tu t'effrayes à tort : c'est en ne parlant
pas que tu me fâcherais. Que veux-tu que savoir ait
pour moi de pénible ? Héraclès, pour lui seul, a eu bien
d'autres femmes [1] : en est-il qui, jamais, ait entendu de
moi un reproche, un outrage ? Et celle-ci fût-elle tout
imprégnée d'amour, qu'elle n'en entendrait pas
davantage pour cela. J'ai trop senti pour elle, dès le
premier regard, de profonde pitié, à l'idée que sa
beauté aura ruiné son existence et que, sans le vouloir,
elle aura, la malheureuse, porté à son pays la ruine et
l'esclavage. Que les choses suivent donc leur cours !
Mais je te dis, à toi : « Tu peux manquer de foi à
d'autres, avec moi sois toujours vrai. »

LE CORYPHÉE : Écoute cette femme, ses avis sont

bons : tu n'auras pas plus tard à les lui reprocher, et je serai ton obligée aussi.

LICHAS : Alors, chère maîtresse, puisque je me rends compte que, mortelle, tu as le cœur d'une mortelle, non celui d'un juge insensible, je te dirai la vérité, je ne te cacherai rien. Il en est bien comme le dit cet homme. C'est un désir terrible de cette jeune fille qui a pénétré Héraclès ; c'est bien pour elle que ses armes ont dévasté, ruiné la cité de son père, Œchalie. Et cela — n'oublions pas ce qui est à sa décharge — cela, jamais il ne m'a donné ordre de le dissimuler, jamais il ne l'a nié. C'est moi, maîtresse, c'est moi seul, qui, par crainte de t'affliger avec de pareilles nouvelles, ai commis cette faute, si c'est faute à tes yeux. Mais maintenant que tu sais tout, et pour lui et pour toi, dans votre intérêt à tous deux, va, agrée cette fille ; et ce que tu viens de me dire d'elle, veuille le tenir pour acquis. Car, si la force d'Héraclès va triomphant partout ailleurs, c'est l'amour de cette fille ici qui triomphe de lui.

DÉJANIRE : Sois tranquille : mon propre cœur m'incite à agir comme tu le dis. Je n'irai pas par des charmes attirer aucun mal sur lui, pour engager une lutte inégale avec les dieux. Rentrons dans la maison : tu as à te charger des instructions que je te donnerai, et je dois de mon côté, pour répondre aux cadeaux reçus, en préparer aussi d'autres qui les vaillent et que tu devras emporter. Il ne serait pas naturel que tu partisses les mains vides, quand tu es arrivé avec pareil cortège.

(Déjanire rentre avec Lichas dans la maison.)

Assez large.

LE CHŒUR : *Terrible est la puissance qui toujours à Cypris assure la victoire.*

Ne parlons pas des dieux : sur ce point je passe et ne veux pas dire comme elle a joué le fils de Cronos[1], et Hadès le Ténébreux, et Poseidôn, l'Ébranleur de la terre.

Mais, pour l'épouse qui est là, quels robustes lutteurs, avant de l'obtenir, sont donc alors descendus dans la lice ?

Quels sont ceux qui s'en sont venus briguer le prix de ces combats où l'on ne recule devant aucun coup ni aucun effort ?

L'un est un fleuve puissant. Avec ses quatre pattes, avec ses hautes cornes,

il offre l'aspect d'un taureau. C'est Achélôos d'Œniades. L'autre vient du pays de Bacchos,

de Thèbes. Il brandit à la fois l'arc que l'on ploie dans la bataille, des javelines, une massue.

Il est, lui, fils de Zeus. Et tous deux s'affrontent à cette heure par désir ardent d'une épouse.

Et, seule à côté d'eux, la déesse d'amour, Cypris, tient en ses mains la baguette d'arbitre.

En s'animant peu à peu.

Et c'est alors un beau fracas de bras et d'arcs et de cornes de taureau qui s'entrechoquent ;

ce sont des prises qui enlacent, des fronts qui se heurtent de façon sinistre, une double plainte haletante ;

tandis qu'assise au flanc d'un tertre dont la vue s'étend au loin, la gente et douce fille est là, passive, anxieuse pour un époux.

Je parle en simple spectateur. Mais elle, l'épouse que l'on se dispute, son œil anxieux fait pitié.

Et soudain la voilà séparée de sa mère, pauvre génisse abandonnée !

> *(Déjanire sort de la maison. Elle porte un coffret scellé.)*

DÉJANIRE : L'homme est toujours dans la maison à parler aux jeunes captives qu'il est sur le point de quitter. J'en profite pour sortir sans bruit et venir à vous, mes amies. Il faut que vous sachiez ce que mes mains ont préparé. Il faut aussi qu'avec moi vous déploriez ce qui m'arrive. Ce n'est plus, je crois, une

jeune fille, c'est une vraie femme que, comme un marin
embarquant son fret, je me trouve avoir accueillie chez
moi au milieu d'autres marchandises et qui doit, celle-
là, m'empoisonner le cœur. Nous voici donc deux
désormais sous la même couverture à attendre qu'un
homme nous prenne dans ses bras... Et c'est là le
salaire que celui qui était pour moi le loyal, le noble
Héraclès, vient de m'envoyer, pour la peine d'avoir si
longtemps gardé sa maison ! Sans doute, je ne puis,
moi, lui en vouloir, s'il est si souvent repris de ce mal.
Mais d'autre part, vivre avec cette fille, quelle femme
en aurait le cœur ? Quelle femme accepterait de
partager le même époux ? Je vois la jeunesse qui d'un
côté s'épanouit, quand de l'autre elle se fane, et l'œil se
plaît à cueillir la fleur de l'une, tandis qu'il s'écarte de
l'autre. J'ai donc bien des raisons de craindre que, si
Héraclès reste de nom mon époux, il ne soit en fait
l'amant de la plus jeune... Mais s'indigner, je le répète,
n'est pas ce qui convient à femme raisonnable. C'est le
moyen que j'ai de me soulager, de me libérer, que je
veux, amies, vous faire connaître. Depuis longtemps, je
conserve un présent du vieux Centaure, caché dans un
coffret de bronze. Je l'avais, jeune encore, recueilli sur
la plaie sanglante de Nessos au poitrail velu, à l'heure
où il expirait. Nessos, pour un salaire, faisait passer
aux gens l'Événos aux flots profonds [1]. Il les portait
dans ses bras et n'usait pour les convoyer des rames ni
des voiles d'aucune embarcation. Aussi, lorsque pour
la première fois je suivis Héraclès à titre d'épousée sur
la route choisie par mon père, c'était lui qui me portait
sur ses épaules, quand soudain, au milieu du fleuve, le
voilà qui me touche de ses mains insolentes. Je crie, le
fils de Zeus aussitôt se retourne et lui décoche une
flèche empennée, qui s'en va en sifflant lui percer la
poitrine et frapper les poumons. Le Centaure expirant
put seulement me dire : « Fille du vieil Œnée, écoute
quel profit tu peux, si tu m'en crois, tirer pour toi de

cette traversée, puisque aussi bien tu seras la dernière
que j'aurai passée. Que tes mains recueillent le sang de
ma blessure coagulé tout autour de la flèche, à
l'endroit même où celle-ci a jadis été teinte en noir [1]
par le monstre de Lerne, l'Hydre, et il te servira de
charme à l'égard du cœur d'Héraclès, au point qu'il ne
pourra te préférer ensuite aucune autre femme qu'il
voie. » J'ai pensé à cela, mes amies. J'avais, après sa
mort, enfermé ce sang avec soin chez moi. J'en ai
enduit cette tunique et observé strictement tout ce
qu'il m'avait dit avant d'expirer. C'est chose faite
maintenant. Ah ! les hardiesses criminelles, que jamais
je ne les connaisse, que jamais je ne les apprenne ! J'ai
horreur des femmes hardies. Mais ne puis-je en
revanche par des philtres, des charmes, qui touchent
Héraclès, triompher de cette fille ? C'est à quoi tend
mon plan — si toutefois tu penses qu'il n'est pas
imprudent ; sans quoi j'y renoncerai.

LE CORYPHÉE : Si tu mets quelque confiance dans ce
que tu entreprends là, j'estime pour ma part que le
projet n'est pas déraisonnable.

DÉJANIRE : Ma confiance se limite à ceci : j'ai des
raisons de croire, mais n'ai pas encore passé à
l'épreuve.

LE CORYPHÉE : Pour être sûr, il faut agir. Même si tu
crois posséder une certitude, tu ne la posséderas pas
avant d'avoir tenté l'épreuve.

DÉJANIRE : Nous allons être renseignées tout de
suite. Notre homme est à la porte ; il va bientôt se
mettre en route. Je ne vous fais qu'une prière : ne me
découvrez pas ; les actes les moins honorables, lorsqu'ils sont accomplis dans l'ombre, du moins ne
déshonorent pas.

(Lichas sort de la maison.)

LICHAS : Qu'ai-je donc à faire ? Indique-le-moi, ô
fille d'Œnée. Je suis là à traîner trop longtemps.

DÉJANIRE : Mais c'est justement à quoi je songeais,
Lichas, tandis que dans la maison tu parlais à ces
étrangères. Il faut que tu m'emportes cette longue
tunique. C'est le cadeau qu'ont préparé mes mains à
l'époux qui t'attend là-bas. En la lui donnant, dis-lui
qu'aucun autre homme ne s'en doit vêtir avant lui, et
même qu'elle ne doit être vue ni de la flamme du soleil
ni du feu d'aucun foyer ou d'aucun enclos sacré avant
qu'il l'ait, lui, debout, en pleine lumière, produite aux
yeux des dieux en un jour d'hécatombe. Car tel est le
vœu que j'ai fait naguère pour le jour où je le verrais,
ou le saurais de façon sûre, revenu dans sa demeure : le
parer de cette tunique et le présenter aux dieux en
nouveau sacrificateur paré d'un vêtement nouveau. Et,
pour signe de ta mission, tu emporteras avec toi le
chiffre inscrit au chaton de ma bague, et dont le sens
lui sera clair. Allons! va, et observe avant tout cette
loi : un messager n'a pas à faire trop de zèle. Mais
songe également que, si sa gratitude vient se joindre à
la mienne, elle te vaudra deux obligés au lieu d'un.

LICHAS : Va, si, dans ce métier d'Hermès, je passe
pour un héraut sûr, ce n'est pas à propos de toi qu'on
m'y verra jamais faillir et manquer de remettre ce
coffret, tel qu'il est, en y joignant la garantie des mots
que j'entends de toi.

DÉJANIRE : Pars donc, sans plus tarder. Tu sais dans
quel état tout est dans la maison.

LICHAS : Je le sais et dirai que tout y est intact.

DÉJANIRE : Mais tu sais aussi — tu l'as vu —
l'accueil que j'ai fait ici à l'étrangère, un accueil
d'amie.

LICHAS : Au point que mon cœur en a même été tout
saisi de joie.

DÉJANIRE : As-tu rien de plus à lui dire?... Non, j'ai
peur que tu ne parles trop tôt de mes désirs, avant qu'il
soit bien sûr que l'on me désire, moi aussi, là-bas.

(Lichas s'éloigne. Déjanire rentre dans la maison.)

Modéré.

LE CHŒUR : *O vous tous qui habitez, entre la rade et la montagne, la région des Sources Chaudes* [1],
et des rochers de l'Œta, ou bien encore le pays qui entoure la mer maliaque,
ainsi que le rivage de la Vierge à l'arc d'or, où se réunit pour la Grèce l'assemblée illustre des Portes !

Bientôt pour vous va revenir la flûte aux appels sonores, qui, renonçant aux sons funèbres,
n'émettra plus que des accents tout pareils à ceux de la lyre accompagnant un chant divin.
Car voici le fils de Zeus, voici l'enfant d'Alcmène, qui fait route vers sa demeure, chargé des dépouilles conquises par une valeur sans défaut.

Un peu plus animé.

Pour nous, il était coupé entièrement de son pays, et nous l'y attendions, alors que, depuis douze mois [2],
il était parti sur les mers, sans que nous sussions rien de lui, et que sa femme, misérable, sentait son cœur misérable défaillir peu à peu dans les pleurs.
Mais le réveil subit de son ardeur guerrière a mis brusquement fin à ces jours douloureux.
Qu'il arrive donc, qu'il arrive ! Et que la nef si bien armée de rames qui le convoie ici ne fasse pas relâche,
avant qu'il ait atteint cette cité ! Et que, quittant l'île et l'autel où l'on nous dit qu'il sacrifie, il nous revienne plein de désir amoureux,
aussitôt qu'il aura été imprégné du baume tout-puissant de la séduction, ainsi que l'avait prédit le Centaure !

(Déjanire revient très émue.)

DÉJANIRE : Ah! femmes, que j'ai peur d'avoir été trop loin en agissant comme je viens de faire.

LE CORYPHÉE : Que t'arrive-t-il, Déjanire, ô fille d'Œnée?

DÉJANIRE : Je ne puis le dire, mais je me demande anxieusement si je ne vais pas bientôt apparaître comme ayant provoqué un horrible désastre, quand j'avais espéré une si grande joie.

LE CORYPHÉE : Tu ne veux pourtant pas parler de tes présents à Héraclès?

DÉJANIRE : Eh si! au point que je voudrais conseiller à chacun de se méfier de tout zèle dont le succès n'est pas certain.

LE CORYPHÉE : Apprends-moi donc, si tu peux me l'apprendre, d'où te vient pareille terreur.

DÉJANIRE : Ce qui arrive est chose telle que, si je vous la conte, femmes, vous y verrez un prodige incroyable. Pour oindre la tunique blanche dont il se devait vêtir, j'avais pris à une brebis un bon flocon de laine : or, il a disparu... Il n'a point été avalé pourtant par personne de la maison! Non, non, il se dévore, il se détruit lui-même, et s'étale en poudre sur le sol dallé. Mais afin que tu saches comme tout s'est passé, je veux te conter l'histoire en détail. Lorsque, blessé au flanc par une flèche amère, le Centaure m'a fait ses recommandations, je n'ai rien oublié, moi, de sa leçon ; je l'ai retenue aussi fidèlement qu'une inscription gravée sur tablette de bronze, que l'eau n'efface pas. Voici ce qu'elle m'ordonnait, ce qu'aussi bien j'ai fait. Je devais conserver ce baume loin du feu, à l'abri de tout rayon capable de l'échauffer, jusqu'au jour où j'aurais à le préparer, afin d'en user sur l'heure. Et c'est ce que j'ai fait. Puis aujourd'hui, l'instant venu d'agir, c'est dans la maison, chez moi, en cachette, que j'en ai enduit mon présent avec un peu de laine empruntée à la toison d'une bête de ce domaine. Après quoi, je l'ai plié et mis à l'abri du soleil au fond d'un coffret, comme

vous l'avez vu. Mais, au moment même où je vous
quittais pour rentrer, je vois une chose inimaginable,
incompréhensible pour qui n'est qu'un homme. Le
bout de laine dont je m'étais servie pour cet usage, le
hasard a voulu que je l'eusse jeté en plein dans le feu,
entendez : au milieu d'un rayon de soleil ; et le voilà,
dès qu'il s'échauffe, qui se défait, qui disparaît entièrement, qui s'épand à terre sous un aspect semblable à
celui des déchets que nous laisse la scie, quand nous
coupons du bois. Il est là tout pareil, près de s'éva-
nouir ; et de l'endroit où il gisait à terre s'élève
maintenant une écume sanglante, comme si l'on avait
répandu sur le sol cette épaisse liqueur que produit le
fruit glauque des vignes de Bacchos. Si bien que je ne
sais plus, malheureuse, à quelle idée m'arrêter et que
je me vois, moi, coupable d'un abominable forfait.
Comment donc et pourquoi, j'y pense maintenant, le
Centaure mourant m'eût-il montré la moindre bien-
veillance, à moi, la cause de sa mort ? Non, non, il ne
voulait rien d'autre que perdre qui l'avait tué, et, pour
ce, me séduire. Et c'est après coup, à l'heure où cela ne
sert plus à rien, que j'en prends conscience ! Ainsi ce
serait moi, si du moins ma raison ne s'égare pas, moi,
qui aurais fait sa perte à jamais ! La flèche qui frappa
Nessos, je sais qu'elle a mis à mal même un dieu,
Chiron [1] ; je sais qu'elle détruit tout monstre qu'elle
touche ; et ce sang noir empoisonné, qui a passé par la
plaie du Centaure, ne tuerait pas Héraclès à son tour ?
Pour moi, j'en suis bien sûre. Or, je suis décidée, si
Héraclès succombe, à mourir avec lui du même coup.
Vivre en femme décriée est un sort intolérable, lorsque
l'on tient avant tout à montrer que l'on a du cœur.

LE CORYPHÉE : Nous voilà forcées, je l'avoue, de
redouter d'affreuses choses. Cependant, il ne faut pas
donner au pressentiment le pas sur l'événement.

DÉJANIRE : Quand on a formé des desseins honteux,

il n'est pas de pressentiment qui vous puisse apporter la moindre confiance.

LE CORYPHÉE : Oui, mais quand il s'agit d'erreurs involontaires, l'indignation se fait moins vive : ce doit être le cas pour toi.

DÉJANIRE : Ce n'est pas à celui qui a eu part au crime à parler de la sorte ; seul le peut faire qui n'a aucun poids sur le cœur.

LE CORYPHÉE : Mieux vaudrait n'en pas dire plus — à moins que tu ne veuilles que ton fils ait vent de la chose ; car voici de retour celui qui était parti à la recherche de son père.

(Survient Hyllos, très ému.)

HYLLOS : Ah ! je voudrais, ma mère, choisir entre trois vœux pour toi : ou que tu fusses morte, ou que, restant vivante, tu fusses la mère d'un autre, ou enfin que tu eusses d'autres sentiments, meilleurs que ceux que tu as aujourd'hui.

DÉJANIRE : Qu'y a-t-il donc en moi, mon fils, qui t'inspire une telle horreur ?

HYLLOS : Eh bien ! sache que celui qui fut ton mari et mon père, tu viens en ce jour de l'assassiner.

DÉJANIRE : Oh ! quelle nouvelle m'apportes-tu là, mon enfant ?

HYLLOS : Une nouvelle dont il n'est plus possible qu'elle ne soit aussi une réalité. Ce qui a paru une fois au jour, qui donc pourrait faire qu'il n'ait pas été ?

DÉJANIRE : Que dis-tu, mon fils ? qui t'a appris des choses telles que tu puisses prétendre que j'ai commis un crime si affreux ?

HYLLOS : Moi. J'ai vu de mes yeux le lourd malheur d'un père. Il ne s'agit pas d'un simple propos.

DÉJANIRE : Mais où donc l'as-tu approché ? où t'es-tu trouvé près de lui ?

HYLLOS : Faut-il que tu saches ?... En ce cas, il faut que je te dise tout. Il revenait, ayant détruit l'illustre

cité d'Eurytos et ramenant les trophées, les prémices
de sa victoire. Il est un promontoire de l'Eubée, aux
deux rives battues des flots, qu'on nomme le Cap
Cénéen [1]. C'est là qu'à Zeus, son père, il consacre des
autels et un sanctuaire verdoyant, et c'est là aussi que
je le retrouve, ravi pour ma part d'impatiente joie. Il
s'apprêtait à immoler un nombre important de victimes, quand son héraut, Lichas, lui vient de sa
maison, porteur de ton présent — la tunique de mort !
Lui, alors, de s'en vêtir selon tes recommandations,
puis de sacrifier douze bœufs sans tache, en prémices
de son butin, tandis qu'il conduit à l'autel un troupeau
mêlé de cent têtes. Après quoi, l'infortuné commence
son invocation, le cœur joyeux, et tout fier du vêtement
qui le pare. Mais tandis que le feu du pieux sacrifice
est lent à s'enflammer, par la faute du sang, du bois
trop plein de sève, voilà la sueur qui monte à sa peau,
et la tunique alors qui colle à ses flancs et qui s'ajuste à
tous ses membres aussi étroitement que si elle était
œuvre de statuaire. Un prurit spasmodique le saisit
jusqu'aux os ; on le croirait en proie au venin d'une
odieuse et mortelle vipère. Alors, en criant, il prend à
partie le pauvre Lichas, qui n'est pour rien dans ton
crime : à la suite de quelles manœuvres lui a-t-il
apporté un pareil vêtement ? A quoi le malheureux,
ignorant de tout, répond que le présent vient de toi, de
toi seule, et qu'il l'a apporté tel qu'il l'a reçu. Mais
Héraclès entend ces mots à l'instant même où une
douleur déchirante vient de l'étreindre à la poitrine. Il
saisit Lichas par le pied, à l'endroit où joue l'articula-
tion, il le lance sur un rocher qui émerge de la mer et
fait jaillir ainsi la blanche moelle à travers les cheveux,
cervelle et sang se répandant ensemble. De la foule
monte, unanime, une rumeur gémissante devant cette
folie et devant cette mort. Mais personne qui ose
affronter le héros. Il se tord sur le sol, à moins qu'il ne
bondisse, criant, hurlant ; et tout autour de lui les

rochers résonnent, les caps montueux de Locride aussi bien que les promontoires d'Eubée... Le malheureux cesse enfin de se jeter à terre sans répit, de crier ses plaintes, d'invectiver contre le lit fatal — ton lit, malheureuse! — et contre le prix dont il a payé son alliance avec Œnée : la ruine de sa vie! Brusquement il lève ses yeux révulsés, et, à travers la buée qui les enveloppe, il m'aperçoit en pleurs au milieu de la foule, il m'appelle à lui : « Approche, enfant; ne fuis pas ma souffrance, même si tu dois mourir de ma mort. Soulève-moi, emporte-moi, et surtout dépose-moi en un lieu où personne ne puisse plus me voir. Ou, si la pitié t'en empêche, fais-moi du moins quitter ces bords au plus tôt : que je ne meure pas ici! » Il n'en dit pas plus : son ordre suffit. Nous le déposons au fond d'un bateau, et nous l'amenons ici, à grand-peine, rugissant au milieu de ses convulsions. Vous l'allez voir dans un instant — vivant encore ou venant d'expirer? je ne sais. Voilà, mère, les crimes que tu es convaincue d'avoir tramés contre mon père et consommés, et que puisse punir sur toi la Justice vengeresse en même temps que l'Érinys. Si un tel vœu est légitime, c'est celui qu'ici je proclame. Et il est légitime, puisqu'à nos yeux tu l'as légitimé toi-même en tuant le plus noble de tous les humains parus sur la terre, un homme dont jamais tu ne verras l'égal.

(Un silence. Puis brusquement Déjanire tourne le dos et rentre dans le palais.)

LE CORYPHÉE : Pourquoi pars-tu donc sans rien dire? Sais-tu pas que te taire, c'est parler en faveur de celui qui t'accuse?

HYLLOS : Eh! laissez-la partir, et qu'un bon vent l'emporte très loin de mes yeux! ce sera parfait... Pourquoi donc se parer sans droit de ce noble nom de mère, quand on n'agit en rien comme une mère?

Qu'elle parte, adieu ! et qu'à son tour elle connaisse les joies qu'elle procure en ce moment même à mon père.

(Il sort à pas précipités.)

Modéré.

LE CHŒUR : *Ah ! voyez donc, enfants, comme il nous atteint vite, le vieil oracle proclamé par la divine Prescience.*

Il avait déclaré que, quand la douzième année [1], *son cycle de mois accompli, serait arrivée à son terme, il mettrait fin aux travaux imposés au fils de Zeus.*

Et le voilà qui conduit exactement, sans défaillance, les événements à son but : comment celui qui a fermé les yeux pourrait-il, une fois mort, subir encore son dur servage ?

Si, dans le filet de mort où le Centaure l'a pris, une étreinte perfide torture aujourd'hui ses flancs en les imprégnant de poison —

poison né de la Mort [2], *avant d'être nourri du dragon scintillant — comment pourrait-il voir le soleil de demain ? Terrible, l'Ombre de l'Hydre*

est là, collée à lui, cependant que le monstre à la crinière noire lui fait sentir du même coup l'aiguillon meurtrier qu'ont préparé ses mots menteurs et qui affole sa victime.

De tout cela la malheureuse n'a eu aucune appréhension. Elle n'a vu que le cruel dommage dont la brusque arrivée d'une épouse nouvelle menaçait son foyer. Il est des choses qu'elle n'a pas comprises. D'autres lui sont venues

d'un avis étranger par de fatales conjonctures ; et sur celles-là sans doute gémit-elle aujourd'hui désespérément, sans doute répand-elle à flots la tendre rosée de ses larmes,

(En élargissant) alors que le Destin en marche lui dévoile un perfide et immense désastre.

Mes pleurs jaillissent en torrent. Un mal envahit Héraclès, tel, hélas ! que jamais, de ses ennemis mêmes, notre héros n'en aura vu venir de plus lamentable sur lui.

O noire pointe d'une pique de preux, tu as trop vite en ces jours-là ramené de la haute Œchalie l'épouse conquise au combat !

(En élargissant) *Et Cypris, qui t'y a aidée, n'a pas besoin d'ouvrir la bouche pour se révéler clairement comme l'auteur de tout cela.*

(On entend gémir derrière la porte.)

LE CHEF DU PREMIER DEMI-CHŒUR[1] : Suis-je donc un sot ? N'est-ce pas une plainte que je viens à l'instant d'entendre monter à travers ces murs ? Que dis-je ?

LE CHEF DU SECOND DEMI-CHŒUR : Il s'agit d'une voix dont le sens est trop clair. Un douloureux gémissement s'élève là dans la maison : un malheur imprévu est tombé sur ce toit.

LE CORYPHÉE : Vois donc l'air étrange et préoccupé de la vieille qui vient à nous, porteuse de quelque nouvelle.

(La Nourrice sort du gynécée.)

LA NOURRICE : Ah ! mes enfants, de quels immenses maux il aura été le signal pour nous, le présent adressé d'ici à Héraclès.

LE CORYPHÉE : Quel est donc le malheur, ô vieille, que tu annonces là ?

LA NOURRICE : Déjanine est partie pour son dernier voyage — sans lever le pied.

LE CORYPHÉE : Tu ne veux pas dire pourtant qu'elle est morte ?

LA NOURRICE : Tu as tout entendu.

LE CORYPHÉE : L'infortunée n'est plus ?

LA NOURRICE : Oui, je te le répète.

Animé.

LE CHŒUR : *La pauvre victime ! et de quelle façon nous dis-tu qu'elle est morte ?*

LA NOURRICE : *De la plus lamentable, à voir le résultat.*

LE CHŒUR : *Ah ! parle. Quelle mort a-t-elle donc trouvée ?*

LA NOURRICE : *Elle s'est détruite elle-même.*

LE CHŒUR : *Mais quelle fureur, ou quelle folie, l'a donc abattue sous la pointe d'un dard cruel ? Comment, après un premier meurtre, a-t-elle imaginé un autre meurtre encore et l'a-t-elle consommé seule ?*

LA NOURRICE : *Elle a pris le fer douloureux qui va taillant dans la chair.*

LE CHŒUR : *Et tu as, pauvre sotte, contemplé cette frénésie ?*

LA NOURRICE : *Je l'ai contemplée. J'étais près d'elle, à ses côtés.*

LE CHŒUR : *Et qui l'a frappée ? Comment cette scène s'est-elle déroulée ? va, dis-le.*

LA NOURRICE : *C'est elle-même, de ses mains, qui s'est traitée de telle sorte.*

LE CHŒUR : *Ah ! que dis-tu ?*

LA NOURRICE : *La vérité.*

LE CHŒUR : *Elle aura donc eu une fille, une fille effrayante, la nouvelle épousée soudainement entrée dans la maison, une fille qui est l'Érinys !*

LA NOURRICE : Il n'est que trop vrai. Et tu aurais eu d'elle plus de pitié encore, si, étant là, tu avais par toi-même vu de près tout ce qu'elle a fait.

LE CORYPHÉE : Et une main de femme a eu pareil courage ?

LA NOURRICE : Oui certes, un singulier courage. Mais il faut que tu saches tout, afin d'être en état d'en témoigner pour moi. Elle rentre d'abord seule dans le palais et voit son fils qui, dans la cour, étend des couvertures au fond d'une civière, afin de repartir au-devant de son père. Elle se met alors en quête d'un abri où désormais personne ne puisse plus la voir, et, tombant aux pieds des autels, elle geint que de ce jour elle est une abandonnée. Elle pleure en touchant tour à tour les objets familiers dont elle usait naguère, la pauvre créature ! Elle va parcourant sa maison en tout

sens, et, quand elle aperçoit un serviteur aimé, la
malheureuse à cette vue sanglote, évoquant son propre
destin, son logis sans fils désormais. Puis, brusquement, je la vois qui se précipite dans la chambre
d'Héraclès, et, tandis que je m'applique à lui dérober
mon regard qui le surveille en cachette, je l'aperçois
qui, vivement, étend des couvertures sur le lit d'Héraclès. Après quoi, elle saute sur ce lit, elle s'assied au
beau milieu. Elle éclate alors en un flot de larmes
brûlantes : « O chambre, couche nuptiales, dit-elle,
c'en est fait : à jamais adieu ! Vous ne m'accueillerez
plus jamais sur ce lit en épousée. » C'est tout ; d'un
geste brusque elle dégrafe soudainement sa robe que
retient la broche appliquée entre ses deux seins, et elle
se découvre ainsi et le bras et tout le flanc gauche. A ce
moment je prends la course aussi vite que je peux, afin
d'aviser son fils de ce qu'elle prépare là. Mais à peine
avons-nous eu tous deux le temps d'aller et de venir,
que nous la trouvons le flanc transpercé d'un poignard
à double tranchant, planté sous le foie et le dia-
phragme. Son fils, à cette vue, pousse un gémissement.
Le malheureux se rend compte que c'est lui, qui, par
sa colère, l'a conduite à ce bel exploit. Il a appris trop
tard des gens de la maison qu'elle a agi contre son gré
sous l'inspiration du Centaure. Dès lors le pauvre
enfant ne fait plus que se lamenter. Il pleure sur sa
mère, se jette sur sa bouche, laisse couler son flanc à
côté du sien et reste là à se répandre en plaintes :
pourquoi sottement lui a-t-il jeté à la face une accusation infâme ? Et il pleure à l'idée que désormais sa vie
est deux fois orpheline, puisque sa mère meurt aussi
bien que son père. Voilà donc le sort de cette maison.
Compter dès lors sur deux jours ou sur plus encore,
est-ce pas pure sottise ? Il n'est pas de demain pour qui
n'a pas déjà passé aujourd'hui sans accident.

(Elle rentre dans le gynécée.)

Vif.

LE CHŒUR : *Sur lesquels de nos maux dois-je gémir d'abord ? Où sont ici les plus complets ? J'ai peine, malheureuse, à le discerner.*

Les uns, nous les subissons, ils sont là, chez nous ; les autres, nous les attendons dans l'anxiété. Subir et attendre se valent.

Ah ! que je voudrais voir un vent heureux et fort, soufflant sur ma demeure,

m'emporter loin d'ici, de peur que je ne tombe soudain morte d'effroi à la vue seulement du vaillant fils de Zeus,

puisqu'il est, me dit-on, en route vers ce seuil, proie de souffrances sans remèdes, spectacle indicible d'horreur !

Ah ! je le vois, il n'est pas loin, mais tout près au contraire, le malheur que j'étais à déplorer d'avance avec la voix aiguë du rossignol.

Mais voici une troupe d'étrangers inconnus. Ah ! comme ils le portent avec précaution. On croirait que pour eux il s'agit d'un parent, tant ils vont d'un pas lourd et muet.

Hélas ! celui qu'ils portent garde le silence. Que dois-je en penser ? Est-il mort ? ou tombé en sommeil ?

> (*Entre Héraclès porté sur une civière. Près de lui sont Hyllos et un Vieillard, qui l'observent et le soignent.*)

Mélodrame.

HYLLOS : Ah ! pitié ! Que je souffre pour toi, mon père ! Que je souffre pour toi ! Que vais-je devenir ? quel parti prendre ?... Hélas !

LE VIEILLARD [1], *à Hyllos* : Silence, mon enfant ! Ne provoque pas l'atroce souffrance qui, de ton père, a fait un furieux. Il vit encore, pour défaillant qu'il soit. Mords-toi les lèvres, tais-toi.

HYLLOS : Que dis-tu là, vieillard ? est-il vraiment en vie ?

LE VIEILLARD : Garde-toi bien de réveiller l'homme enchaîné par le sommeil. Ne va pas provoquer ni ressusciter un mal aux retours terribles, je t'en prie, mon enfant.

HYLLOS : Mais je me sens sur les épaules, malheureux, un poids infini. Mon cœur est éperdu.

(Un silence. Soudain la voix d'Héraclès s'élève du fond de sa litière.)

HÉRACLÈS, *se réveillant* : O Zeus ! où suis-je arrivé ? en quel pays suis-je là étendu, torturé de douleurs sans fin ? Pitié, pitié pour moi, misérable ! Et voici mon mal qui revient, qui me dévore, l'infâme ! Ah ! ah !

LE VIEILLARD, *à Hyllos* : Ne t'avais-je pas dit quel était l'avantage de demeurer muet, de te dissimuler, au lieu de mettre en fuite le sommeil qui couvrait sa tête et ses yeux ?

HYLLOS : C'est qu'en fait je ne puis me résigner à voir le malheur que j'ai devant moi.

HÉRACLÈS : Ah ! Cap Cénéen, sur qui j'ai bâti tes autels ! quel prix de mes sacrifices — et quels sacrifices ! — as-tu donc payé, ô Zeus, à l'infortuné que je suis !

Quel objet d'opprobre as-tu fait, as-tu fait de moi ? Cela, plût au ciel que jamais mes yeux ne l'eussent vu hélas ! Plût au ciel que jamais je n'eusse contemplé l'irrésistible épanouissement de cette frénésie ! Ah ! où est l'enchanteur, le guérisseur expert qui serait en état d'apaiser par un charme telle calamité, si ce n'est Zeus lui-même ? Ce serait bien là un miracle qui reste encore loin de mes yeux. ✕

Agité.

Non, non, laissez-moi ; laissez un malheureux dormir, dormir pour la dernière fois ; laissez-moi à ma misère.

(Au Vieillard) *Ah ! où me touches-tu ? dans quel sens, dans quel sens prétends-tu me tourner ? Tu veux ma mort, tu veux ma mort ! Tu as retourné sur sa couche le mal qui s'était assoupi.*

(Plus large) *Las ! je suis dans ses mains, le voilà revenu !...*
Mais de quel sang êtes-vous donc, vous ingrats entre tous les
Grecs, vous dont je me suis tué à purger, malheureux, les mers et
les forêts, et dont aucun, quand maintenant je souffre, ne sait
user pour moi d'un feu ni d'un fer secourables ?

(Agité) *Ah ! Ah ! N'y aura-t-il donc personne qui consente à*
venir trancher d'un coup vigoureux la tête d'un misérable ?
Pitié !

Mélodrame.

LE VIEILLARD : O fils de ce héros, la tâche ici
commence à dépasser mes forces. Aide-moi. Ta
poigne, à toi, pour le tirer d'affaire, vaut bien au moins
deux fois la mienne.

HYLLOS : Je le tiens ; mais, ni en moi ni hors de moi,
je ne trouve le moyen de lui faire oublier les douleurs
qu'il endure. Ces épreuves de l'existence, c'est Zeus
qui en dispose ainsi.

Agité.

HÉRACLÈS : *Ah ! Ah ! O mon fils, où es-tu ? Par là, prends-*
moi par là pour me soulever. Ah ! ah ! Seigneur ! Le voilà qui
revient, qui revient à la charge, le mal cruel qui veut me tuer, le
mal intraitable et farouche.

(Plus large) *Ah ! Pallas, ah ! Pallas ! Il revient à la*
charge. Aie pitié de ton père, enfant ! Tire ton épée, nul ne t'en
voudra ; frappe-moi sous l'épaule et guéris la souffrance par
laquelle elle a su provoquer ma fureur, l'impie qui est ta mère et
que je voudrais tant voir tomber à son tour de la même manière,
de la même manière qu'elle m'a abattu...

(Agité) *Ah ! Ah ! O frère de Zeus, doux Hadès, endors-moi,*
endors-moi sous le vol d'une prompte mort. Anéantis un
malheureux.

LE CORYPHÉE : Je frissonne, amies, quand j'entends
le maître. Voir tel héros en proie à de telles misères !

HÉRACLÈS : Que d'épreuves brûlantes — rien qu'à
les rappeler — ont déjà supportées et mes bras et mes
reins ! Et jamais cependant ni l'épouse de Zeus ni
l'odieux Eurysthée ne m'en ont proposé encore de
pareille à celle qu'aujourd'hui cette fille d'Œnée à la
face traîtresse vient d'attacher ainsi à mes épaules,
sous la forme de ce filet tissé par les Érinyes qui me fait
mourir. Il est là, collé à mes flancs, qui se gave de ma
chair profonde et va dévorant les bronches où sont
suspendus mes poumons. Il a déjà humé tout mon
sang frais, et mon corps entier succombe sous
l'emprise de ces liens sans nom. Et cela, ni la lance des
vraies batailles, ni l'armée des Géants sortie de la
terre, ni la force des monstres [1], ni la Grèce, ni aucun
pays ignorant du langage humain, ni aucune terre que
je sois jamais allé purifier de ses fléaux, n'y était arrivé
encore. C'est une femme, au corps de femme, sans rien
d'un mâle, qui m'aura ainsi abattu, et seule, sans
même un poignard... O mon enfant, montre-toi vraiment mon fils : ne me préfère pas le vain nom d'une
mère. Va-t'en prendre au logis toi-même celle qui t'a
donné le jour, et que tes bras la mettent dans mes bras.
Je saurai ainsi pleinement lequel te touchera le plus de
nos corps meurtris, du mien ou du sien, quand je
l'aurai traitée comme elle le mérite. Va, mon fils, fais
cela ; aie pitié de celui qui a droit à mille pitiés, qui crie
et qui pleure ici comme une fille, alors que cela,
personne ne peut dire qu'il l'ait jamais vu faire à
l'homme que je fus. Toujours, sans une plainte, je
suivais les douleurs. Mais cette fois, sous pareil coup,
je me révèle, hélas ! une simple femme... Approche
donc, tiens-toi près de ton père : rends-toi compte du
mal que j'endure. Je te le ferai voir, tous voiles écartés.
Tenez, regardez tous, contemplez ce corps misérable,
contemplez le malheureux, voyez son lamentable
état... Ah ! pitié ! ah, un spasme de mort revient
m'enfiévrer. Il traverse mes flancs. On dirait qu'il se

refuse à m'accorder aucun répit, le mal affreux qui me
dévore. Ah! sire Hadès, accueille-moi! O rayon de
Zeus, frappe-moi! Ah! Seigneur, brandis, fais tomber
sur moi le trait de ta foudre, ô père!... Le mal revient
toujours se repaître de moi; le voilà déployé, déchaîné!
O mains! ô mains! ô reins! ô poitrine! ô mes bras!
c'est bien vous cependant qui avez abattu le lion gîté à
Némée, plaie des bergeries, bête formidable et féroce;
et l'Hydre de Lerne; et la troupe cavalière des
monstres[1] hybrides et farouches qui n'étaient qu'insolence, brutalité, violence folle; et la bête de l'Érymanthe; et le chien à trois têtes de l'enfer souterrain,
monstre invincible né de l'horrible Échidna[2]; et le
dragon gardien des pommes d'or aux frontières du
monde[3]! Et de combien d'autres épreuves n'ai-je donc
pas goûté aussi, sans que jamais personne encore ait
pu triompher de mon bras! Et aujourd'hui tu me vois
privé de mes membres, mis en pièces, détruit par un
désastre aveugle, malheureux que je suis! Moi qui
porte le nom de la plus noble mère, moi que sous tous
les cieux on nomme fils de Zeus! Du moins, sachez
ceci. Quand même je ne serais plus rien, quand je
serais hors d'état de marcher, celle qui m'a traité de
pareille manière, eh bien! je saurais, moi, seul et en tel
état, je saurais la mater. Qu'elle vienne ici seulement,
et je lui apprendrai à aller proclamer partout qu'Héraclès, vivant ou mort, a toujours puni les méchants.

LE CORYPHÉE : O pauvre Grèce, quel deuil je lui vois
mener, du jour qu'elle sera privée de ce héros!

HYLLOS : Puisque tu me fournis par ton silence, père,
l'occasion de te répondre, écoute-moi, malgré ton mal.
Ce que je veux te demander, j'ai quelque titre à
l'obtenir de toi. Prête-moi donc l'oreille, si tu veux
moins souffrir de la colère qui te pèse; sinon, tu
risquerais de ne pas savoir combien sont vains tes
désirs de revanche, tout comme tes rancœurs.

HÉRACLÈS : Dis ce que tu veux, achève. Je souffre trop pour rien saisir de tes fastidieuses finesses.

HYLLOS : Je viens te parler de ma mère, de ce qu'elle est devenue, des erreurs qu'elle a commises malgré elle.

HÉRACLÈS : Eh quoi! tu oses, misérable, me parler encore d'une mère qui vient d'assassiner ton père, et tu prétends que je t'écoute!

HYLLOS : En l'état où elle est, mon devoir est de ne rien taire.

HÉRACLÈS : Certes si, quand on songe à ses crimes passés!

HYLLOS : Tu ne parleras plus ainsi, quand tu sauras ce qu'elle vient de faire.

HÉRACLÈS : Dis-le donc, et prends garde de te montrer un traître.

HYLLOS : Eh bien donc! sache-le : elle est morte, transpercée par le fer, il n'y a qu'un instant.

HÉRACLÈS : Et sous le bras de qui? Le merveilleux oracle que ces sinistres mots!

HYLLOS : Sous son propre bras. Point d'étranger en cette affaire.

HÉRACLÈS : Ah! misère, au lieu de mourir, comme il se devait, de ma main!

HYLLOS : Ta colère même changerait d'objet, si tu savais tout.

HÉRACLÈS : Tu entames là un propos étrange. A quoi penses-tu?

HYLLOS : Tout tient en un mot : elle a mal fait croyant bien faire.

HÉRACLÈS : « Bien faire », malheureux! en tuant ton père!

HYLLOS : Elle a cru t'appliquer un baume magique, quand elle a vu entrer ton amante en ces murs — et elle s'est trompée.

HÉRACLÈS : Et qui fut à Trachis si expert en poisons?

HYLLOS : Le Centaure Nessos, qui l'avait persuadée, et depuis bien longtemps, d'user de pareil philtre pour t'affoler d'amour.

HÉRACLÈS : Ah! malheur! c'en est fait de moi! misérable, je suis perdu, perdu; il n'est plus de soleil pour moi! Hélas! je comprends maintenant à quel point de malheur me voici arrivé. Oui, mon fils, tu n'as plus de père. Appelle-moi tous mes enfants, tes frères. Appelle-moi la pauvre Alcmène. A quoi lui a servi d'avoir été à Zeus? Il faut que vous sachiez par moi le dernier mot des oracles, puisque, seul, je le connais.

HYLLOS : Impossible. Ta mère n'est pas ici. Elle est allée s'établir sur le rivage de Tirynthe; et, quant à tes enfants, si Alcmène en a pris quelques-uns avec elle et s'emploie à les élever, les autres, je puis te le dire, habitent la ville de Thèbes. Mais nous, qui demeurons ici, s'il s'y trouve, père, quelque chose à faire, nous t'obéirons, nous te servirons jusqu'au bout.

HÉRACLÈS : Alors, toi, du moins, apprends quelle est ta tâche. Le moment pour toi est venu de montrer si tu es tel qu'on puisse t'appeler mon fils. Il m'avait été jadis prophétisé par mon père que je ne mourrais point par le fait d'un vivant, mais bien d'un mort, d'un hôte des enfers. Et c'est bien en effet le monstre, le Centaure, qui aura consommé la prophétie divine : mort, il m'a tué vivant. Mais j'entends te révéler aussi les oracles nouveaux qui concordent avec elle, qui reprennent ses mots de jadis, et que, dans le bois saint des Selles montagnards qui couchent sur le sol [1], je me suis fait écrire sous la dictée du chêne aux mille voix, truchement de mon père, lorsqu'il m'a déclaré qu'à cette date même, à l'heure où nous sommes, je verrais s'achever les malheurs qui m'accablent. Je m'imaginais donc un heureux avenir, quand il ne s'agissait, je vois, que de ma mort : les morts seuls sont exempts de peine. Eh bien donc! puisque ces oracles se réalisent clairement aujourd'hui, il te faut, toi aussi, mon fils, venir à l'aide de ton père. Ne va pas cependant exaspérer ma langue ; cède et prends mon parti. Rends-toi compte enfin que le tout premier des devoirs, c'est d'obéir à son père.

HYLLOS : Ah ! père, je redoute le point où nous arrivons. Je ferai pourtant ce que tu voudras.

HÉRACLÈS : Eh bien ! mets d'abord ta main dans la mienne.

HYLLOS : Pourquoi insistes-tu sur cette garantie ?

HÉRACLÈS : Donne-la-moi donc vite. Voudrais-tu refuser un service à ton père ?

HYLLOS : Voici, je te la tends. Je ne songe pas à t'objecter rien.

HÉRACLÈS : Jure par la tête de mon père Zeus...

HYLLOS : Que veux-tu que je jure ? cela aussi, le diras-tu ?

HÉRACLÈS : Jure d'achever ce qu'on t'enjoindra.

HYLLOS : Je le jure, et j'en prends Zeus même pour garant.

HÉRACLÈS : Et, si tu manques à ta parole, voue-toi toi-même au malheur.

HYLLOS : Sur ce point-là, je suis tranquille, je saurai tenir mon serment. Mais je n'en fais pas moins le vœu.

HÉRACLÈS : Tu connais le plus haut des sommets de l'Œta, celui où règne Zeus ?

HYLLOS : Je le connais, j'ai bien des fois sacrifié là-haut.

HÉRACLÈS : Eh bien ! c'est là qu'il faut que tu me portes, toi-même dans tes bras, aidé de ceux des tiens que tu voudras. Puis, là, tu couperas une masse de bois prise dans la chênaie aux racines profondes. Tu tailleras également en masse des branches empruntées à de vigoureux oliviers sauvages. Tu jetteras alors mon corps sur ce tas de bois, et, prenant une torche aux lueurs résineuses, tu mettras le feu au tout. Mais que nul pleur gémissant n'intervienne ; fais ce que tu dois sans larme ni plainte, si tu es bien mon fils. Sinon, je t'attendrai, même au fond des enfers, et sur toi éternellement tu sentiras peser ma malédiction.

HYLLOS : Ah ! que dis-tu là, père ? et comme tu me traites !

HÉRACLÈS : Je te dis ce que tu dois faire. Sinon, sois le fils d'un autre, au lieu d'être appelé le mien.

HYLLOS : Las ! hélas ! à quoi me convies-tu ? A devenir ton meurtrier, ton assassin.

HÉRACLÈS : Non certes, mais mon médecin, seul guérisseur de tous mes maux.

HYLLOS : Guérirai-je ton corps en y mettant le feu ?

HÉRACLÈS : Si c'est ce qui t'effraie, fais tout au moins le reste.

HYLLOS : Je ne refuse pas de te porter là-bas.

HÉRACLÈS : Ainsi que de garnir le bûcher que j'ai dit ?

HYLLOS : Dans la mesure où je le puis, sans moi-même y mettre la main. Tout le reste, je le ferai, tu n'auras pas d'obstacle de ma part.

HÉRACLÈS : Sur ce point, cela suffira. Mais à ces grands services ajoutes-en un moindre.

HYLLOS : Fût-il encore plus grand que je te le rendrais.

HÉRACLÈS : Tu connais bien sans doute la fille d'Eurytos ?

HYLLOS : Tu veux parler d'Iole — du moins je le présume.

HÉRACLÈS : Tu m'as compris. Eh bien ! voici, mon fils, mes recommandations. Lorsque je serai mort, si tu me veux montrer ta piété, respecte les serments jurés à ton père, et fais d'elle ta femme. Ne dis pas non à ton père. Elle a dormi à mes côtés : mon vœu est qu'aucun autre que toi ne la possède. Va, mon fils, c'est à toi de former ces liens. Crois-moi : tu m'as donné ta foi pour de grandes choses ; la refuser pour de moins grandes, c'est annuler le service rendu.

HYLLOS : Las ! il est mal sans doute de se fâcher

contre un malade. Mais lui voir telle idée en tête, qui donc pourrait en prendre son parti ?

HÉRACLÈS : Tu ne veux rien faire de ce que je dis, si je t'entends bien ?

HYLLOS : Et qui, en face d'une fille qui, seule, a été cause que ma mère est morte et que tu es, toi, en l'état que voilà, qui donc, à moins qu'un dieu vengeur n'en ait fait un fou, qui se résoudrait à agir ainsi ? J'aimerais mieux mourir, mon père, qu'habiter désormais avec qui je hais plus que tout.

HÉRACLÈS : Ce garçon m'a tout l'air de vouloir refuser la part qui lui revient au mourant que je suis. La malédiction divine en ce cas va peser sur toi, du jour où tu te refuses à obéir à ma voix.

HYLLOS : Hélas ! tu vas, je crois, parler comme un dément.

HÉRACLÈS : Pourquoi m'éveilles-tu d'un mal qui sommeillait ?

HYLLOS : Ah ! pitié, ma détresse est sans bornes.

HÉRACLÈS : Parce que tu refuses d'obéir à ton père.

HYLLOS : Est-ce à toi de m'apprendre l'impiété, ô père ?

HÉRACLÈS : Il n'y a point d'impiété à satisfaire mon désir.

HYLLOS : Ainsi ce sont là tes ordres formels ?

HÉRACLÈS : Oui, j'en prends les dieux à témoin.

HYLLOS : Je t'obéirai donc — je ne veux pas te dire non — mais ce sera en dénonçant aux dieux l'acte comme tien. Je ne saurais être coupable en obéissant à mon père.

HÉRACLÈS : C'est fort bien conclure. Mais fais plus, mon enfant : le service promis, rends-le-moi au plus tôt. N'attends pas le retour d'un spasme, d'un élancement, pour me mettre sur mon bûcher. Allez ! faites vite et emportez-moi. La voilà bien pour moi la vraie fin de mes peines : ma dernière heure de vie !

HYLLOS : Allons ! rien ne nous empêche de te

satisfaire, puisque tu nous l'ordonnes et nous y contrains, père.

Mélodrame.

✕ HÉRACLÈS : Va donc, ne provoque pas, en tardant, le retour du mal. Endurcis-toi, mon cœur, et, mettant à ma bouche le bon crampon de fer qu'on scelle dans le marbre[1], arrête là tous cris, en songeant que tu vas accomplir avec joie un acte qu'on n'achève jamais qu'à contrecœur.

HYLLOS : Emportez-le donc, camarades; et à moi accordez une immense indulgence, en constatant l'immense indifférence dont témoigne ici chez les dieux ce qui s'accomplit à cette heure. Ils ont engendré des enfants, ils en sont dits partout les pères, et ils les voient souffrir ainsi! Si l'avenir pour l'instant nous échappe, le présent en tout cas n'offre que pleurs pour nous et que honte pour eux. Il n'offre surtout que souffrances, souffrances cruelles entre toutes, pour celui qui subit une telle disgrâce.

(Le cortège funèbre s'éloigne lentement. Le Coryphée se tourne vers le Chœur.)

LE CORYPHÉE : Toi, non plus, jeune fille, ne reste pas là, loin de ta maison. Tu as vu des morts étranges, terribles, et des infortunes multiples, inouïes[2], et, dans tout cela, rien où ne soit Zeus! ✕

Antigone

PERSONNAGES

ANTIGONE, *fille d'Œdipe et de Jocaste.*

ISMÈNE, *sœur d'Antigone.*

CHŒUR DE VIEILLARDS THÉBAINS.

CRÉON, *roi de Thèbes.*

UN GARDE.

HÉMON, *fils de Créon.*

TIRÉSIAS, *devin.*

UN MESSAGER.

EURYDICE, *femme de Créon.*

UN SERVITEUR.

Devant le palais royal de Thèbes. L'aube va naître. Antigone sort du gynécée, entraînant sa sœur par la main. Elle semble en proie à une vive émotion.

ANTIGONE : Tu es mon sang, ma sœur, Ismène, ma chérie. Tu sais tous les malheurs qu'Œdipe a légués aux siens. Mais en sais-tu un seul que Zeus ne tienne pas à consommer ici de notre vivant même ? Il n'est pas de chagrin — voire de désastre — il n'est pas de honte, il n'est pas d'affront que je ne voie ainsi porté à notre compte, à nous deux, toi et moi. Aujourd'hui même, qu'est-ce encore que cette défense que le Chef a tout à l'heure proclamée au pays en armes ? En sais-tu quelque chose ? en as-tu perçu un écho ? Ou vraiment ignores-tu que le malheur est en marche, et que ceux qui nous haïssent visent ceux que nous aimons ?

ISMÈNE : Mais non ! de ceux que nous aimons je n'ai, moi, rien entendu dire, Antigone, rien qui apaise ni avive ma peine, depuis l'heure où, toutes deux, nous avons perdu nos deux frères, morts en un seul jour sous un double coup. L'armée d'Argos est partie cette nuit ; je ne sais rien de plus, et rien n'est venu ajouter pour moi ni à ce succès ni à ce désastre.

ANTIGONE : J'en étais sûre, et c'est bien pourquoi je t'ai emmenée au-delà des portes de cette maison : tu dois être seule à m'entendre.

ISMÈNE : De quoi s'agit-il donc? Quelque propos te tourmente, c'est clair.

ANTIGONE : Certes! juges-en. Créon, pour leurs funérailles, distingue entre nos deux frères : à l'un il accorde l'honneur d'une tombe, à l'autre il inflige l'affront d'un refus! Pour Étéocle, me dit-on, il juge bon de le traiter suivant l'équité et le rite, et il l'a fait ensevelir d'une manière qui lui vaille le respect des ombres sous terre. Mais, pour l'autre, Polynice, le pauvre mort, défense est faite, paraît-il, aux citoyens de donner à son cadavre ni tombeau ni lamentation : on le laissera là, sans larmes ni sépulture, proie magnifique offerte aux oiseaux affamés en quête d'un gibier! Et voilà, m'assure-t-on, ce que le noble Créon nous aurait ainsi défendu, à toi comme à moi — à moi! Il viendrait même en personne proclamer ici expressément sa défense, pour ceux qui l'ignorent encore. Ah! c'est qu'il ne prend pas la chose à la légère : au rebelle il promet la mort, la lapidation sur notre acropole [1]! Tu connais les faits : tu vas, je pense, nous montrer sans retard si tu es digne de ton sang, ou si, fille de braves, tu n'as qu'un cœur de lâche.

ISMÈNE : Mais, malheureuse, si l'affaire en est là, que puis-je, moi? J'aurai beau faire, je n'y gagnerai rien.

ANTIGONE : Vois si tu veux lutter et agir avec moi.

ISMÈNE : Hélas! quelle aventure! à quoi vas-tu penser?

ANTIGONE : Aideras-tu mes bras à relever le mort?

ISMÈNE : Quoi! tu songes à l'ensevelir, en dépit de la défense faite à toute la cité?

ANTIGONE : C'est mon frère — et le tien, que tu le veuilles ou non. J'entends que nul ne soit en droit de dire que je l'ai trahi.

ISMÈNE : Mais, malheureuse, si Créon s'y oppose!

ANTIGONE : Créon n'a pas à m'écarter des miens.

ISMÈNE : Ah! réfléchis, ma sœur, et songe à notre

père. Il a fini odieux, infâme : dénonçant le premier ses crimes, il s'est lui-même, et de sa propre main, arraché les deux yeux. Songe à celle qui fut et sa mère et sa femme, qui mérita ce double nom et détruisit sa vie dans le nœud d'un lacet. Songe enfin à nos deux frères, à ces infortunés qu'on vit en un seul jour se massacrer tous deux et s'infliger, sous des coups mutuels, une mort fratricide ! Et, aujourd'hui encore, où nous restons toutes deux seules, imagine la mort misérable entre toutes dont nous allons périr, si, rebelles à la loi, nous passons outre à la sentence, au pouvoir absolu d'un roi. Rends-toi compte d'abord que nous ne sommes que des femmes : la nature ne nous a pas faites pour lutter contre des hommes ; ensuite que nous sommes soumises à des maîtres, et dès lors contraintes d'observer leurs ordres — et ceux-là et de plus durs encore... Pour moi, en tout cas, je supplie les morts sous la terre de m'être indulgents, puisqu'en fait je cède à la force ; mais j'entends obéir aux pouvoirs établis. Les gestes vains sont des sottises.

ANTIGONE : Sois tranquille, je ne te demande plus rien — et si même tu voulais plus tard agir, je n'aurais pas la moindre joie à te sentir à mes côtés. Sois donc, toi, ce qu'il te plaît d'être : j'enterrerai, moi, Polynice et serai fière de mourir en agissant de telle sorte. C'est ainsi que j'irai reposer près de lui, chère à qui m'est cher, saintement criminelle. Ne dois-je pas plus long-temps plaire à ceux d'en bas [1] qu'à ceux d'ici, puisque aussi bien c'est là-bas qu'à jamais je reposerai ? Agis, toi, à ta guise, et continue de mépriser tout ce qu'on prise chez les dieux.

ISMÈNE : Je ne méprise rien ; je me sens seulement incapable d'agir contre le gré de ma cité.

ANTIGONE : Couvre-toi de ce prétexte. Je vais, moi, de ce pas, sur le frère que j'aime verser la terre d'un tombeau.

ISMÈNE : Ah! malheureuse, que j'ai donc peur pour toi!

ANTIGONE : Ne tremble pas pour moi, et assure ta vie, à toi.

ISMÈNE : Mais du moins, je t'en prie, ne t'ouvre à personne de pareil projet. Cache-le bien dans l'ombre ; je t'y aiderai.

ANTIGONE : Ah! crie-le très haut au contraire. Je te détesterai bien plus, si tu te tais et ne le clames pas partout.

ISMÈNE : Ton cœur est là qui s'enflamme pour un dessein qui devrait le glacer!

ANTIGONE : C'est qu'ainsi je suis bien certaine de plaire à ceux à qui je dois plaire avant tout.

ISMÈNE : Si la chose est possible, oui ; mais tu vises à l'impossible.

ANTIGONE : Eh bien! si la force me manque, alors tout sera dit.

ISMÈNE : Mais c'est dès le principe qu'il faudrait renoncer à chercher l'impossible.

ANTIGONE : Va, continue à raisonner ainsi, et tu auras ma haine, tu auras la haine du mort, à jamais attachée à toi — et bien méritée. Va donc, et laisse-nous, moi et ma sottise, courir notre risque. Du moins je n'en courrai pas qui me puisse mener à une mort honteuse.

ISMÈNE : A ton gré, pars ; mais sache, en partant, que tu restes, en dépit de ta folie, justement chère à ceux qui te sont chers.

> *(Elle sort. Antigone s'éloigne. Le jour est venu. Entre le Chœur. Il est composé de douze vieillards encore vigoureux.)*

Modéré.

LE CHŒUR : *O rayon du plus beau soleil qui ait jamais brillé encore pour notre Thèbes aux sept portes,*

*tu as donc lui enfin, œil du jour doré! et à peine t'es-tu
montré au-dessus des eaux de Dircé[1],*

*que le Péloponnésien au bouclier blanc, qui, avec armes et
bagages, était déjà sur la route d'une fuite précipitée, a
brusquement, dès qu'il t'a vu, pressé l'allure de ses chars.*

Mélodrame.

⚔ LE CORYPHÉE : C'est lui que Polynice, parti
pour soutenir ses douteuses chicanes, avait mené à
l'attaque déclarée de notre pays. Et lui, poussant des
cris aigus, tout pareil à un aigle qui s'abat sur le sol, il
avait survolé Thèbes, en déployant ses ailes d'une
blancheur de neige, avec un cortège d'armes innombrables et de casques à crin de cheval. ⚔

LE CHŒUR : *Il était là, au-dessus de nos toits, ouvrant tout
grand sur notre enceinte et ses sept portes son bec fait de lances
avides de meurtre.*

*Mais il a dû partir, avant que notre sang eût satisfait sa soif,
avant que le rempart couronnant notre ville*

*fût devenu la proie des flammes résineuses. Terrible, tout
autour et au-dessus de lui était soudain monté le tumulte d'Arès.
On ne vient pas si aisément à bout d'un adversaire tel que l'est le
serpent[2].*

Mélodrame.

⚔ LE CORYPHÉE : Zeus a horreur de la jactance
qui jaillit d'insolentes bouches. Lorsqu'il les a vus
venir en torrent, dans l'orgueil bruissant de l'or, il a
brandi sa flamme, et, au sommet des parapets, il a
frappé celui qui déjà prétendait y entonner un long
chant de victoire[3]. ⚔

Un peu plus vif.

LE CHŒUR : *Et, balancé dans les airs, le voilà qui croule au
sol, au sol qui sonne sous le choc, le guerrier qui, torche en main,
dans son délire frénétique,*

*furieusement soufflait sur Thèbes les rafales d'un vent de
haine.*

*L'affaire a tourné pour lui tout autrement qu'il ne pensait.
D'autres ont à leur tour trouvé chacun son destin, en se brisant
contre Arès, puissant renfort de notre ville.*

Mélodrame.

✖ LE CORYPHÉE : Les sept chefs désignés pour
l'assaut des sept portes — sept contre sept ! — ont
laissé dans les mains du Zeus des Victoires leur tribut
de bronze massif. Seuls en auront été exempts les deux
infortunés, issus du même père et de la même mère,
qui ont l'un contre l'autre levé leurs lances triom-
phantes et obtenu part égale du trépas qui les a frappés
ensemble [1].   ✖

LE CHŒUR : *Oui, mais en revanche la Victoire au grand
nom est venue joyeuse, à l'appel de Thèbes, déesse des chars.*
Les combats d'hier sont finis ; il les faut oublier.
*Dirigeons-nous donc tour à tour vers tous les temples de nos
dieux, en formant des chœurs pour la nuit entière, et qu'à notre
tête s'avance Bacchos [2], ébranlant le sol thébain sous ses pas.*

Mélodrame.

✖ LE CORYPHÉE : Mais voici venir le roi de ce
pays, Créon, le fils de Ménécée. Il est le chef nouveau
que réclame à cette heure l'État nouveau établi par les
dieux. Quel dessein cependant brasse-t-il en sa tête,
pour avoir provoqué ce subit entretien, en envoyant
aux vieillards que nous sommes le même ordre de se
rendre ici ?   ✖

*(Du seuil de son palais, Créon s'adresse au Chœur
avec une certaine emphase. — Parlé.)*

CRÉON : Thébains, après la dure houle qui l'avait
secouée, les dieux ont fermement redressé notre ville,
et j'en ai profité pour vous faire dire par mes envoyés

de venir me trouver à l'écart de tous autres. Je sais de
quel respect vous avez toujours entouré Laïos et le
trône royal ; puis, une fois Œdipe maître de cette ville,
tout comme ensuite après sa mort, vous avez de même
encore conservé pour leurs fils des sentiments loyaux [1].
Aujourd'hui donc qu'ils ont disparu à leur tour et
qu'ils ont en un même jour achevé leur double destin,
auteurs et victimes à la fois d'un fratricide sacrilège,
c'est moi qui désormais possède leur trône et tout leur
pouvoir, puisque le sang fait de moi le plus proche
parent laissé par ces morts. Est-il possible cependant
de bien connaître l'âme, les sentiments, les principes
d'un homme quelconque, s'il ne s'est pas montré
encore dans l'exercice du pouvoir, gouvernant et
dictant des lois ? Eh bien ! voici ce qu'il en est pour
moi. Celui qui, appelé à conduire un État, ne s'en tient
pas toujours au bon parti et qui demeure bouche close
par crainte de qui que ce soit, celui-là, aujourd'hui et
toujours, est pour moi le dernier des hommes. Et de
même, qui s'imagine qu'on peut aimer quelqu'un plus
que son pays, à mes yeux, ne compte pas. Moi, au
contraire — et Zeus m'en soit témoin, Zeus qui voit
tout et à toute heure — moi, je ne puis me taire,
quand, au lieu du salut, j'entrevois le malheur en
marche vers ma ville ; pas plus que je ne puis tenir
pour mon ami un ennemi de mon pays. Sais-je pas que
c'est ce pays qui assure ma propre vie et que, pour
moi, lui garantir une heureuse traversée constitue le
seul vrai moyen de me faire des amis ? Les voilà, les
principes sur lesquels je prétends fonder la grandeur
de Thèbes [2]. Et c'est pour leur être fidèle qu'en ce qui
concerne les deux fils d'Œdipe j'ai déjà proclamé ceci.
Étéocle est tombé en défendant sa ville, après s'être
couvert de gloire à la bataille : on l'ensevelira donc,
lui, dans un tombeau ; on accomplira tous les rites qui
doivent suivre un héros sous la terre. Son frère, en
revanche, ce Polynice qui n'est rentré d'exil que pour

mettre à feu et anéantir le pays de ses pères et les dieux de sa race, pour s'abreuver du sang des siens, pour emmener les Thébains en servage, j'ai solennellement déjà interdit que personne lui accorde ni tombeau ni chant de deuil. J'entends qu'on le laisse là, cadavre sans sépulture, pâture et jouet des oiseaux ou des chiens. Mon sentiment est net : jamais des malfaiteurs ne passeront dans mon estime avant les bons citoyens. Qui au contraire se dévouera à ce pays, mort ou vivant, de moi recevra même hommage.

LE CORYPHÉE : Nous prenons acte ici, ô fils de Ménécée, du sort que tu octroies à l'ami, et aussi à l'ennemi, de Thèbes. Rien ne t'empêche évidemment de prendre toutes mesures qui t'agréent, aussi bien à l'égard des morts que des vivants parmi nous.

CRÉON : Et maintenant, pour veiller à l'exécution de mes ordres...

LE CORYPHÉE : Confie ce soin à de plus jeunes.

CRÉON : Ne crains rien : j'ai des gardes en place près du mort.

LE CORYPHÉE : Alors que nous veux-tu recommander de plus ?

CRÉON : De ne pas te joindre aux rebelles.

LE CORYPHÉE : Est-il homme assez fou pour désirer mourir ?

CRÉON : C'est la mort en effet qui serait son salaire. Mais l'espoir d'un profit a si souvent perdu les hommes !

(Entre le Garde.)

LE GARDE : Roi, je ne puis pas dire que j'arrive hors d'haleine, pour m'être trop hâté, ni que je suis venu d'un bond. Que de fois au contraire je me suis arrêté, afin de réfléchir ! Sans cesse, en cours de route, je faisais demi-tour. Mon cœur me tenait cent propos : « Ah ! pauvre ami, pourquoi courir où il t'en cuira d'arriver ? » — « Quoi ! malheureux, tu vas t'arrêter maintenant ? Et, si Créon apprend les faits d'un autre, te figures-tu vraiment qu'il ne t'en coûtera rien ? » A me ressasser toutes ces raisons, je n'avançais pas du train d'un homme bien pressé ; le chemin le plus court devient ainsi très long. A la fin cependant je me suis décidé : oui, j'irai te trouver et, fussé-je incapable de dire rien qui vaille, malgré tout, je te parlerai. Me voici donc ! Je me cramponne à un espoir, celui qu'il ne m'adviendra rien de plus que ce que le sort me destine.

CRÉON : Qu'est-ce donc qui te donne tant d'appréhension ?

LE GARDE : Je veux régler mon cas d'abord. La chose, je ne l'ai pas faite. Et je n'ai pas davantage vu celui qui la faisait. Il serait tout à fait inique qu'il m'en pût arriver malheur.

CRÉON : Bravo ! tu me devines et prudemment tu dresses une barrière autour des faits. Tu as évidemment à me conter une fâcheuse histoire.

LE GARDE : Eh bien, voilà ! Le mort que tu sais, on hésite.

CRÉON : Eh ! parle donc, puis tire d'ici et va-t'en.

LE GARDE : Eh ! bien voilà ! Le mort que tu sais, on vient de l'enterrer. Puis on est parti, après l'avoir couvert de fine poussière et avoir accompli tous les rites voulus.

CRÉON : Que dis-tu ? Qui a eu cette audace ?

LE GARDE : Je ne sais : le sol n'avait été ni défoncé par une bêche ni entamé par une pioche ; la terre était dure et sèche, sans entaille, sans trace de roue ; rien n'indiquait qui avait pu travailler là. Le premier qui prend la garde de jour nous montre la chose[1]. Chez tous aussitôt, stupeur, désarroi. Le corps ne se voyait plus, non qu'il fût enterré, non ; mais une poussière légère était répandue sur lui : il semblait qu'on eût voulu éviter une souillure. Pas de trace non plus de fauve ni de chien, qui serait seulement venu, sans avoir tiré sa proie. Et les gros mots alors de rouler entre

nous. Chaque garde accuse un autre garde; si bien
qu'on est tout près d'en venir aux coups, personne
n'étant là pour nous retenir. Chacun pour les autres
est le seul coupable; personne toutefois qui le soit
sûrement, personne qui n'affirme bien haut ne rien
savoir. Et, de fait, nous étions tous prêts à prendre en
main des fers rouges, à marcher à travers la flamme, à
jurer les dieux que nous n'étions ni coupables ni
complices, pas plus de l'instigateur que de l'auteur
même du crime. A la fin, comme on ne gagnait rien à
poser des questions, un de nous, un seul et d'un mot,
nous fit baisser la tête, à tous, avec terreur: qu'avions-
nous en effet à répliquer ou à faire de mieux? Ce mot,
c'est qu'il fallait te rapporter la chose, ne te rien celer.
L'avis triomphe, et c'est moi, pauvre diable! que le
sort condamne à m'en aller retirer ce beau lot. Me
voilà donc ici, sans plaisir pour moi, sans plaisir pour
vous, je le sais: nul n'éprouve de tendresse pour un
porteur de mauvaises nouvelles.

LE CORYPHÉE: L'événement, prince, ne serait-il pas
voulu par les dieux? A la réflexion, depuis un moment,
je me le demande.

CRÉON: Tais-toi, si tu ne veux pas, avec pareils
mots, faire déborder ma colère; et prends garde de te
montrer aussi fou que tu es vieux. Ton langage est
intolérable. Vas-tu prétendre que les dieux portent
intérêt à ce mort? Ils lui rendraient donc l'hommage
que l'on doit à un bienfaiteur! ils iraient l'ensevelir, lui
qui est ici venu pour incendier leurs temples
— colonnes et offrandes comprises — et ce pays qui est
à eux, détruire enfin toutes les lois! Aurais-tu donc vu
quelque part les dieux honorer les méchants? Mais,
non, la vérité, c'est que depuis un moment il y a dans
cette ville des hommes qui s'impatientent et qui
murmurent contre moi. Sournoisement ils vont
secouant la tête; ils ne savent pas, comme il le
faudrait, se plier au joug, se résigner à m'obéir. Ce sont

eux, je le sais fort bien, qui ont, en les payant, incité ces
gardes à agir comme ils l'ont fait. Jamais n'a grandi
chez les hommes pire institution que l'argent. C'est
l'argent qui détruit les États ; c'est lui qui chasse les
citoyens de leurs maisons ; c'est lui dont les leçons vont
séduisant les cœurs honnêtes, leur font embrasser
l'infamie. Il leur enseigne tous les crimes, il leur
apprend l'impiété qui ose tout. Mais celui qui se vend
et en arrive là, un beau jour aussi aboutit au châtiment. Eh bien ! sache-le, c'est moi, moi pour qui Zeus
reste l'objet du plus profond respect, c'est moi qui te le
dis sous la foi du serment : Si celui qui, de ses mains, a
enseveli ce mort n'est pas découvert par vous, n'est pas
amené ici sous mes yeux, une simple mort ne suffira
pas à votre châtiment : pendus tout vifs [1], vous devrez
faire d'abord l'aveu de votre insolence. Vous saurez
ainsi où il vous convient d'aller désormais chercher un
profit ; vous comprendrez qu'il ne faut pas vouloir
profiter de tout : vous verrez que les gains infâmes
perdent plus d'hommes qu'ils n'en sauvent.

LE GARDE : Me permets tu un mot ? ou préfères-tu
que je tourne les talons et disparaisse sans rien dire ?

CRÉON : Sais-tu pas que tu continues de m'exaspérer
en parlant ?

LE GARDE : Mais te sens-tu blessé à l'oreille ou au
cœur ?

CRÉON : A quoi bon ergoter sur le point où je
souffre ?

LE GARDE : Le coupable te blesse l'âme ; moi, l'oreille
seulement.

CRÉON : Ah ! l'insigne bavard que l'on m'a fait là !

LE GARDE : Mais qui n'est pas coupable de ce dont
on l'accuse.

CRÉON : Si ! et se sera même perdu pour de l'argent.

LE GARDE : Ah ! misère ! il est terrible, quand on se
fait des idées, de ne s'en faire que de fausses.

CRÉON : A ton gré ! va, fais de l'esprit, toi-même,

avec tes « idées » ! Mais, si vous n'arrivez pas à me révéler les coupables, eh bien ! vous pourrez dire alors que de misérables profits causent parfois de grands malheurs.

(Il rentre dans le palais.)

LE GARDE : Qu'on les trouve, bien sûr, ce sera le mieux. Mais qu'ils soient pris ou non — et la chance seule en décidera — tu peux du moins être sûr de ne pas me revoir ici. Contre tout espoir, contre ma propre attente, je suis encore en vie : c'est un beau merci que j'en dois aux dieux !

(Il sort.)

Animé.

LE CHŒUR : *Il est bien des merveilles en ce monde, il n'en est pas de plus grande que l'homme.*

Il est l'être qui sait traverser la mer grise, à l'heure où soufflent le vent du Sud et ses orages, et qui va son chemin au milieu des abîmes

que lui ouvrent les flots soulevés. Il est l'être qui tourmente la déesse auguste entre toutes, la Terre,

la Terre éternelle et infatigable, avec ses charrues qui vont chaque année la sillonnant sans répit, celui qui la fait labourer par les produits de ses cavales[1].

Les oiseaux étourdis, il les enserre et il les prend,

tout comme le gibier des champs et les poissons peuplant les mers, dans les mailles de ses filets,

l'homme à l'esprit ingénieux. Par ses engins il se rend maître de l'animal sauvage qui va courant les monts[2], *et, le moment venu, il mettra sous le joug et le cheval à l'épaisse crinière et l'infatigable taureau des montagnes.*

Parole, pensée vite comme le vent, aspirations d'où naissent les cités, tout cela, il se l'est enseigné à lui-même, aussi bien qu'il a su, en se faisant un gîte, se dérober aux traits du gel ou de la pluie, cruels à ceux qui n'ont d'autre toit que le ciel.

Bien armé contre tout, il ne se voit désarmé contre rien de ce que lui peut offrir l'avenir. Contre la mort seule,

il n'aura jamais de charme permettant de lui échapper, bien qu'il ait déjà su contre les maladies les plus opiniâtres imaginer plus d'un remède.

Mais, ainsi maître d'un savoir dont les ingénieuses ressources dépassent toute espérance, il peut prendre ensuite la route du mal tout comme du bien.

Qu'il fasse donc dans ce savoir une part aux lois de sa ville et à la justice des dieux, à laquelle il a juré foi !

Il montera alors très haut dans sa cité, tandis qu'il s'exclut de cette cité le jour où il laisse le crime le contaminer par bravade.

Ah ! qu'il n'ait plus de part alors à mon foyer ni parmi mes amis, si c'est là comme il se comporte !

(*Entre le Garde poussant devant lui Antigone.*)

Mélodrame.

LE CORYPHÉE : Mais quel prodige effrayant est-ce là ? J'hésite à y croire. Puis-je pourtant nier, quand je le sais si bien, que voilà la jeune Antigone ? Ah ! malheureuse enfant du malheureux Œdipe, non, ce n'est pas toi qu'on amène ici comme une rebelle aux ordres du roi ? ce n'est pas toi qu'on a surprise en pleine crise de folie ?

(*Parlé.*)

LE GARDE : La voilà, la coupable ! Nous l'avons prise en train d'enterrer le mort. Mais où est Créon ?

LE CORYPHÉE : Le voici qui ressort, et bien à propos, de chez lui.

(*Créon sort du palais.*)

CRÉON : Qu'y a-t-il ? A quoi s'ajuste donc si bien mon arrivée ?

LE GARDE : Roi, il n'est rien dont on puisse jurer : la réflexion maintes fois vient démentir le sentiment. J'aurais bien cru que je prendrais mon temps avant de revenir : tes menaces tout à l'heure m'avaient assez secoué ! Mais une joie subite, inespérée, est une volupté à nulle autre pareille, et c'est pourquoi tu me vois de nouveau, infidèle à mon serment sans doute, mais t'amenant la fille que voilà. Je l'ai surprise en train de procéder aux rites funéraires. Ah cette fois plus de tirage au sort ! l'aubaine est pour moi, et pas pour un autre. A toi maintenant d'agir à ta guise, roi. Prends la fille, juge-la et confonds-la. Me voici, moi, libéré et, de plein droit, mis hors de cause.

CRÉON : Tu me l'amènes ; mais où l'as-tu prise et comment ?

LE GARDE : Elle était en train d'enterrer le mort. Tu sais tout.

CRÉON : Comprends-tu ce que tu dis ? Et dis-tu la vérité ?

LE GARDE : Certes ! c'est elle que j'ai vue ensevelir le mort, le mort défendu : est-ce clair et net ?

CRÉON : Comment l'avez-vous vue et prise sur le fait ?

LE GARDE : Voilà. Sitôt de retour, et toujours sous le coup de tes effroyables menaces, nous balayons entièrement la poussière qui couvre le mort ; nous essuyons de notre mieux le cadavre qui se défait ; puis nous nous asseyons au sommet des rochers, bien au vent, pour que l'odeur qui s'en dégage ne parvienne pas jusqu'à nous ; et chacun tient son voisin en éveil, avec un fracas de gros mots contre tous ceux qui bouderaient à la besogne ; cela jusqu'à l'heure où le disque du soleil atteint le milieu du ciel et enflamme l'atmosphère. A ce moment un soudain vent d'orage fait se lever du sol une trombe de poussière, un vrai fléau céleste, qui envahit la plaine, y fouaille la crinière de la forêt et remplit le vaste ciel de ses débris. Nous subissons, les yeux fermés, l'épreuve que nous envoient les dieux. Il fallut quelque temps pour qu'elle s'éloignât, et c'est alors que nous voyons la fille. Elle est là, à pousser les cris perçants de l'oiseau qui se désole à la vue du nid vide où manquent ses petits. Telle, à voir le cadavre ainsi dépouillé, elle éclate en gémissements et lance des malédictions féroces contre les auteurs du méfait. Puis, sans tarder, de ses mains, elle apporte à la fois de la poussière sèche et une aiguière en bronze martelé, qu'elle lève en l'air, pour répandre sur le corps l'hommage d'une triple libation. Mais nous avons tout vu, nous nous précipitons, nous nous saisissons d'elle. Rien toutefois ne la démonte. Nous l'interrogeons sur ce qu'elle a fait hier et aujourd'hui. Elle ne nie rien — et j'en ai, pour ma part, plaisir et peine tout ensemble : se tirer soi-même d'affaire, c'est un plaisir évidemment ; mais jeter les siens au malheur, c'est chose dure aussi. Après tout cependant, je me trouve ainsi fait que le soin de ma vie passe avant tout le reste.

(Créon se tourne vers Antigone.)

CRÉON : Et toi, toi qui restes là, tête basse, avoues-tu ou nies-tu le fait ?

ANTIGONE : Je l'avoue et n'ai garde, certes, de le nier.

CRÉON, *au Garde* : Va donc où tu voudras, libéré d'une lourde charge. *(Le Garde sort. A Antigone.)* Et toi, maintenant, réponds-moi, sans phrases, d'un mot. Connaissais-tu la défense que j'avais fait proclamer ?

ANTIGONE : Oui, je la connaissais ; pouvais-je l'ignorer ? Elle était des plus claires.

CRÉON : Ainsi tu as osé passer outre à ma loi ?

ANTIGONE : Oui, car ce n'est pas Zeus qui l'avait proclamée ! ce n'est pas la Justice, assise aux côtés des dieux infernaux ; non, ce ne sont pas là les lois qu'ils ont jamais fixées aux hommes, et je ne pensais pas que tes défenses à toi fussent assez puissantes pour permettre à un mortel de passer outre à d'autres lois, aux lois non écrites, inébranlables, des dieux ! Elles ne datent, celles-là, ni d'aujourd'hui ni d'hier, et nul ne sait le jour où elles ont paru. Ces lois-là, pouvais-je donc, par crainte de qui que ce fût, m'exposer à leur vengeance chez les dieux ? Que je dusse mourir, ne le savais-je pas ? et cela, quand bien même tu n'aurais rien défendu. Mais mourir avant l'heure, je le dis bien haut, pour moi, c'est tout profit : lorsqu'on vit comme moi, au milieu des malheurs sans nombre, comment ne pas trouver de profit à mourir ? Subir la mort, pour moi n'est pas une souffrance. C'en eût été une, au contraire, si j'avais toléré que le corps d'un fils de ma mère n'eût pas, après sa mort, obtenu un tombeau. De cela, oui, j'eusse souffert ; de ceci je ne souffre pas. Je te parais sans doute agir comme une folle. Mais le fou pourrait bien être celui même qui me traite de folle.

LE CORYPHÉE : Ah ! qu'elle est bien sa fille ! la fille intraitable d'un père intraitable. Elle n'a jamais appris à céder aux coups du sort.

CRÉON : Oui, mais sache bien, toi, que ces volontés si dures sont celles justement qui sont aussi le plus vite brisées. Il en est pour elles comme pour le fer, qui, longuement passé au feu, cuit et recuit, se fend et éclate encore plus aisément. Ne voit-on pas un simple bout de frein se rendre maître d'un cheval emporté ? Non, on n'a pas le droit de faire le fier, lorsque l'on est aux mains des autres. Cette fille a déjà montré son insolence en passant outre à des lois établies ; et, le crime une fois commis, c'est une insolence nouvelle que de s'en vanter et de ricaner. Désormais, ce n'est plus moi, mais c'est elle qui est l'homme, si elle doit s'assurer impunément un tel triomphe. Eh bien ! non. Qu'elle soit née de ma sœur, qu'elle soit encore plus proche de moi que tous ceux qui peuvent ici se réclamer du Zeus de notre maison[1], il n'importe : ni elle ni sa sœur n'échapperont à une mort infâme. Oui, celle-là aussi, je l'accuse d'avoir été sa complice pour ensevelir le mort. *(A ses esclaves.)* Appelez-la-moi. Je l'ai vue dans la maison tout à l'heure, effarée, ne se dominant plus. C'est la règle : ils sont toujours les premiers à dénoncer leur fourberie, ceux qui manœuvrent sournoisement dans l'ombre. *(Se retournant vers Antigone.)* Ce qui ne veut pas dire que j'aie moins d'horreur pour le criminel saisi sur le fait qui prétend se parer encore de son crime.

ANTIGONE : Tu me tiens dans tes mains : veux-tu plus que ma mort ?

CRÉON : Nullement : avec elle, j'ai tout ce que je veux.

ANTIGONE : Alors pourquoi tarder ? Pas un mot de toi qui me plaise, et j'espère qu'aucun ne me plaira jamais. Et, de même, ceux dont j'use sont-ils pas faits pour te déplaire ? Pouvais-je cependant gagner plus noble gloire que celle d'avoir mis mon frère au tombeau ? Et c'est bien ce à quoi tous ceux que tu vois là applaudiraient aussi, si la peur ne devait leur fermer la bouche. Mais c'est — entre beaucoup d'autres — l'avantage de la tyrannie qu'elle a le droit de dire et faire absolument ce qu'elle veut.

CRÉON : Toi seule penses ainsi parmi ces Cadméens.

ANTIGONE : Ils pensent comme moi, mais ils tiennent leur langue.

CRÉON : Et toi, tu n'as pas honte à te distinguer d'eux ?

ANTIGONE : Je ne vois pas de honte à honorer un frère.

CRÉON : C'était ton frère aussi, celui qui lui tint tête.

ANTIGONE : Certes, frère de père et de mère à la fois.

CRÉON : Pourquoi donc ces honneurs, à son égard, impies ?

ANTIGONE : Qu'on en appelle au mort : il dira autrement.

CRÉON : C'est le mettre pourtant sur le rang d'un impie.

ANTIGONE : Mais l'autre était son frère, et non pas son esclave.

CRÉON : Il ravageait sa terre : lui, se battait pour elle.

ANTIGONE : Hadès n'en veut pas moins voir appliquer ces rites.

CRÉON : Le bon ne se met pas sur le rang du méchant.

ANTIGONE : Qui sait, si sous la terre, la vraie piété est là ?

CRÉON : L'ennemi même mort n'est jamais un ami.

ANTIGONE : Je suis de ceux qui aiment, non de ceux qui haïssent.

CRÉON : Eh bien donc, s'il te faut aimer, va-t'en sous terre aimer les morts ! Moi, tant que je vivrai, ce n'est pas une femme qui me fera la loi.

(Ismène sort entre deux esclaves.)

Mélodrame.

LE CORYPHÉE : Mais voici Ismène qui sort. Les pleurs qui coulent de ses yeux disent son amour pour sa sœur. Un nuage est sur son front, altérant son visage empourpré de sang et noyant ses beaux traits sous une pluie de larmes.

(Parlé.)

CRÉON, *à Ismène :* A toi maintenant ! Ainsi tu t'étais donc glissée à mon foyer, tout comme une vipère, pour me boire mon sang ? Et je ne voyais rien ! Non, je ne voyais pas qu'en vous je nourrissais deux véritables plaies, deux ruines de mon trône ! Voyons, avoueras-tu ? L'as-tu aidée, dis-moi, à enterrer le mort ? Ou bien vas-tu jurer que tu ignores tout ?

ISMÈNE : Non, non, je suis coupable, puisqu'elle-même avoue. Oui, je suis sa complice, et je porte ma part de toutes les charges qui pèsent sur elle.

ANTIGONE : Ah! cela, non, non! la Justice ne le permettra pas. Tu n'as pas voulu, toi, me suivre, et je ne t'ai pas, moi, associée à mon acte.

ISMÈNE : Oui, mais quand je te vois ici dans le malheur, je n'hésite pas à le dire : je veux être à tes côtés pour traverser cette épreuve.

ANTIGONE : Les coupables, Hadès les connaît, Hadès et tous ceux d'en bas. Je n'aime pas les gens qui se montrent des « proches » en paroles seulement.

ISMÈNE : Ah! ne m'envie donc pas, ma sœur, l'honneur de mourir avec toi, et de rendre aussi à ce mort l'hommage qui le justifie.

ANTIGONE : Non, non, je ne veux pas que tu meures avec moi. Ne t'attribue pas un acte où tu n'as pas mis la main. Que je meure, moi, c'est assez.

ISMÈNE : Quelle vie me peut plaire encore, si je me vois privée de toi?

ANTIGONE : Demande-le donc à Créon : c'est lui l'objet de tes soucis!

ISMÈNE : Pourquoi chercher à me blesser? En éprouves-tu quelque allégement?

ANTIGONE : Je souffre à railler, crois-moi, alors que c'est toi que je raille.

ISMÈNE : Pourquoi ne veux-tu pas, au moins maintenant, de mon aide?

ANTIGONE : Va, va, sauve ta vie; je ne te dénie pas le droit de te sauver.

ISMÈNE : Las! faut-il que l'on me refuse la mort qu'on te prépare, à toi!

ANTIGONE : Ton choix est fait : la vie, et le mien, c'est la mort.

ISMÈNE : Mes avis pourtant ne t'ont pas manqué.

ANTIGONE : Tu semblais sage aux uns, et moi, c'était à d'autres.

ISMÈNE : L'erreur pour toutes deux n'en est pas moins égale.

ANTIGONE : Ne t'inquiète donc pas : tu vis ! Ma vie, depuis longtemps j'y ai, moi, renoncé, afin d'aider les morts.

CRÉON : Ces deux filles sont folles, je le dis bien haut. L'une vient à l'instant de se révéler telle. L'autre l'est de naissance.

ISMÈNE : Ce qu'on a de raison ne tient plus, ô roi, devant le malheur et lui cède la place.

CRÉON : C'est bien ton cas, du jour où tu as décidé de t'allier pour un crime avec des criminels.

ISMÈNE : Quelle vie puis-je vivre, seule, sans ma sœur ?

CRÉON : Ne dis pas « ma sœur » : cette sœur n'est plus.

ISMÈNE : Quoi ! tu mettrais à mort la femme de ton fils[1] ?

CRÉON : Il est bien d'autres champs ailleurs à labourer !

ISMÈNE : Oui, sauf qu'entre ces deux-là il existe un accord.

CRÉON : Une femme méchante pour mes fils me fait peur.

ISMÈNE : Cher Hémon, que ton père tient peu compte de toi[2] !

CRÉON : Assez ! tu me fatigues avec tes épousailles.

LE CORYPHÉE : Vas-tu priver vraiment ton fils de son épouse ?

CRÉON : Hadès saura pour moi couper court à ces noces.

LE CORYPHÉE : Ah ! la mort est pour elle bien décidée, je crois !

CRÉON : Je le crois comme toi. Ne tardons plus. Emmenez-les dans le palais, esclaves. Il convient de tenir ces femmes prisonnières au lieu de les laisser

courir. Qui ne le sait? les plus hardis songent à fuir,
dès qu'ils voient la mort si près de leur vie.

(Tous rentrent dans le palais.)

Soutenu.

LE CHŒUR : *Heureux ceux qui, dans leur vie, n'ont pas
goûté du malheur! Quand les dieux ont une fois ébranlé une
maison, il n'est point de désastre qui n'y vienne frapper les
générations tour à tour.*

*On croirait voir la houle du grand large, quand, poussée par
les vents de Thrace et par leurs brutales bourrasques, elle court
au-dessus de l'abîme marin*

*et va roulant le sable noir qu'elle arrache à ses profondeurs,
cependant que, sous les rafales, les caps heurtés de front
gémissent bruyamment.*

*Ils remontent loin, les maux que je vois, sous le toit des
Labdacides, toujours, après les morts, s'abattre sur les vivants,
sans qu'aucune génération jamais libère la suivante : pour les
abattre,*

*un dieu est là qui ne leur laisse aucun répit. L'espoir attaché
à la seule souche demeurée vivace illuminait tout le palais
d'Œdipe,*

*et voici cet espoir fauché à son tour ! Il a suffi d'un peu de
poussière sanglante offerte aux dieux d'en bas, provoquant des
mots insensés et un délire furieux[1] !*

Un peu plus large.

*Mais quel orgueil humain pourrait donc réduire ton pouvoir,
ô Zeus ?*

*Ni le sommeil qui charme tous les êtres, ni les mois divins et
infatigables n'en triomphent jamais. Insensible à l'âge et au
temps, tu restes le maître absolu de l'Olympe à l'éblouissante
clarté.*

Le proche et lointain avenir, aussi bien que le passé, viendra

*confirmer cette loi : il n'est pas d'existence humaine où le
moindre excès ne pénètre sans qu'elle connaisse un désastre.*

*L'espérance vagabonde peut être un profit pour beaucoup.
Pour bien d'autres elle n'est qu'un piège formé de désirs
étourdis. Et l'homme en qui elle pénètre ne comprend rien avant
l'instant où il sent soudain sous son pied la brûlure du feu
ardent[1]. C'est la sagesse qui parle dans ce mot fameux de je ne
sais qui[2] :*

*Quand l'homme confond le mal et le bien, c'est que les dieux
poussent son âme dans la plus désastreuse erreur, et il lui faut
alors bien peu de temps pour le connaître, le désastre !*

(Créon sort du palais.)

Mélodrame.

LE CORYPHÉE : Mais voici venir ton fils, Hémon,
ton dernier-né. Serait-ce le chagrin qui le conduit ici ?
La mort attend Antigone — Antigone, sa fiancée — et
sa douleur est extrême de se voir frustré d'une
épouse.

*(Hémon, venant de la ville, se dirige vers le palais.
— Parlé.)*

CRÉON : Nous allons tout savoir, et mieux que les
devins. *(A Hémon.)* Tu ne viens pas, mon fils, je pense,
devant l'arrêt sans appel qui a frappé ta fiancée,
exhaler ta fureur ici contre ton père ? Ne dois-je pas
plutôt penser que toi du moins, quoi que je fasse, tu me
gardes ton amitié ?

HÉMON : Père, je suis à toi. Tes avis sont toujours
bons ; qu'ils me tracent la voie et je les suivrai. Il n'est
point de mariage qui vaille à mes yeux le profit de
t'avoir pour guide.

CRÉON : Oui, voilà bien, mon fils, la règle à garder
au fond de ton cœur : te tenir là, toujours, derrière la
volonté paternelle. C'est pour cela justement que les

hommes souhaitent d'avoir à leur foyer des fils dociles
sortis d'eux : c'est pour qu'ils les vengent de leur
ennemi, et qu'ils honorent leur ami autant qu'ils le
font eux-mêmes [1]. Mais donner la vie à des fils qui ne
vous serviront de rien, qu'est-ce donc, sinon se créer
des peines pour soi, des sujets de risée pour ses
adversaires ? Non, mon enfant, ne va jamais, pour le
plaisir que peut te donner une femme, perdre la raison,
et sache bien que c'est une étreinte glacée que celle que
vous offre au logis une épouse méchante. Est-il donc
un pire malheur que de compter un méchant parmi les
siens ? Va, repousse cette fille avec dégoût, et laisse-la
aller chercher un époux dans les enfers. Je l'ai prise en
délit de rébellion ouverte, seule dans la ville, et
n'entends pas manquer à la parole que j'ai donnée à la
cité : non, non, elle mourra. Qu'elle invoque à son gré
Zeus protecteur des droits du sang [2] ! Si je dois tolérer
le désordre dans ma maison, chez ceux même que je
nourris, que sera-ce alors au-dehors ? L'homme qui se
comporte comme il le doit avec les siens se montrera
également l'homme qu'il faut dans sa cité. Si quelque
criminel fait violence aux lois ou se met en tête de
donner des ordres à ses chefs, il n'aura jamais mon
aveu. C'est celui que la ville a placé à sa tête à qui l'on
doit obéissance, et dans les plus petites choses, et dans
ce qui est juste, dans ce qui ne l'est pas. Et c'est aussi
ce citoyen docile qui, j'en ai confiance, saura commander quelque jour, tout comme il se laisse aujourd'hui
commander, tout comme au milieu des orages de
guerre il demeure à son poste, en loyal et brave soldat.
Il n'est pas, en revanche, fléau pire que l'anarchie.
C'est elle qui perd les États, qui détruit les maisons,
qui, au jour du combat, rompt le front des alliés et
provoque les déroutes ; tandis que, chez les vainqueurs, qui donc sauve les vies en masse ? la discipline.
Voilà pourquoi il convient de soutenir les mesures qui
sont prises en vue de l'ordre, et de ne céder jamais à

une femme, à aucun prix. Mieux vaut, si c'est nécessaire, succomber sous le bras d'un homme, de façon
qu'on ne dise pas que nous sommes aux ordres des
femmes.

LE CORYPHÉE : Ma foi ! si l'âge ne nous abuse pas, tu
me sembles, en parlant ainsi, parler suivant la raison.

HÉMON : Père, la raison est un don des dieux aux
hommes, et de tous les biens sans doute est-ce le plus
grand. Qu'en parlant comme tu le fais, tu ne parles pas
suivant la vérité, certes je ne puis le dire, et j'espère
bien n'être jamais capable de le dire. Il se peut
cependant aussi qu'un autre voie juste parfois. Né de
toi, je suis tout désigné, pour guetter, dans ton intérêt,
tout ce qu'on fait, tout ce qu'on dit, les critiques que
l'on émet. Ton visage intimide le simple citoyen, alors
qu'il s'agit de propos que tu n'aurais nul plaisir à
entendre. Mais, je puis, moi, les écouter dans l'ombre,
et j'entends Thèbes gémir sur le sort de cette fille.
« Entre toutes les femmes elle est sans doute celle qui
mérite le moins de périr dans l'ignominie, pour des
actes qui font sa gloire ! Elle n'a pas voulu qu'un frère
tombé au combat disparût sans sépulture, proie des
oiseaux, des chiens voraces : n'est-elle pas digne, au
contraire, de l'honneur le plus éclatant ? » Voilà la
rumeur obscure qui sans bruit monte contre toi. Mais,
pour moi, ton bonheur, père, c'est le plus précieux des
trésors. Est-il pour les enfants plus grand sujet
d'orgueil que les succès d'un père — comme pour un
père ceux de ses enfants ? Va, ne laisse pas régner seule
en ton âme l'idée que la vérité, c'est ce que tu dis, et
rien d'autre. Les gens qui s'imaginent être seuls
raisonnables et posséder des idées ou des mots inconnus à tout autre, ces gens-là, ouvre-les : tu ne trouveras
en eux que le vide. Pour un homme, pour un sage
même, sans cesse s'instruire n'a rien de honteux. Et
pas davantage cesser de s'obstiner. Vois, au bord des
torrents, comme l'arbre qui sait plier conserve bien sa

ramure, tandis que celui qui s'obstine à résister périt arraché avec ses racines. Et, de même, le marin qui tend trop fortement l'écoute et prétend n'en rien lâcher voit son bateau se retourner et naviguer la quille en l'air. Allons, cède, à ta colère accorde un peu d'apaisement. S'il existe en moi, malgré ma jeunesse, quelque jugement, je déclare qu'à mes yeux il n'est rien sans doute au-dessus de l'homme qui possède en tout la science innée ; mais, à son défaut — puisque la réalité n'incline guère dans ce sens — il est bon aussi d'apprendre quelque chose de qui vous apporte de bonnes raisons.

LE CORYPHÉE : Roi, il te convient, s'il parle à propos, d'apprendre de ton fils, comme à toi aussi, d'apprendre de ton père. On a fort bien parlé ici dans les deux sens.

CRÉON : Ce serait nous alors qui irions, à notre âge, apprendre la sagesse d'un garçon de son âge, à lui !

HÉMON : Mais oui, s'il ne s'agit de rien qui ne soit juste. Je puis bien être jeune : ce n'est pas l'âge en moi qu'il faut considérer, ce n'est que la conduite.

CRÉON : Est-ce une conduite à tenir que de s'incliner devant des rebelles ?

HÉMON : Je ne demande nullement qu'on ait des égards pour les traîtres.

CRÉON : N'est-ce pas là pourtant le mal qui la possède ?

HÉMON : Ce n'est pas ce que dit tout le peuple de Thèbes.

CRÉON : Thèbes aurait donc à me dicter mes ordres ?

HÉMON : Tu le vois, tu réponds tout à fait en enfant.

CRÉON : Ce serait alors pour un autre que je devrais gouverner ce pays ?

HÉMON : Il n'est point de cité qui soit le bien d'un seul.

CRÉON : Une cité n'est plus alors la chose de son chef ?

HÉMON : Ah ! tu serais bien fait pour commander tout seul dans une cité vide !

CRÉON : Il me semble que ce garçon se fait le champion de la femme.

HÉMON : Si tu es femme, oui, car c'est toi seul ici qui m'intéresses.

CRÉON : Le malheureux, qui fait le procès de son père !

HÉMON : Parce que je le vois offenser la justice.

CRÉON : Alors j'offense la justice quand je fais mon métier de roi ?

HÉMON : Est-ce faire métier de roi que de fouler aux pieds les honneurs dus aux dieux ?

CRÉON : Ah ! fi ! quelle bassesse ! se mettre aux ordres d'une femme !

HÉMON : Ce n'est pas moi qu'on convaincra d'avoir cédé à de vils sentiments.

CRÉON : Et pourtant toutes tes raisons ne visent rien que sa défense.

HÉMON : Et la tienne, et la mienne, et celle des dieux d'en bas.

CRÉON : Il suffit, j'ai tout dit, tu n'épouseras pas cette femme vivante.

HÉMON : Eh bien ! elle mourra ; mais, en mourant, elle en tuera un autre [1].

CRÉON : Quoi ! tu vas jusqu'à la menace et t'en prends à moi sans trembler !

HÉMON : Ce n'est point menacer que répliquer à de vaines raisons.

CRÉON : Il t'en coûtera cher d'oser me raisonner alors que tu es, toi, si vide de raison.

HÉMON : Si tu n'étais mon père, je dirais que c'est toi qui n'as plus ta raison.

CRÉON : Tu es l'esclave d'une femme : cesse donc de me fatiguer.

HÉMON : Veux-tu donc parler seul, et sans qu'on te réponde ?

CRÉON : Vraiment ? Eh bien, sache-le, par l'Olympe, tu te repentiras de m'insulter ainsi avec telles semonces. *(A un esclave.)* Amène ici l'odieuse fille, pour qu'à l'instant, en sa présence, sous ses yeux, ici même, elle périsse devant son fiancé !

HÉMON : Ah ! cela, non ! Non, non, ne le crois pas. Non, jamais elle ne mourra ici même, devant moi. Et jamais, toi non plus, tu ne verras de tes yeux mon visage. Qui des tiens le voudra vive avec ta démence !

(Il s'enfuit vers la campagne.)

LE CORYPHÉE : Roi, le voilà parti brusquement, furieux. Un cœur jeune qui souffre crée de lourdes angoisses.

CRÉON : A sa guise, qu'il parte, qu'il aille étaler son orgueil ailleurs ! qu'il se croie plus qu'un homme ! Ce qu'il ne fera pas, c'est d'arracher ces deux filles à la mort.

LE CORYPHÉE : Quoi ! tu songes à les faire périr toutes les deux ?

CRÉON : Tu as raison : j'excepte celle qui n'a pas touché au cadavre.

LE CORYPHÉE : Et l'autre, quelle mort veux-tu lui infliger ?

CRÉON : Je la mènerai en un lieu délaissé par les pas des hommes et l'enfermerai toute vive au fond d'un souterrain creusé dans le rocher, en ne laissant à sa portée que ce qu'il faut de nourriture pour être sans reproche, nous, à l'égard des dieux et épargner ainsi une souillure à Thèbes. Elle pourra alors tout à son aise supplier Hadès, seul dieu qu'elle adore, et avoir sans doute par lui la faveur de ne pas mourir. Sinon, il lui faudra bien reconnaître que c'est peine fort inutile que de garder tout son respect pour les Enfers.

(Il rentre dans le palais.)

Modéré.

LE CHŒUR : *Amour, invincible Amour, tu es tout ensemble celui qui s'abat sur nos bêtes*[1] *et celui qui veille, toujours à l'affût, sur le frais visage de nos jeunes filles.*

Tu vogues au-dessus des flots, aussi bien que par les campagnes où gîtent les bêtes sauvages.

Et, parmi les dieux eux-mêmes ou les hommes éphémères, pas un être ne se montre capable de t'échapper. Qui tu touches aussitôt délire.

Tu entraînes les bons sur les routes du mal, pour leur ruine. C'est toi qui as mis en branle dans cette querelle un fils contre un père.

Qui triomphe donc ici ? Clairement, c'est le Désir, le Désir né des regards de la vierge promise au lit de son époux,

le Désir, dont la place est aux côtés des grandes lois, parmi les maîtres de ce monde. La divine Aphrodite, invincible, se joue de tous.

(*Antigone sort du palais entourée de Gardes.*)

Mélodrame.

✕ LE CORYPHÉE : Mais me voici à mon tour entraîné à l'oubli des lois par le spectacle offert ici même à mes yeux ; et je n'ai déjà plus la force d'arrêter le flot de mes larmes, quand je vois là Antigone se diriger vers le séjour où vont dormir tous les humains. ✕

Soutenu.

ANTIGONE : *Voyez-moi, citoyens du pays de mes pères, suivre ici mon dernier chemin.*

Voyez-moi donner un derrier regard à l'éclat du soleil. Puis tout sera fini. Hadès, chez qui s'en vont dormir tous les humains, m'emmène vivante aux bords de l'Achéron,

sans que j'aie eu ma part des chants d'hyménée ; sans qu'aucun hymne m'ait saluée devant la chambre nuptiale : l'Achéron seul m'est promis pour époux.

Mélodrame.

✕ LE CORYPHÉE : Eh bien ! c'est dans la gloire, au milieu des louanges, que tu te diriges ainsi vers la retraite ouverte aux morts, sans avoir subi l'épreuve des maladies épuisantes, sans avoir vu ton courage payé d'un bon coup d'épée au combat. Seule entre les mortels, c'est de toi-même, et vivante, que tu descends dans les enfers ! ✕

ANTIGONE : *On m'a conté jadis la déplorable fin de l'étrangère phrygienne,*
de la fille de Tantale[1] *qui, sur le sommet du Sipyle, a brusquement senti sur elle, aussi tenace que le lierre, le roc monter et l'asservir, si bien que maintenant, fondant sous l'eau du ciel, à ce que l'on rapporte,*
elle se voit couverte d'une neige éternelle, et ce sont des rochers qu'inondent désormais les larmes de ses yeux. Voilà bien celle à qui le destin qui m'abat me fait ressembler le plus.

Mélodrame.

✕ LE CORYPHÉE : Mais elle était, elle, et déesse et fille des dieux. Nous ne sommes, nous, que mortels enfants de mortels. Ce n'est pas peu pour une morte que d'être célébrée comme ayant eu le sort d'un demi-dieu dans la vie et la mort à la fois. ✕

Un peu plus vif.

ANTIGONE : *Ah ! on se rit de moi ! Pourquoi, par les dieux de mes pères, n'attends-tu pas que je sois morte, et viens-tu m'outrager lorsque le jour m'éclaire encore ?*
O mon pays ! et vous aussi, fils opulents de ce pays !
Et vous, ondes de Dircé[2] *! et toi, terre sainte consacrée à Thèbes, déesse des chars ! c'est vous que, malgré tout, je prends pour témoins ici :*
voyez ce que je suis, et voyez quelles lois me frappent, lorsque, sans pleurs des miens, je vais vers le cachot où, sous la terre déversée, s'ouvre un tombeau d'un nouveau genre !

Ah! malheureuse, qui ne dois plus compter au nombre des humains ni au nombre des morts, et ne dois pas plus habiter chez les morts que chez les vivants!

LE CHŒUR : *Tu as voulu aller au bout de ton audace, et tu t'en es venue brutalement buter contre le haut piédestal où se dresse la Justice. Ce sont les fautes paternelles que paye ici ton épreuve.*

ANTIGONE : *Tu touches là au plus cruel de mes soucis, au sort lamentable, cent fois ressassé, de mon père, et, du même coup,*

à tout notre destin, à nous, les nobles Labdacides.

Ah! fatal hymen d'une mère! incestueuses étreintes qui aux bras de mon père ont mis ma mère infortunée!

De quels coupables suis-je issue, misérable! Et ce sont ceux qu'aujourd'hui, maudite, sans hymen, je m'en vais rejoindre à mon tour.

Ah! le malheureux hymen[1] que tu as donc rencontré, frère, puisque, même mort, tu as pu venir perdre encore la sœur qui t'avait survécu!

LE CHŒUR : *Respecter les dieux sans doute est piété. Mais qui se charge du pouvoir ne veut pas voir ce pouvoir transgressé. Ta passion n'avait pris conseil que d'elle-même, et ainsi elle t'a perdue.*

En pressant encore.

ANTIGONE : *Privée de pleurs de deuil, sans amis, sans mari, me voici, malheureuse, entraînée sur la route qui s'ouvre devant moi!*

Infortunée, je n'aurai plus le droit de contempler l'éclat de ce flambeau sacré;

et, sur mon sort que nul ne pleure, pas une bouche amie pour pousser un gémissement!

(Créon sort du palais.)

CRÉON : Ne savez-vous donc pas qu'en face de la mort nul ne renoncerait à chanter ou gémir, si on le laissait faire? Allons! emmenez-moi cette fille au plus vite, et enfermez-la-moi dans son tombeau de roc, ainsi que je l'ai dit. Et puis laissez-la là, seule, à l'abandon, qu'elle y doive, à son gré, ou mourir tout de suite ou vivre sous la terre de la vie du tombeau ! Nous sommes sans souillure en ce qui la regarde et, quoi qu'il lui advienne, il n'y a plus pour elle de retour au soleil.

ANTIGONE : O tombeau[1], chambre nuptiale ! retraite souterraine, ma prison à jamais ! en m'en allant vers vous, je m'en vais vers les miens, qui, déjà morts pour la plupart, sont les hôtes de Perséphone, et vers qui je descends, la dernière de toutes et la plus misérable, avant d'avoir usé jusqu'à son dernier terme ma portion de vie. Tout au moins, en partant, gardé-je l'espérance d'arriver là-bas chérie de mon père, chérie de toi, mère, chérie de toi aussi, frère bien-aimé, puisque c'est moi qui de mes mains ai lavé, paré vos corps ; c'est moi qui vous ai offert les libations funéraires. Et voilà comment aujourd'hui, pour avoir, Polynice, pris soin de ton cadavre, voilà comment je suis payée ! Ces honneurs funèbres pourtant, j'avais raison de te les rendre, aux yeux de tous les gens de sens. Si j'avais eu des enfants, si c'était mon mari qui se fût trouvé là à pourrir sur le sol, je n'eusse certes pas assuré cette charge contre le gré de ma cité. Quel est donc le principe auquel je prétends avoir obéi ? Comprends-le bien : un mari mort, je pouvais en trouver un autre et avoir de lui un enfant, si j'avais perdu mon premier époux ; mais, mon père et ma mère une fois dans la tombe, nul autre frère ne me fût jamais né. Le voilà, le principe pour lequel je t'ai fait passer avant tout autre. Et c'est ce qui me vaut de paraître à Créon coupable, rebelle, frère bien-aimé ! Et à cette heure je suis entre ses mains ; il m'a saisie, il m'emmène   et je n'aurai connu ni le lit nuptial ni le chant d'hyménée ; je n'aurai pas eu, comme une autre, un mari, des enfants grandissant sous mes yeux ; mais, sans égards, abandonnée des miens, misérablement, je descends,

vivante, au séjour souterrain des morts! Quel droit
divin pourtant ai-je offensé?... Allons! à quoi bon,
malheureuse, porter mes regards vers les dieux? Je
n'ai point d'allié à qui faire appel : ma pitié m'a valu le
renom d'une impie. Eh bien, soit! si c'est cela vraiment qui est beau chez les dieux, je veux bien, la peine
soufferte, reconnaître mon erreur. Mais, si l'erreur est
des autres, je ne leur souhaite qu'une chose : qu'ils ne
souffrent pas de peine plus lourde que celle qu'ils
m'infligent aujourd'hui, à moi-même, contre toute
équité!

Mélodrame.

LE CORYPHÉE : Ah! ce sont bien toujours les
mêmes vents, et par mêmes rafales, qui règnent sur
cette âme!

CRÉON : Et c'est pourquoi ceux qui l'emmènent vont
me payer cher leurs lenteurs.

ANTIGONE : Hélas! voilà un mot qui annonce une
mort bien proche!

CRÉON : Je ne t'engage pas à reprendre assurance et
à t'imaginer un autre dénouement.

ANTIGONE : O pays de Thèbes, cité de mes pères!
dieux auteurs de ma race! on m'entraîne, plus de
délai! Voyez, ô fils des chefs de Thèbes, la seule qui
survive des filles de vos rois, voyez ce qu'elle souffre —
et par qui! — pour avoir rendu hommage, pieuse, à la
pitié!

*(Elle s'éloigne avec ses gardes. Créon rentre dans
le palais.)*

Large.

LE CHŒUR : *Danaé aussi a subi telle épreuve*[1]. *Elle a
quitté la lumière du ciel pour un cachot de bronze. Ensevelie
dans sa prison-sépulcre, elle a dû plier sous le joug.
Et pourtant elle était aussi, ma fille, d'un lignage qu'on*

révère, et elle avait à veiller sur le fruit de Zeus né de la pluie d'or. Mais c'est un terrible pouvoir que le pouvoir du Destin.

Ni la richesse ni les armes ni les remparts ni les vaisseaux noirs que battent les flots ne sauraient lui échapper.

Il a dû aussi plier sous le joug, le fils de Dryas[1] aux trop promptes colères, le roi des Édoniens. Pour ses sarcasmes furieux, Dionysos l'enferme au fond d'un cachot.

Il sent là tomber peu à peu l'élan féroce où jadis se déployait sa frénésie. Il a compris trop tard, au moment même où sa folie blessait le dieu de propos insultants.

Il prétendait interrompre des femmes qu'inspirait un dieu, éteindre les torches que suit l'évohé ; il provoquait les Muses amies des flûtes !

Un peu plus vif.

Près des flots de la double mer où se dressent les Cyanées sont les rivages du Bosphore, et le littoral de la Thrace,

Salmydesse ! C'est là qu'Arès, fixé aux portes de la ville, aura vu infliger aux deux fils de Phinée[2] cette blessure abominable qui les priva de la lumière, crime d'une épouse farouche,

cette blessure qui fit de leurs deux yeux des orbes aveugles et criant vengeance, du jour où ils furent frappés, non par des poignards, mais par des mains sanglantes et par des navettes aiguës.

Ils pleuraient et se consumaient, misérables, dans leur misère douloureuse. L'hymen avait fait le malheur de la mère dont ils étaient nés.

Et pourtant, par son origine, elle remontait aux Érechthéides antiques, et elle avait été nourrie au fond d'un antre lointain, au milieu des ouragans paternels,

en vraie fille de Borée, prompte comme une cavale à franchir un haut sommet. Elle était une enfant des dieux. Elle n'en a pas moins subi l'assaut des Parques aux longs jours, elle aussi, ma fille[3] !

(Entre Tirésias guidé par un enfant.)

TIRÉSIAS : Chefs de Thèbes, nous faisons route ensemble : un seul y voit pour deux ; c'est que nul aveugle ne va sans guide.

CRÉON : Quelle est la nouvelle que tu nous apportes, vieux Tirésias ?

TIRÉSIAS : Je vais t'en instruire, et toi, de ton côté, obéis au devin.

CRÉON : Je ne me suis point jusqu'ici écarté de ton conseil.

TIRÉSIAS : Et c'est aussi pourquoi tu as bien dirigé le vaisseau de l'État.

CRÉON : Oui, j'en puis témoigner, ton concours me fut profitable.

TIRÉSIAS : Eh bien ! comprends cette fois que tu as le pied aujourd'hui sur le tranchant de ton destin.

CRÉON : Qu'y a-t-il ? tes mots me font peur.

TIRÉSIAS : Tu vas le savoir : écoute les indices qu'a recueillis mon art. J'étais allé m'asseoir sur le siège où j'observe depuis bien longtemps les oiseaux et où viennent aborder toutes leurs tribus. Soudain j'entends des accents jusqu'ici inconnus chez eux, les cris d'une excitation farouche et barbare. Je me rends compte aussitôt qu'ils se déchirent de leurs serres et s'entre-tuent : leurs bruissements d'ailes ne laissent pas de doute. Pris de peur, j'ai recours alors aux sacrifices que la règle est d'offrir sur des autels à feu. Mais la flamme ne jaillit pas de mes offrandes[1]. Les cuisseaux se mettent à fondre, à suinter ; à baver sur la cendre ; ils fument, ils crachent ; la poche de la bile éclate et saute en l'air ; les os enfin ressortent de la graisse qui d'abord les couvrait et qui maintenant ruisselle sur eux. Tout cela — présages avortés de rites qui s'obstinent à demeurer muets — tout cela, je le savais par cet enfant : il est mon guide, à moi, tout comme je suis, moi, celui des autres. Eh bien ! ce mal dont souffre

Thèbes, il nous vient de ta volonté. Nos hauts autels, nos foyers bas se trouvent tous pareillement souillés par la pâture offerte aux oiseaux et aux chiens, par cette chair du pauvre fils d'Œdipe tombé dans la bataille. Les dieux dès lors n'agréent plus nos sacrifices suppliants, ni le feu allumé sous les cuisseaux de nos victimes ; les oiseaux ne font plus entendre de bruissement d'ailes propice : ils se sont trop repus de la graisse sanglante du héros massacré ! Pense à cela, mon fils. L'erreur est fréquente chez tous les mortels ; mais, l'erreur une fois commise, celui-là cesse d'être un sot, un malheureux, qui sait se guérir du mal qui l'a frappé et se laisse convaincre, tandis que l'entêtement se fait taxer de maladresse. Va, cède au mort, ne cherche pas à atteindre qui n'est plus. Serait-ce donc une prouesse que de tuer un mort une seconde fois ? Je m'intéresse à toi, et ton intérêt seul ici me fait parler. Il n'est pas plus grande douceur que d'entendre quelqu'un vous parler dans votre intérêt, quand aussi bien sa parole doit vous apporter un profit.

CRÉON : Ah ! vieillard, vous voilà donc tous à tirer ici sur moi, comme des archers sur leur cible, et les devins mêmes ne m'épargnent pas ! Grâce à leur engeance, je deviens depuis quelque temps celui qu'on vend, dont on trafique[1] ! Soit ! courez après les profits, achetez tout l'or blanc de Sardes, si vous le voulez, et tout l'or de l'Inde ; mais, pour cet homme-là, vous ne le mettrez pas, je vous jure, au tombeau. Non, quand les aigles de Zeus l'emporteraient pour le manger jusques au trône du dieu, même alors, ne comptez pas que, par crainte d'une souillure, je vous laisse l'enterrer, moi. Je sais trop que souiller les dieux n'est pas au pouvoir d'un mortel[2]. On voit les plus habiles, vieux Tirésias, choir, et de bien vilaines chutes, lorsque, pour un profit, ils tentent de donner une belle apparence à de bien pauvres raisons.

TIRÉSIAS : Hélas! hélas! est-il homme qui sache et qui se rende compte...

CRÉON : De quoi? qu'est-ce encore que ce lieu commun?

TIRÉSIAS : ... à quel point la sagesse est le premier des biens.

CRÉON : Comme à mes yeux la déraison est bien le pire des malheurs.

TIRÉSIAS : C'est cependant le mal dont je te vois atteint.

CRÉON : Je me refuse à répliquer à un devin par des outrages.

TIRÉSIAS : Est-ce pas m'outrager que d'appeler mes oracles menteurs?

CRÉON : L'engeance des devins est avide d'argent.

TIRÉSIAS : Et celle des tyrans de profits mal acquis.

CRÉON : Oublies-tu que tu parles d'hommes qui sont tes chefs?

TIRÉSIAS : Certes, non : c'est par moi que tu as sauvé Thèbes.

CRÉON : Tu es devin expert, mais qui se plaît au mal.

TIRÉSIAS : Tu vas m'induire à remuer des mots faits pour rester ensevelis en moi.

CRÉON : Soit! si ce n'est pas en vue d'un profit.

TIRÉSIAS : C'est pourtant mon dessein : en vue de ton profit.

CRÉON : Assez! ma volonté n'est pas à vendre, sache-le.

TIRÉSIAS : Eh bien! sache-le, toi aussi : Va, tu ne verras plus longtemps le soleil achever sa course impatiente, avant d'avoir, en échange d'un mort, fourni toi-même un mort — un mort issu de tes propres entrailles! Tu payeras ainsi le crime d'avoir précipité des vivants chez les morts, d'avoir donné à une vie humaine le cadre outrageux d'une tombe, alors qu'en même temps tu retiens sur la terre un mort qui appartient aux dieux infernaux, un mort que tu frustres ici de ses droits, des offrandes, des rites qui lui restent dus. Ce sont là des choses pourtant qui ne te regardent en rien, ni toi ni ces dieux d'en haut, à qui tu les imposes de force. C'est pourquoi les exécutrices, lentes parfois, mais toujours sûres, de l'Enfer et des dieux, les Érinyes sont là, qui te guettent et vont te prendre au filet des mêmes malheurs. Vois maintenant si c'est l'argent qui me fait parler de la sorte. Peu de jours passeront avant qu'on se lamente à ton propre foyer sur des hommes, des femmes... Et voici déjà la haine bouleversant toutes les villes[1] qui auront vu leurs guerriers déchirés n'obtenir d'autres tombes que des chiens ou des fauves ou quelque oiseau ailé qui aura été ensuite porter cette odeur sacrilège jusqu'au foyer de leur cité. Voilà, puisque aussi bien tu cherches à me blesser, voilà les traits que, tel un sûr archer, je décoche indigné, à mon tour. N'espère pas éviter leur brûlure. *(A son guide.)* Ramène-moi à la maison, petit. Il pourra à sa guise déployer sa fureur contre de plus jeunes et apprendre à nourrir en lui langage plus posé et jugement plus ferme que ceux qu'il nous montre aujourd'hui.

(Il sort, appuyé sur son guide.)

LE CORYPHÉE : Il nous laisse en partant, roi, d'inquiétantes prophéties. Et nous le savons, nous, depuis que nos cheveux noirs se sont revêtus de gris ; non ! jamais encore il n'a prononcé sur la ville une parole mensongère.

CRÉON : Je le sais comme toi, et mon esprit se trouble. Céder pour moi est terrible. Mais résister, pour aller ensuite, avec ma colère, me heurter à un désastre, est terrible aussi.

LE CORYPHÉE : Prudence est bien nécessaire, Créon, fils de Ménécée.

CRÉON : Que dois-je faire ? Parle, j'obéirai.

LE CORYPHÉE : Va, mets vite la fille hors de son

cachot souterrain. Puis élève un tombeau au mort abandonné.

CRÉON : C'est bien là ton conseil ? Ton avis est donc de céder ?

LE CORYPHÉE : Oui, et au plus tôt. Les malheurs que les dieux déchaînent ont les pieds rapides et coupent bien souvent la route aux criminels.

CRÉON : Hélas ! il m'en coûte, mais je renonce à ma résolution. On se bat sans espoir contre le Destin.

LE CORYPHÉE : Va donc, et fais vite, sans t'en remettre à d'autres.

CRÉON : Je pars comme je suis. Allez, allez donc, serviteurs, tous, présents ou absents. Prenez des haches en main ; courez vers la hauteur que vous voyez là-bas. C'est moi-même — la décision est prise — c'est moi qui l'ai enfermée, c'est moi qui la délivrerai. Ah ! j'ai bien peur que le mieux ne soit pour l'homme d'observer les lois établies jusqu'au dernier jour de son existence.

(Il sort avec ses esclaves.)

Vif.

LE CHŒUR : *Dieu aux mille noms, toi, l'orgueil d'une épousée cadméenne*[1] *et l'enfant de Zeus aux sourds grondements, toi qui tout ensemble protèges la noble Italie*[2], *en même temps que tu règnes*

sur les vallons accueillants de Déô,[3] *l'Éleusinienne, Bacchos, habitant de Thèbes, la cité mère des Bacchantes,*

assise sur les bords des eaux de l'Isménos, où germa la semence du féroce dragon[4] *!*

C'est toi que la clarté fumeuse des torches a vu franchir la roche à double pointe où les Nymphes Coryciennes[5] *viennent en dévotes Filles de Bacchos ; c'est toi qu'ont vu les eaux de Castalie*[6] *;*

C'est toi aussi que nous dépêchent les sommets du Nysa[7] *revêtus de lierre et tout chargés de grappes fraîches,*

*quand au son de mots divins qui réveillent l'évohé, tu t'en
viens visiter les rues de notre Thèbes.*

*Thèbes, que tu honores plus que toute autre ville, à l'égal de
ta mère, frappée par la foudre*[1] *!*
*A cette heure où notre ville entière est en proie à un mal cruel,
viens à elle et, d'un pied qui lui doit porter la guérison,
franchis les hauteurs du Parnasse ou le détroit gémissant*[2].

*Toi qui mènes le chœur des astres enflammés et présides aux
appels qu'on lance dans la nuit,
enfant, fils de Zeus, apparais à nos yeux, seigneur, à côté de
tes servantes,
au milieu de ces Thyiades*[3] *dont les danses frénétiques te
célèbrent toute la nuit, Iacchos*[4] *le Dispensateur !*

(Entre un messager.)

LE MESSAGER : O vous, les voisins du palais de
Cadmos et d'Amphion, sachez-le, il n'est pas d'existence humaine qui soit si stable que l'on puisse ou s'en
satisfaire ou s'en plaindre. La fortune à chaque instant
vient abattre l'homme heureux, aussi bien que redresser le malheureux, et la constance qu'ils désirent, il
n'est pas de devin capable de la garantir aux mortels.
Créon, pour moi, était digne d'envie. Il avait préservé
le pays de Cadmos de ses ennemis ; il avait pris le
pouvoir absolu, et il gouvernait cette terre, au milieu
d'une floraison de nobles enfants. Et maintenant tout
lui échappe ! Lorsqu'un homme doit renoncer à ce qui
faisait sa joie, je tiens qu'il ne vit plus ; ce n'est plus à
mes yeux qu'un cadavre qui marche. Va, enrichis-toi,
à ton gré, largement ; va, vis dans le décor des rois : si
le contentement n'y trouve pas sa place, je n'en
donnerais pas l'ombre d'une fumée. Rien qui vaille la
joie.

LE CORYPHÉE : Quel chagrin nouveau pour nos rois
vas-tu donc nous apprendre encore ?

LE MESSAGER : Ils sont morts, et les auteurs de cette mort, ce sont ceux qui leur survivent.

LE CORYPHÉE : Mais quel est l'assassin ? et quelle est la victime ? dis-le-nous.

LE MESSAGER : Hémon est mort, et c'est son propre sang qui coule dans les veines de son assassin.

LE CORYPHÉE : A-t-il donc succombé sous le bras de son père ? ou sous son propre bras ?

LE MESSAGER : Sous son bras à lui-même, dans la fureur du meurtre qu'avait commis son père.

LE CORYPHÉE : Ah ! devin, tu auras donc exactement réalisé ta prophétie.

LE MESSAGER : Les faits sont là : à vous de consulter.

LE CORYPHÉE : Mais voici justement venir la malheureuse épouse de Créon. Eurydice approche, sortant du palais. A-t-elle entendu le nom de son fils ? ou est-ce pur hasard ?

> *(La porte s'ouvre. Eurydice s'arrête sur le seuil du palais.)*

EURYDICE : Oh ! dites-moi, vous tous !... Je vous ai entendus, alors que je sortais pour aller porter mes prières à la déesse Pallas. J'étais là, tirant le verrou et amenant à moi la porte, quand brusquement parvient à mon oreille le bruit d'un malheur pour les miens, et, prise de peur, défaillante, je tombe aux bras de mes captives. Allons ! quelle qu'elle soit, redites-moi donc la nouvelle. Je l'écouterai en femme qui n'ignore pas le malheur.

LE MESSAGER : J'étais là, chère maîtresse, et je te parlerai sans omettre rien de la vérité. Pourquoi chercherais-je à te l'adoucir, si je devais par la suite t'apparaître comme un menteur ? La vérité est ce qui sied toujours. J'ai donc accompagné ton époux comme guide vers le fond de la plaine. Là gisait encore, impitoyablement déchiré par les chiens, le corps de Polynice. Nous supplions alors la déesse des routes [1], et

Pluton avec elle, de nous être cléments et de retenir
leurs colères. Nous lavons le cadavre dans l'eau qui
purifie. Nous brûlons ensuite ses restes avec des
rameaux frais coupés ; nous lui dressons un haut
tombeau, en répandant sur lui la terre maternelle ;
puis, alors seulement, nous allons à la grotte où la
vierge a trouvé sa chambre nuptiale — chambre de
mort et lit de roc ! L'un de nous a déjà entendu de loin
les accents d'une plainte aiguë aux alentours de cette
étrange alcôve, sépulcre privé d'offrandes funèbres ! Il
vient en informer le maître, et Créon, s'approchant, se
sent enveloppé par un appel confus de cris désespérés.
Il gémit, il laisse échapper ces mots lamentables :
« Malheur sur moi ! Suis-je donc un devin ? Serais-je
en train de suivre ici la route la plus douloureuse que
j'aurais jamais suivie ? C'est la voix de mon fils qui
flatte mes oreilles. Vite, vite, serviteurs, approchez de
la tombe et regardez bien. Allez, poussez, par la brèche
qu'offrent les pierres écartées, jusqu'à l'entrée de la
grotte, et dites-moi si c'est bien la voix d'Hémon que
j'entends, ou si les dieux se jouent de moi. » A ces
ordres du maître affolé, nous regardons et, au fond du
tombeau, nous les apercevons, elle, pendue par le cou,
qu'enserre un lacet fait de son linon épais, et lui, collé à
elle, l'étreignant à pleins bras et pleurant sur la perte
d'une épouse désormais aux enfers, sur les forfaits
paternels, sur ses noces douloureuses ! Dès qu'il le voit,
Créon pousse une plainte horrible. Il entre, il gémit, il
appelle : « Malheureux, qu'as-tu fait ? quelle idée t'a
donc pris ? dans quel désastre a sombré ta raison ?
Sors, mon enfant, je t'en prie à genoux ! » Mais l'autre,
l'œil farouche, roule autour de lui des regards éperdus.
Son visage dit son dégoût et, sans répondre un mot, il
tire son épée à double quillon. Le père, d'un bond, fuit
et lui échappe. L'infortuné tourne alors sa fureur
contre lui-même. Vivement, il tend le flanc et y
enfonce la moitié de son épée. Après quoi, avant de

perdre connaissance, de ses bras défaillants, il étreint la vierge, cependant qu'en un râle il laisse sa joue blême lâcher le brusque flux d'une bave sanglante... Il est là, sur le sol, cadavre embrassant un cadavre! Le malheureux aura eu pour son lot des noces célébrées dans le monde des morts, et il aura montré du même coup aux hommes que déraison est de beaucoup le plus grand de tous les malheurs qui puissent frapper un mortel.

(Eurydice est restée muette. Puis, brusquement, elle fait volte-face et rentre dans le palais.)

LE CORYPHÉE : Que penser? Elle a tourné le dos et elle a disparu sans un mot ni de bon ni de mauvais augure.

LE MESSAGER : J'en suis stupéfait comme toi. Mais je nourris l'espoir encore qu'instruite maintenant du malheur de son fils, il lui répugne de gémir à travers toute la ville et que c'est dans ses chambres, à l'ombre de son toit, qu'elle s'en va sans doute donner à ses servantes le signal d'un deuil intime. Elle a toujours eu trop de jugement pour ne pas se garder d'erreur.

LE CORYPHÉE : Je ne sais; mais un complet silence est bien fait, ce me semble, pour provoquer autant d'anxiété qu'un abus de vaines clameurs.

LE MESSAGER : Allons! je veux savoir si son cœur irrité ne retient pas dans l'ombre un sentiment caché. J'entre dans le palais. Tu as cent fois raison : un silence complet ne peut éveiller que l'angoisse.

(Il rentre dans le palais. La porte se referme sur lui.)

Mélodrame.

LE CORYPHÉE : Mais voici venir le roi. Il porte dans ses bras un trop clair exemple, si l'on peut parler de la sorte, l'exemple d'un désastre qu'il ne doit pas à d'autres, mais à sa propre erreur.

(Créon arrive, portant le corps de son fils dans ses bras. Il se dirige vers le palais.)

Agité.

CRÉON : *Ah! raison qui déraisonne! erreurs obstinées semeuses de mort! vous le savez du moins, vous qui voyez ici des meurtriers, des morts, issus d'un même sang!*

Ah! la triste sottise des partis que j'ai pris!

Ah! mon fils, une bien jeune mort aura pris ta jeunesse! Las! hélas! tu es mort et tu t'en es allé, succombant à une démence qui fut la mienne, non la tienne!

LE CORYPHÉE : Hélas! je crois bien que tu as trop tard reconnu le châtiment.

CRÉON : *Hélas! oui, j'ai compris enfin, malheureux! C'est un dieu, je le vois, qui, de tout son poids, son énorme poids, vient de s'abattre sur ma tête! C'est un dieu qui m'a secoué, jeté dans des voies sauvages, renversant, hélas! piétinant, écrasant ce qui fut ma joie!*

Ah! douleurs, douloureux lots des mortels!

(Un serviteur sort du palais.)

LE SERVITEUR : Des douleurs, tu en as, maître, plus encore que tu n'en ressens. Il en est déjà une que tu tiens dans tes bras. Une autre est chez toi : entre, et je crois qu'aussitôt tu la verras.

CRÉON : Est-il donc pire douleur qui puisse s'ajouter encore à mes douleurs?

LE SERVITEUR : Ta femme est morte, la mère de ce mort — mère au plein sens du mot! La malheureuse vient de choir sous un nouveau coup du fer.

CRÉON : *Ah! le havre infernal, le havre à jamais impur!.. Pourquoi, pourquoi veux-tu me tuer? O toi qui viens m'apporter de si douloureuses nouvelles, quel langage me tiens-tu là?*

Las! c'est un mort que tu achèves!...

Voyons, que dis-tu mon garçon? Quelle est donc cette mort

nouvelle, — las ! hélas ! — cette mort d'une femme égorgée, qui vient, pour ma ruine, servir de pendant à une autre mort ?

>   (*Par la porte, maintenant ouverte, du palais, on aperçoit Eurydice morte.*)

LE SERVITEUR : Tu peux voir par toi-même : elle n'est plus dans le fond du palais.

CRÉON : *Hélas ! le voilà, je l'ai sous les yeux, mon nouveau malheur ! Misérable, quel est le sort, le sort qui m'attend désormais ? A peine ai-je en mes bras le corps de mon fils qu'en face de moi, misérable, je contemple un autre cadavre.*

Ah ! pauvre mère ! Ah ! pauvre enfant !

LE SERVITEUR : Au pied de l'autel, transpercée d'une lame aiguë, elle laisse aller ses yeux aux ténèbres. Mais elle avait d'abord gémi sur son premier mort, sur Mégarée et son sort glorieux [1], puis sur Hémon à son tour, et enfin, en te maudissant, appelé le malheur sur toi, père assassin de ses enfants.

CRÉON : *Hélas ! hélas ! l'effroi me soulève de terre. Pourquoi n'est-il donc personne qui me frappe franchement d'un bon coup d'épée tranchant ? Malheureux, je plonge, hélas ! au fond du plus malheureux des destins.*

LE SERVITEUR : C'est la morte qui t'a dénoncé elle-même comme l'auteur de tous ces meurtres, de ceux-ci, de ceux-là.

CRÉON : Mais de quelle façon s'en est-elle allée ainsi dans le sang ?

LE SERVITEUR : Elle s'est frappée, de sa main, en plein foie, sitôt qu'elle a perçu la clameur déchirante qui menait le deuil de son fils.

CRÉON : *Hélas ! hélas sur moi ! Voilà qui n'est pas fait pour reporter sur d'autres la charge qui pèse sur moi ! Oui, c'est moi, c'est moi qui t'ai tué ! C'est bien moi, malheureux ! je dis la vérité. Ah ! vite, vite, serviteurs, emmenez-moi, emmenez-moi loin d'ici ! je ne suis rien de plus qu'un néant désormais.*

LE CORYPHÉE : L'avis est bon, si rien du moins peut

être bon en plein malheur. Le mieux est d'abréger les maux les plus pressants.

CRÉON : *Ah ! qu'elle vienne donc, qu'elle vienne, qu'elle apparaisse, la plus belle des morts, celle qui sera la fin de ma vie, le suprême bien ! Qu'elle vienne, qu'elle vienne ! Que jamais plus je ne revoie un lendemain !*

LE CORYPHÉE : Cela, c'est l'avenir. Le présent, lui, attend des actes. Laissons l'avenir à ceux qu'il regarde.

CRÉON : Ce sont tous mes désirs que j'enferme en ce vœu.

LE CORYPHÉE : Va, ne fais point de vœu. Lorsque c'est le Destin qui frappe, nul mortel ne se peut libérer du malheur.

CRÉON : *Emmenez loin d'ici le fou qui t'a tué, mon fils, sans le vouloir, et celle-ci, tout comme toi ! Malheureux, je ne sais que faire ni duquel des deux m'occuper. Tout vacille entre mes mains, et sur mon front s'est abattu un sort trop lourd à porter.*

(*Des serviteurs le font entrer, titubant, dans le palais. D'autres se chargent du corps d'Hémon.*)

Mélodrame.

LE CORYPHÉE : La sagesse est de beaucoup la première des conditions du bonheur. Il ne faut jamais commettre d'impiété envers les dieux. Les orgueilleux voient leurs grands mots payés par les grands coups du sort, et ce n'est qu'avec les années qu'ils apprennent à être sages.

Ajax

PERSONNAGES

ATHÉNA, *fille de Zeus, déesse de la Sagesse.*

ULYSSE, *fils de Laërte, roi d'Ithaque.*

AJAX, *fils de Télamon, chef des Salaminiens.*

CHŒUR DE MATELOTS SALAMINIENS.

TECMESSE, *fille de Téleutas, captive et compagne d'Ajax.*

UN MESSAGER.

TEUCROS, *frère d'Ajax.*

MÉNÉLAS, *fils d'Atrée, frère d'Agamemnon, roi de Lacédé-
mone.*

AGAMEMNON, *fils d'Atrée, roi d'Argos et de Mycènes.*

Dans le camp grec aux bords de l'Hellespont. Le jour commence à poindre. Ulysse est devant la baraque d'Ajax, examinant avec soin les traces de pas qui y mènent. Il tressaille soudain à la voix d'Athéna. La déesse vient d'apparaître au public au-dessus de la baraque. Ulysse l'entend sans la voir.

ATHÉNA : Toujours en chasse, fils de Laërte, toujours à quêter un moyen de surprendre tes ennemis ! Te voilà donc cette fois devant la baraque d'Ajax, près de ses vaisseaux, au bout de vos lignes. Depuis un moment déjà je t'observe : tu vas suivant sa piste, scrutant ses traces fraîches, afin de voir s'il est chez lui ou non. On dirait qu'un vrai flair de chien de Laconie [1] te mène droit au but : oui, l'homme est là ; il rentre à l'instant même, et la sueur dégoutte encore de son front, de ses bras d'égorgeur. Tu n'as donc plus à épier anxieusement ce que te cache cette porte ; tu as bien plutôt à me dire pourquoi tu prends pareille peine : je sais, moi, et je peux t'instruire.

ULYSSE : Ah ! voix d'Athéna, voix de ma déesse aimée, comme, à l'entendre, j'en reconnais l'appel, si loin que tu sois de mes yeux ! Et avidement mon cœur s'en saisit. On dirait que pour lui, c'est le clairon étrusque au pavillon d'airain. Oui, cette fois encore, tu m'as bien compris : mes pas sont là qui tournent autour d'un ennemi, Ajax, l'homme au bouclier. C'est

lui, c'est bien lui dont je suis la piste depuis un
moment. Il a, cette nuit même, perpétré contre nous
un forfait incroyable — si du moins il en est bien
l'auteur ; car, au vrai, nous ne savons rien de certain :
nous errons au hasard, et aussi bien est-ce pourquoi je
me suis volontairement attelé à cette besogne. Nous
venons de découvrir qu'un bras d'homme a détruit,
massacré tout notre butin, y compris les gardiens des
bêtes. Or cela, c'est Ajax que chacun en accuse. Un
guetteur justement l'a vu qui bondissait tout seul, au
milieu de la plaine, l'épée teinte encore de sang frais. Il
avertit, il précise. Je me jette aussitôt sur la piste de
l'homme. Quelques traces me guident, mais d'autres
me déroutent : je ne puis savoir de qui elles sont... Tu
arrives à propos ; c'est ta main qui de tout temps, à
l'avenir comme autrefois, doit m'indiquer la route à
suivre.

ATHÉNA : Je le sais, Ulysse ; voilà un moment que
je t'ai rejoint, avec le seul souci de protéger ta
chasse.

ULYSSE : Alors dis-moi, chère patronne, si je travaille comme il faut.

ATHÉNA : N'en doute pas, c'est lui l'auteur de cet
exploit.

ULYSSE : Et quel motif a déchaîné cette violence
insensée ?

ATHÉNA : Le lourd dépit qu'il vous garde du refus
des armes d'Achille.

ULYSSE : Mais pourquoi s'être alors rué contre des
bêtes ?

ATHÉNA : Il croyait qu'il trempait ses mains dans
votre sang.

ULYSSE : Alors, vraiment, son plan visait les
Argiens ?

ATHÉNA : Et il l'eût achevé, si je n'avais veillé.

ULYSSE : Quel coup d'audace était-ce là ? d'où lui
venait telle assurance ?

ATHÉNA : Seul, dans la nuit, en traître, il menait son attaque.

ULYSSE : A-t-il atteint son but et poussé jusqu'au bout ?

ATHÉNA : Il était arrivé aux portes des deux chefs [1]...

ULYSSE : Et il arrête là son ardeur meurtrière ?

ATHÉNA : C'est qu'alors j'interviens. Je fais choir sur ses yeux la lourde illusion d'un triomphe exécrable et le dirige vers vos bêtes, vers le butin, non partagé encore, que gardent vos bouviers. Il se jette sur elles et fait un grand carnage de têtes encornées, qu'il va assommant à la ronde. Tantôt il s'imagine qu'il tient les deux Atrides, qu'il les tue de sa propre main ; tantôt il se figure qu'il charge un autre chef. Et, moi, de presser l'homme en proie à son délire, de le pousser au fond de ce filet de mort. Puis, une fois qu'il a satisfait à sa tuerie, le voilà qui couvre de liens tout ce qui reste encore vivant, bœufs ou autres bêtes, et qui les conduit chez lui, croyant emmener des captifs, au lieu d'un gibier à cornes ; et là, il recommence à les brutaliser, entravés comme ils sont. Mais je veux que tu sois témoin de cette démence éclatante : tu la feras connaître à tous les Grecs. N'aie pas peur et reste là ; ne crains pas que sa vue ne te porte malheur. Je détournerai de toi la lueur de ses regards : ils ne saisiront pas tes traits. *(Elle se penche vers l'entrée de la baraque et elle élève la voix.)* Hé là, toi ! toi qui lies dans le dos les bras de tes captifs, sors donc ; c'est toi que j'appelle, Ajax, entends ton nom et viens devant ta porte.

ULYSSE : Que fais-tu, Athéna ? non, ne l'appelle pas.

ATHÉNA : Allons ! tiens-toi tranquille. Veux tu paraître un lâche ?

ULYSSE : Non, qu'il reste chez lui ! c'est assez, par les dieux.

ATHÉNA : Mais que redoutes-tu ? N'est-ce donc pas un homme ?

ULYSSE : Et même un ennemi, qui le demeure encore.

ATHÉNA : Eh bien! quoi de plus doux : rire d'un ennemi?

ULYSSE : Il me suffit à moi de le savoir chez lui.

ATHÉNA : As-tu donc peur de voir un dément bien en face?

ULYSSE : S'il était sain d'esprit, je n'aurais point de peur.

ATHÉNA : Même tout près de lui, il ne te verra pas.

ULYSSE : Comment? ne voit-il plus avec les mêmes yeux?

ATHÉNA : Je voilerai ses yeux, fussent-ils grands ouverts.

ULYSSE : Il n'est rien d'impossible, quand un dieu s'y emploie.

ATHÉNA : Demeure sans rien dire, reste comme tu es.

ULYSSE : Je reste — et voudrais bien être plutôt ailleurs.

ATHÉNA : Holà, Ajax! voilà deux fois que je t'appelle. As-tu si peu d'égards pour ton alliée?

(La porte s'ouvre. Ajax paraît, une épée sanglante à la main.)

AJAX : Salut, Athéna! Salut, fille de Zeus! Ah! que tu m'as bien assisté! Je veux te faire offrande de trophées d'or massif pour ce beau gibier-là.

ATHÉNA : Bravo! Mais as-tu bien, dis-moi, trempé ton épée à ton aise dans le sang des guerriers d'Argos?

AJAX : Oui, je puis m'en vanter, je ne le nierai pas.

ATHÉNA : Ton bras l'a-t-il levée aussi sur les Atrides?

AJAX : Certes! ils n'humilieront plus Ajax désormais.

ATHÉNA : Ils sont donc morts, si je te comprends bien.

AJAX : Morts. Qu'ils viennent donc me prendre mes armes maintenant.

ATHÉNA : Fort bien ! Mais du fils de Laërte qu'est-il donc advenu ? quel est son sort à lui ? t'aurait-il échappé ?

AJAX : Ah ! le fourbe exécrable, tu demandes où il est ?

ATHÉNA : Oui, je pense à Ulysse, à ton vieil adversaire.

AJAX : Justement, c'est là, déesse, ce qui me ravit le plus. Il est chez moi, assis et enchaîné. Je ne veux pas qu'il meure encore.

ATHÉNA : Avant que tu ne l'aies ?... Mais que vouloir de plus ?

AJAX : Avant que, ligoté au pilier de mon toit...

ATHÉNA : Que prétends-tu encore faire à ce malheureux ?

AJAX : ...il n'ait, le dos en sang, succombé sous le fouet.

ATHÉNA : Oh ! non, n'afflige pas ainsi le misérable.

AJAX : A ta guise, Athéna ! Satisfais, si tu veux, tous tes autres désirs. Mais c'est ce sort, et pas un autre, que cet homme subira.

ATHÉNA : Soit alors ! si c'est ton plaisir. Va donc, frappe à ton aise, et passe-toi tes fantaisies.

AJAX : Je me mets à l'ouvrage. A toi, je ne demande que d'être à mes côtés toujours en alliée de la même manière.

(La porte se referme sur Ajax.)

ATHÉNA : Tu vois, Ulysse, la puissance des dieux. Personne montrait-il jamais plus de prudence ? plus de bravoure aussi au moment d'agir ?

ULYSSE : Personne que je sache. Le malheureux a beau être mon ennemi, j'ai pitié de lui quand je le vois ainsi plier sous un désastre. Et, en fait, c'est à moi plus qu'à lui que je pense. Je vois bien que nous ne sommes, nous tous qui vivons ici, rien de plus que des fantômes ou que des ombres légères.

ATHÉNA : Imprègne-toi de ce spectacle, et garde-toi bien à ton tour d'émettre à l'égard des dieux une parole insolente. Ne va pas non plus te gonfler d'orgueil, si tu tires quelque avantage ou de ta force ou d'un amas d'amples richesses. Un jour suffit pour faire monter ou descendre toutes les infortunes humaines. Les dieux aiment les sages, ils ont les méchants en horreur.

(Athéna disparaît. Ulysse s'éloigne. Entre le Chœur. Il est composé de matelots salaminiens.)

Mélodrame.

✕ LE CORYPHÉE : O fils de Télamon, maître de Salamine, l'île dont les assises baignent au flot marin, de tes succès je fais ma joie.

Mais, lorsque Zeus te frappe, ou que, des rangs des Grecs, furieux, monte contre toi l'assaut d'une rumeur calomnieuse, j'éprouve une angoisse profonde et m'effare, comme l'œil du ramier ailé [1].

Ainsi, dans la nuit qui vient de finir, tu aurais, si j'en crois les rumeurs affreuses qui nous enveloppent et veulent nous déshonorer, fait irruption dans la prairie où jouent les cavales folles et massacré tout le bétail des Grecs, reste du butin conquis par nos lances, immolé sous ton fer flamboyant.

Ce sont là les récits inventés par Ulysse, qu'il va en chuchotant porter aux oreilles de tous ; et il persuade pleinement. Aujourd'hui que tu es en cause, tout ce qu'il dit devient digne de foi, et l'écouteur, plus encore que le conteur, se complaît à insulter à tes souffrances.

Visez les grands, et vos traits toujours porteront. S'ils étaient lancés contre moi, qui croirait de tels propos ? Ce sont les puissants qu'attaque l'Envie. Et pourtant, sans les grands, les petits ne sont qu'un mur chancelant qui protège mal. Pour qu'un rempart tienne, il faut aux petites pierres le secours des grandes, comme aux grandes l'étai des petites. Mais les sots ne se laissent pas inculquer à temps la moindre notion de ces vérités.

Et ce sont des sots qui clament contre toi, et nous sommes impuissants, nous autres, à repousser leurs attaques, quand tu n'es pas là, seigneur. Mais puisque, loin de ton regard, ils piaillent telle une volée d'oiseaux, devant le grand vautour, sans doute l'effroi les pénétrera et, quand soudain tu paraîtras, ils se terreront, muets et sans voix.

Soutenu.

LE CHŒUR : *Est-ce donc la fille de Zeus, Artémis, la chevaucheuse de taureaux, qui t'a vraiment — ah! rumeur affreuse, mère de ma honte! —*

lancé sur le bétail paisible de l'armée? Pour quelque victoire sans doute dont tu l'auras mal payée?

Pour une glorieuse offrande de dépouilles, pour un gibier, dont tu l'auras frustrée [1] *?*

Ou serait-ce Ényalios [2], *le dieu à cuirasse de bronze, qui, t'ayant prêté l'appui de sa lance, aurait à se plaindre aujourd'hui de toi et t'aurait tendu dans la nuit un piège vengeant son affront?*

Non, jamais de toi-même, ô fils de Télamon, tu ne t'es égaré au point de te jeter sur un troupeau.

Non, non, c'est quelque mal envoyé du ciel qui se sera ainsi abattu sur toi. Ah! daignent donc Zeus et Phœbos détourner la rumeur cruelle des Grecs!

Mais, si sournoisement ils vont inventant pareils contes, ces rois souverains,

ou bien ce prince issu de la race exécrable des enfants de Sisyphe [3], *ne va pas, toi, seigneur, en restant ainsi que tu le fais, dans ta baraque au bord des flots, provoquer la rumeur méchante.*

Un peu plus animé.

Allons, debout ! quitte le siège où, dès longtemps, tu te figes dans un long loisir anxieux. Tu te trouves de la sorte faire monter jusqu'au ciel la flamme de ton désastre.

L'insolence de tes ennemis dès lors souffle sans peur à travers les vallées ouvertes à tous les vents. Ils sont là tous à ricaner avec des mots lourds à ma peine. Et la souffrance a élu séjour en mon cœur.

(Tecmesse sort de la baraque.)

Mélodrame.

✕ TECMESSE : Servants du vaisseau d'Ajax, neveux d'Érechthée, le fils de la Terre[1], voici pour nous tous matière à gémir, pour nous qui portons intérêt à la lignée de Télamon, ici, loin de son pays. A l'heure où nous sommes, le terrible, le grand, le farouche Ajax gît à terre, victime d'un troublant orage.

LE CORYPHÉE : Ah ! quel pesant chagrin nous a donc, après le calme, apporté la nuit qui s'achève. Parle, fille de Téleutas le Phrygien[2]. C'est toi dont l'ardent Ajax a fait sa captive et sa femme, c'est toi que son amour protège. Tu sais, tu peux d'un mot nous laisser entrevoir le vrai.

TECMESSE : Et comment pourrais-je t'expliquer l'inexplicable ? Tu vas apprendre une douleur qui équivaut à une mort. Pris d'une crise de folie, Ajax, notre noble Ajax, cette nuit s'est déshonoré. Tu n'as qu'à voir dans sa baraque les sanglantes victimes qu'a immolées un bras humain : c'est lui l'auteur de l'hécatombe.   ✕

Modéré.

LE CHŒUR : *Ah ! quelle nouvelle m'apportes-tu là du bouillant héros ? Elle m'écrase, elle m'obsède.*

Les Danaens, terribles, la proclament ; une rumeur, terrible, l'amplifie.

J'ai peur de ce qui vient. Dévoilé, le coupable mourra, pour avoir, sous son glaive sombre, immolé d'un bras insensé nos bœufs et nos bouviers montés.

Mélodrame.

✕ TECMESSE : Ah ! je le vois, c'est de là-bas, de là-bas qu'il m'est arrivé, menant ce troupeau enchaîné. Il en égorge une part sur le sol dc la baraque ; les autres il leur taille les flancs, il les fend en deux. Après quoi, il se saisit de deux béliers aux pattes blanches[1]. Au premier, il tranche la tête et coupe la langue, pour les jeter ensuite à terre. Le second, il l'attache debout à un pilier, et, s'emparant d'une grande longe à chevaux, il s'en fait un double fouet[2] sonore, dont il frappe la bête, en l'insultant avec des mots affreux, tels qu'un dieu seul, et non un homme, a jamais pu les lui apprendre. ✕

LE CHŒUR : *Alors c'est le moment de couvrir ma tête d'un voile et de m'enfuir à pas furtifs ;*

ou de m'asseoir au banc de nage, à bord de ma nef rapide, et de la lancer à toute vitesse sur les routes de la mer ;

tant sont affreuses les menaces que contre nous brandissent les deux fils d'Atrée. Je crains de périr sous les pierres, cruellement lapidé, en même temps que le héros qu'accable ici un destin effroyable.

Mélodrame.

✕ TECMESSE : C'est fini, maintenant : sans qu'un éclair ait lui, la bourrasque qui brusquement avait fondu sur sa tête est en train de s'apaiser : Ajax est à cette heure maître de sa raison. Mais c'est pour être en proie à un chagrin nouveau. Contempler le mal qu'il a fait, sans que nul autre y ait pris part, ne lui laisse plus entrevoir que des souffrances à l'infini. ✕

(Elle rejoint le Chœur et l'écarte de la baraque.)

LE CORYPHÉE : Si la crise est finie, tout ira bien, je pense. Dès qu'il s'éloigne, le mal paraît moins grave.

TECMESSE : Qu'aimerais-tu mieux cependant, si l'on t'en laissait le choix ? Voudrais-tu être heureux en affligeant les tiens ? ou souffrir comme eux avec eux ?

LE CORYPHÉE : Double mal est pire mal, femme ; c'est là chose que chacun sait.

TECMESSE : Eh bien ! sans être malades, nous n'en sommes pas moins atteints.

LE CORYPHÉE : Que dis-tu là ? je ne comprends pas ton langage.

TECMESSE : Ajax, en pleine crise, trouvait sa joie aux maux qui l'étreignaient, cependant qu'il nous affligeait, nous qui à ses côtés gardions notre raison. A cette heure en revanche où, guéri, il reprend haleine, le voilà tout entier la proie d'un dur chagrin, tandis que nous souffrons, nous, tout autant qu'avant. N'y a-t-il pas là deux maux au lieu d'un ?

LE CORYPHÉE : Il est vrai, et je crains que le coup ne vienne d'un dieu. Comment donc en douter, si, guéri de son mal, il n'en a pas plus d'aise que quand il en souffrait ?

TECMESSE : Oui, c'est bien cela, il faut que tu le saches.

LE CORYPHÉE : Mais comment débuta le mal ? comment a-t-il fondu sur lui ? Dis tes peines à des hommes prêts à y compatir.

TECMESSE : Tu sauras tout, puisque aussi bien tu es des nôtres. Nous étions au cœur de la nuit, les feux du soir[1] ne brûlaient plus. Brusquement Ajax se saisit de son épée à deux tranchants : l'envie lui est venue soudain de partir en guerre sans but. Et moi, alors, de le reprendre, de lui dire : « Que fais-tu là, Ajax ? Pourquoi te mettre en route sans qu'on t'ait appelé ? Tu n'as pas reçu de message, tu n'as pas entendu de trompette. A l'heure qu'il est, toute l'armée dort. » Il ne me répond que par des mots brefs — l'éternel refrain : « La parure des femmes, femme, c'est le silence. » Je comprends, je me tais, et il s'en va seul.

Que lui est-il ensuite arrivé là-bas ? je ne puis le dire ;
mais il rentre enfin, menant, chargés d'entraves, à la
fois des taureaux et des chiens de berger, et tout un
butin à cornes. Aux uns, il coupe la tête ; d'autres, il
leur relève le mufle, les égorge ou les assomme ;
d'autres, il les brutalise, entravés comme ils sont. Il se
jette sur ce bétail comme il eût fait sur des humains.
Tout à coup, passant la porte, il s'adresse à une ombre
et dégorge un flot d'invectives contre les deux fils
d'Atrée, puis de même sur Ulysse, accompagnant le
tout de grands éclats de rire : Ah ! la fière vengeance
qu'il aura été tirer d'eux ! Sur quoi, vivement, il rentre
chez lui ; et voici qu'avec le temps, peu à peu, et non
sans peine, il retrouve sa raison. Alors, à la vue du
désastre qui remplit son logis, il se frappe la tête, il
pousse un grand cri, il s'affaisse sur l'amas croulant de
cadavres qu'a formé cette boucherie, il s'arrache les
cheveux à pleines mains. Longtemps il reste là,
effondré et sans voix. Puis il s'adresse à moi et me
menace des plus terribles peines, si je ne lui révèle pas
tout ce qui lui est arrivé ; il veut savoir où il en est. Et
moi, mes amis, saisie de terreur, je lui dis ce qu'il a
fait, tout ce que j'en sais du moins. Alors il éclate en
sanglots affreux, tels que jamais encore je n'en ai
entendu de lui — lui qui ne cessait de déclarer jadis
que sangloter ainsi était le fait d'un lâche, d'une âme
sans ressort. Ce n'est pas qu'il fasse entendre des cris
de douleur perçants, non, mais de sourds gémissements ; on croirait entendre mugir un taureau. Il est là
maintenant, accablé par son infortune, se refusant à
manger et à boire, immobile, prostré, au milieu des
bêtes qu'a frappées son fer. La chose est claire, il
médite un malheur ; c'est là ce que présagent ses
propos et ses plaintes. Allons ! amis, c'est justement
pourquoi je viens à vous, entrez, prêtez-moi votre aide,
si vous pouvez quelque chose pour moi. Les hommes
comme lui ne cèdent jamais qu'à la voix des leurs.

LE CORYPHÉE : Ah! Tecmesse, fille de Téleutas, ton récit me fait peur : ses malheurs auraient donc jeté notre héros en pleine frénésie?

> (*On entend la voix d'Ajax qui gémit dans sa baraque.*)

AJAX : Hélas! hélas sur moi!

TECMESSE : Et je crains que bientôt ce ne soit pis encore : n'entends-tu pas Ajax et ce cri d'appel?

AJAX : Hélas! hélas sur moi!

LE CORYPHÉE : Je crois que l'homme est malade ; ou encore qu'il se désole au souvenir d'un mal ancien dont il contemple les effets.

AJAX : Ah! mon fils, mon fils!

TECMESSE : Ah! malheureuse! c'est toi, Eurysacès [1], qu'il appelle ici. Que médite-t-il? Et toi-même, où es-tu? Ah! pitié sur moi!

AJAX : C'est Teucros que j'appelle. Où Teucros est-il donc? Va-t-il éternellement courir au butin, tandis que je me meurs?

LE CORYPHÉE : On dirait qu'il a toute sa raison. Allons! ouvrez. Peut-être, à me voir, retrouvera-t-il un peu de vergogne.

TECMESSE : Voilà! j'ouvre. Tu peux voir le travail qu'il a fait et l'état où il est.

> (*Elle ouvre la porte. On voit Ajax, effondré, au milieu des bêtes qu'il a massacrées.*)

Agité.

AJAX : *Ah! mes marins, mes amis! Seuls, vous demeurez fidèles aux lois de la loyauté.*

Voyez donc quelle vague est venue tout à l'heure, sous la poussée d'une tourmente meurtrière, m'assaillir et m'envelopper.

LE CORYPHÉE : Hélas! tu m'as bien l'air d'un trop véridique témoin. L'acte, à lui seul, prouve qu'il est d'un fou.

AJAX : *Ah ! servants du métier marin, vous qui vous êtes embarqués pour frapper le flot de vos rames,*

c'est vous, vous seuls, que je vois en état d'écarter de moi le malheur. Allez, allez, aidez-moi donc à me détruire.

LE CORYPHÉE : Parle mieux, et ne va pas, en appliquant à ta douleur un remède douloureux, aggraver encore ton désastre.

AJAX : *Tu le vois, le hardi, le vaillant, le héros qui jamais n'a tremblé au combat face à l'ennemi, celui dont le bras faisait peur aux fauves fermés à la crainte...*

Ah ! de quelles risées on m'outrage aujourd'hui !

TECMESSE : Mais non, Ajax, mon maître, je t'en supplie, ne parle pas ainsi.

AJAX : Hors d'ici ! tourne les talons et va-t'en. Ah ! Ah !

TECMESSE : Par les dieux, cède à ma prière et rappelle ta raison.

AJAX : *Misérable, j'ai de mon propre bras déchaîné les génies vengeurs.*

Je me suis rué sur des bœufs cornus, sur de beaux moutons[1].
J'ai pris un bain dans leur sang noir.

LE CORYPHÉE : Pourquoi te désoler ? C'en est fait : ce qui est ne peut être autrement.

AJAX : *Toi partout à l'affût, ô toi toujours et partout instrument de malheurs, ô fils de Laërte, le plus répugnant fourbe de l'armée,*

quels longs rires joyeux tu dois faire de moi !

LE CORYPHÉE : C'est avec l'aveu d'un dieu que toujours l'on pleure ou l'on rit.

AJAX : Ah ! si je pouvais le voir, même en l'état de détresse où je suis ! Hélas ! hélas sur moi !

LE CORYPHÉE : Pas de mots orgueilleux. Ne mesures-tu pas le degré de malheur où tu es arrivé ?

AJAX : *O Zeus, premier auteur de mes aïeux, fais donc que le perfide,*

l'affreux fourbe périsse, et les deux rois avec lui, et qu'enfin
je meure moi-même !

TECMESSE : Si c'est là ton souhait, souhaite alors que
je meure avec toi : pourquoi vivrais-je, si tu meurs ?

AJAX : *Ah ! Ténèbres, mon soleil à moi : Érèbe, pour moi*
plein d'éclat ! prenez-moi, prenez-moi, je veux vivre chez vous,
prenez-moi ! Ni vers les dieux,
ni vers les hommes je ne suis plus digne de tourner les yeux
pour avoir une aide.
C'est la fille de Zeus[1], la puissante déesse, qui me malmène
et qui me tue.
Où fuir, où chercher un abri sûr, si mon passé, mes amis,
meurt avec ces morts-là, et si je suis voué à un gibier de fou ?
Ah ! que plutôt l'armée entière, une lance dans chaque main,
accoure ici me massacrer !

TECMESSE : Ah ! malheureuse ! faut-il que j'entende
un héros si rare user de mots dont jamais il n'eût osé
user auparavant.

AJAX : *Ah ! détroit aux flots grondants, grottes, rivage,*
pacage au bord des eaux, longtemps, longtemps et sans répit,
vous m'avez donc retenu en Troade !
Mais vous ne m'y retiendrez plus, plus jamais, tant que
j'aurai souffle de vie — que tout homme ayant sa raison m'en
serve ici de témoin.
Ondes du Scamandre, si proches de moi, si douces aux
Argiens,
vous ne verrez plus l'homme que je fus, un homme tel que
Troie — j'userai ici d'un mot orgueilleux — jamais ne vit son
pareil dans l'armée partie de la terre grecque. Et ce n'est plus à
cette heure qu'un mort qu'on enterre dans l'ignominie.

LE CORYPHÉE : Je ne puis ni te défendre, ni te
permettre de parler, au milieu des maux où tu es
tombé.

AJAX : Ah ! ah ! « Ajax » ! Qui donc eût jamais pensé
que ce nom répondrait si bien aux maux qui m'étaient
réservés[2] ? L'heure est venue de le redire deux fois,

trois fois — ah! ah! « Ajax »! — alors que je me
heurte à de pareils revers. De cette terre de l'Ida mon
père est revenu ayant conquis par sa bravoure le
premier rang dans l'armée et rapportant dans sa
maison une gloire sans aucune ombre[1]. Et moi, son
fils, j'ai abordé au même pays de Troade, doué d'une
vigueur égale, et mon bras y a fourni des exploits qui
valent les siens — et me voilà qui meurs ici méprisé
par les Argiens! Et pourtant il est une chose tout au
moins que je sais bien : si ç'eût été Achille qui eût de
son vivant attribué ses armes, afin de consacrer la
valeur d'un héros, ç'eût été moi, moi seul, qui les
aurais prises en main. Mais au vrai les Atrides les ont,
par leurs intrigues, procurées à un simple fourbe ; ils
ont écarté ma valeur ; et, si mes yeux et mon âme
égarés ne m'eussent fait alors dévier de mon plan, ils
n'auraient plus jamais rendu contre personne une
sentence de ce genre. Il a fallu que la fille de Zeus au
regard farouche, la déesse indomptable, à l'instant
même où je levais le bras sur eux, m'ait fait trébucher
en jetant dans mon cœur la rage furieuse à laquelle je
dois d'avoir trempé mes mains dans le sang de ces
bêtes, tandis qu'ils se rient, eux, maintenant de moi,
parce qu'ils m'ont échappé — hélas! bien malgré moi ;
mais, lorsqu'un dieu vous veut du mal, même le lâche
échappe au plus vaillant. Et maintenant que faire ?
Manifestement les dieux m'ont en haine ; l'armée des
Grecs m'exècre ; je suis odieux à la Troade entière, à
ces plaines mêmes que j'ai sous les yeux. Vais-je donc,
pour rentrer chez moi, quitter cette flotte au repos,
laisser seuls les Atrides, et repasser l'Égée ? Quel
spectacle offrirai-je ainsi, le jour où je paraîtrai devant
mon père Télamon ? Supportera-t-il ma vue, si je me
montre à lui, sans que rien me distingue, sans ce prix
de la vaillance dont il eut, lui, jadis la noble et
glorieuse couronne ? Non, l'idée est intolérable... Faut-
il alors que j'aille vers les défenses des Troyens me

mesurer seul à seul avec chacun d'eux et, après quelque haut fait, succomber pour en finir ? Mais ce serait là sans doute combler de joie les Atrides. Impossible ! Il me faut bien plutôt trouver une entreprise qui prouve à mon vieux père que, né de lui, je ne suis pas sans cœur. C'est une honte pour un homme que de souhaiter vivre longtemps, s'il ne fait que passer d'un malheur à un autre. En quoi un jour après un autre pourrait-il nous être un plaisir, quand ce jour ne fait qu'avancer ou bien retarder notre mort ? Je ne donnerais pas cher d'un homme qui ne sait que se réchauffer à de vaines espérances. Ou vivre noblement ou noblement périr, voilà la règle pour qui est d'un bon sang. C'est tout. J'ai dit ce que j'avais à dire.

LE CORYPHÉE : Nul ne pourra prétendre que tu nous as tenu un langage emprunté : celui-ci, Ajax, est bien de ton fonds. Arrête cependant, et laisse ceux qui t'aiment chercher à triompher de ta résolution, renonce à ces pensées.

TECMESSE : Ô mon maître, ô Ajax, il n'est pas pour l'homme de misère pire que d'être le jouet du sort. Je suis née, moi, d'un père libre, d'un père dont les trésors faisaient un puissant, s'il en fut jamais, entre tous les Phrygiens — et me voici aujourd'hui une esclave ! Ainsi en ont sans doute décidé les dieux, et ton bras plus encore. Et dès lors, entrée dans ta couche, je ne puis plus penser qu'à toi. Ainsi, je t'en conjure, par le Zeus de notre Foyer, par ce lit qui nous a unis, épargne-moi les mots cruels que j'aurais à entendre de tes ennemis, si tu me laissais sous le joug d'un autre. Le jour où tu mourras et où, quittant la vie, tu m'auras délaissée, ce même jour, sois-en bien sûr, enlevée de force par les Argiens, je serai, ainsi que ton fils, vouée au pain de l'esclave. Et tel de mes maîtres, avec des mots méchants, me lancera son trait. « Voyez donc la compagne d'Ajax, du héros le plus fort de l'armée, voyez donc quel servage est aujourd'hui le sien, après un sort qui fut si envié. » Voilà ce qu'on dira[1] et, tandis que le destin me poursuivra, de pareils mots feront ta honte, à toi et à tous les tiens. Écoute la voix de l'honneur. Il te défend d'abandonner ton père dans sa triste vieillesse, d'abandonner ta mère, ta mère chargée d'ans, qui adresse à cette heure mainte prière aux dieux, pour que tu rentres un jour vivant dans ta demeure. Aie pitié de ton fils, ô maître. Voudrais-tu que, privé des soins dus à l'enfance, il vécût loin de toi, tout seul, sous des tuteurs qui ne lui seraient rien ? Ah ! quel sort misérable entends-tu donc nous infliger, à lui et à moi, en mourant ? Je n'ai plus rien vers quoi tourner les yeux, rien, si ce n'est toi. Ta lance a détruit ma patrie. Mon père, ma mère, un autre coup du sort les a jetés à bas et transformés en morts, habitants des Enfers. Qui pourrait bien pour moi remplacer patrie et richesse, qui, si ce n'est toi ? Toute ma vie, à moi, est en toi, en toi seul. Mais, toi aussi, garde de moi quelque mémoire. C'est le devoir de l'homme de ne pas oublier le bien qu'on lui a fait. Une faveur appelle une faveur. Celui qui laisse se perdre la mémoire d'un bienfait ne peut passer pour être d'un bon sang.

LE CORYPHÉE : Je voudrais que ton cœur, Ajax, fût autant que le mien ouvert à la pitié : tu souscrirais aux vœux de cette femme.

AJAX : Mais, certes, elle obtiendra de moi pleine louange, si seulement elle consent à bien faire ce qu'on lui ordonne.

TECMESSE : Mais je suis prête, cher Ajax, à t'obéir en tout.

AJAX : Apporte-moi alors mon fils, que je le voie.

TECMESSE : C'est que, dans ma terreur, je l'avais fait partir.

AJAX : Quand le mal m'a frappé — c'est ce que tu veux dire ?

TECMESSE : Le pauvre enfant pouvait tomber sous tes yeux et périr.

AJAX : C'eût bien été un sort digne de mon destin !

TECMESSE : J'ai pris soin d'écarter un tel risque de lui.

AJAX : Je ne puis qu'approuver ton acte et ta prudence.

TECMESSE : Et quel service ici puis-je te rendre encore ?

AJAX : Laisse-moi lui parler, l'avoir devant mes yeux.

TECMESSE : Des serviteurs le gardent près d'ici.

AJAX : Pourquoi tarder alors ? Pourquoi n'est-il pas là ?

TECMESSE : O mon fils, ton père t'appelle. Que celui de nos gens qui dirige ses pas l'amène donc ici.

AJAX : Vient-il ? ou bien ta voix ne l'atteint-elle pas ?

TECMESSE : Mais si ! Vois s'approcher l'esclave qui l'amène.

(Elle reçoit l'enfant des mains de l'esclave et le met dans les bras d'Ajax.)

AJAX : Donne, donne-le-moi. Il ne s'effraiera pas de voir tout ce sang frais, s'il est vraiment mon fils, s'il tient bien de son père. Il faut tout au contraire le dresser sans retard aux mœurs rudes d'Ajax : il faut qu'il prenne un cœur semblable au sien. Sois seulement, mon fils, plus heureux que ton père ; ressemble-lui pour tout le reste, et tu n'auras rien d'un vilain. Il est cependant une chose que je t'envie en ce moment ; c'est de ne pas avoir conscience de nos maux. Ne rien sentir, voilà, voilà le temps le plus doux de la vie. Il cesse, dès qu'on a appris ce que sont la joie et la peine. Quand tu en seras là, aie grand soin, face à l'ennemi, de bien montrer ce que tu es et de quel père tu es né. Jusque-là nourris-toi de souffles légers et cultive ta jeune vie pour la pure joie de ta mère. Personne, je le sais, parmi les Achéens ne sera assez insolent pour te faire un méchant affront, même une fois que je t'aurai

quitté. Je laisserai ici un gardien assez fort pour veiller
à ta porte ; Teucros pour t'élever ne plaindra pas ses
peines — si loin qu'il puisse être à cette heure en quête
de nos ennemis. A vous, mes amis, soldats et marins
tout ensemble, je demande d'abord d'aider Teucros à
me servir ainsi ; vous lui ferez ensuite savoir mes
volontés. Qu'il lui souvienne de ramener mon fils chez
moi, pour le montrer à Télamon, ainsi qu'à ma mère
Éribée. C'est lui qui nourrira à jamais leur vieillesse,
jusqu'au jour où ils atteindront la retraite des dieux
d'en bas. Pour mes armes, j'entends qu'aucun juge ne
les mette au concours parmi les Achéens — surtout pas
l'auteur de ma perte ! Prends-le toi-même, enfant, ce
bouclier auquel tu dois ton nom, Eurysacès [1], et
manœuvre-le bien par sa courroie solidement fixée,
l'infrangible écu à sept peaux de bœuf. Le reste de mes
armes sera enterré avec moi. *(A Tecmesse.)* Allons ! vite,
prends-moi cet enfant maintenant ; puis verrouille
notre porte, au lieu de rester là à pleurer devant la
baraque ; nous savons que les femmes aiment à gémir.
Ferme la porte et sans tarder. Il n'est pas d'un bon
médecin de larmoyer des formules magiques, quand le
mal réclame un scalpel.

LE CORYPHÉE : J'ai peur, quand j'entends parler
avec une telle passion. Des mots si tranchants ne me
plaisent guère.

TECMESSE : O Ajax, mon maître, que projettes-tu au
fond de ton cœur ?

AJAX : Ne cherche pas, ne me questionne pas, il faut
savoir se dominer.

TECMESSE : Las ! quelle est ma détresse ! Par ton fils,
par les dieux, je t'implore, ne nous trahis pas.

AJAX : C'est trop me fatiguer. Ne sais tu pas qu'aux
dieux je ne dois plus aucun service ?

TECMESSE : Parle un langage moins sinistre.

AJAX : Et toi, parle à qui peut t'entendre.

TECMESSE : Tu ne veux donc pas m'écouter ?

AJAX : Tu parles trop maintenant.

TECMESSE : C'est que je tremble, maître.

AJAX : Allez-vous donc fermer, et vite ?

TECMESSE : Par les dieux, laisse-toi toucher.

AJAX : Tu m'as l'air bien naïve, si tu prétends commencer aujourd'hui à me former le caractère.

(Il rentre avec les siens dans sa baraque.)

Modéré.

LE CHŒUR : *O noble Salamine, tu es fixée là-bas, heureuse, au milieu des flots qui battent tes bords, fameuse pour tous à jamais*[1] *!*

Tandis que moi, misérable, depuis bien longtemps je campe dans ces prairies de l'Ida et, sans trêve, depuis des mois sans nombre,

je me consume dans l'attente, n'ayant plus qu'un amer espoir, celui d'atteindre quelque jour l'abominable et noir Enfer.

Et voici maintenant qu'Ajax, plein d'une frénésie divine qui résiste à tous mes soins — hélas ! hélas sur moi ! — me force à affronter une épreuve nouvelle.

Tu l'avais fait jadis partir comme un héros toujours vainqueur dans les combats impétueux, et il n'est plus aujourd'hui, isolé dans son désespoir, qu'un sujet de douleur affreux pour tous les siens.

Et les vieux exploits de son bras, preuves de sa valeur immense, se trouvent n'être désormais que matière à ingratitude pour ces tristes ingrats que sont les fils d'Atrée.

Ah ! quand sa mère, chargée de ses vieux ans, toute blanchie par l'âge, saura qu'il souffre en sa raison,

c'est un cri déchirant, déchirant, ce n'est pas le chant plaintif du pitoyable rossignol,

que lancera l'infortunée ; c'est en accents suraigus qu'elle clamera sa souffrance, cependant que ses bras iront sur sa poitrine s'abattre à coups bruyants, ou sur son front chenu arracher ses cheveux.

*Se cacher aux enfers est encore le mieux pour qui souffre de
déraison, quand, marqué par le sang pour être le plus brave de
tous les Achéens dans leur mille travaux,*

*il se montre infidèle à ses instincts innés, pour s'attacher à
d'autres, qui l'égarent.*

*Ah! pauvre père! l'affreux désastre qu'on va t'apprendre de
ton fils! Jamais avant Ajax aucun des divins Éacides n'en a vu
surgir de pareil.*

> *(Ajax reparaît à la porte de sa baraque.)*

AJAX : Oui, le temps, dans sa longue, interminable
course, le temps fait voir ce qui restait dans l'ombre,
tout comme il cache ce qui brillait au jour. Il n'est
donc rien à quoi l'on ne puisse s'attendre, et l'on
trouve en défaut aussi bien le plus fort serment que les
volontés les plus fermes. Moi-même, qui montrais il
n'y a qu'un instant une résistance tout aussi farouche
qu'un acier sortant de la trempe, je sens mollir
maintenant ce langage si tranchant, lorsque j'entends
cette femme. La pitié me défend de la laisser veuve, et
mon fils orphelin, au milieu de mes ennemis. J'irai
plutôt aux prairies du rivage pour me baigner, me
purifier de mes souillures et échapper ainsi peut-être
au lourd courroux de la déesse. Je gagnerai ensuite un
lieu vierge de pas humains, et là, creusant le sol, j'y
enfouirai ce fer, cette arme abhorrée entre toutes, si
bien que nul ne le puisse plus voir : que la Nuit et Hadès
le gardent là sous terre! Du jour où mes mains l'ont
reçu d'Hector, ce cadeau de mon pire ennemi, je n'ai
plus rien eu de bon de la part des Argiens. Le vieux
dicton des hommes est vrai : « Présents d'un ennemi
ne sont pas des présents : n'en attends nul profit. »
Aussi, dans l'avenir, je saurai céder aux dieux, j'apprendrai à rendre hommage aux Atrides. Ce sont nos
chefs, il faut leur céder, point de doute! Les puissances
les plus terribles cèdent aux droits reconnus. L'hiver
qui marche dans la neige laisse la place à l'été porteur

de moissons. Le char lugubre de la nuit s'efface devant
le jour aux blancs coursiers, afin de le laisser briller de
tous ses feux. Le souffle des vents redoutables endort la
mer aux flots grondants. Le tout-puissant sommeil
lâche les êtres qu'il avait enchaînés et ne maintient pas
son emprise indéfiniment sur eux. Et nous ne saurions
pas, nous, être raisonnables ?... Pour moi, je viens
d'apprendre que l'on ne doit haïr son ennemi qu'avec
l'idée qu'on l'aimera plus tard ; et, pour l'ami, je
n'entends de ce jour l'assister, le servir, qu'avec l'idée
qu'il ne restera pas mon ami à jamais. Ils ne sont pas
nombreux, les gens dont l'amitié offre un refuge sûr.
Mais tout ira bien. Rentre, femme, et prie les dieux
d'achever pleinement les souhaits de mon cœur. Vous
aussi, mes amis, exaucez-les comme elle et, dès qu'il
sera là, dites bien à Teucros et de songer à moi et
d'être bon pour vous. Je m'en vais où je dois aller.
Faites, vous, ce que je vous dis, et peut-être, qui sait ?
peut-être apprendrez-vous qu'en dépit du malheur
dont pour l'instant je souffre, j'ai enfin trouvé le salut.

(Il s'éloigne.)

Assez vif.

   LE CHŒUR : *Je frémis de désir*[1], *je m'envole de joie.*
   Iô, iô, Pan, Pan ! O Pan, Pan toi qui hantes si volontiers nos
bords, va, quitte le Cyllène[2], *ses sommets rocheux que battent les*
neiges, et apparais-nous,
   dieu qui guides le chœur des dieux ; viens mettre en branle
parmi nous ces danses de Nysa[3] *ou de Cnosse que tu as apprises*
sans maître.
   A cette heure, je ne songe plus qu'à danser. Et que sire
Apollon, le dieu de Délos, franchissant la mer d'Icare[4], *sous sa*
forme familière,
   vienne à son tour se joindre à nous, propice à nos vœux pour
toujours ;
   Arès délivre nos regards d'un abominable chagrin.

Iô, iô, voici de nouveau l'heure ! voici l'heure, ô Zeus où le pur éclat d'un beau jour s'épand sur nos nefs agiles, prêtes à voler sur les mers, du jour où Ajax,

oubliant soudain sa peine, satisfait à tous les rites de nos sacrifices divins, dans un pieux esprit de stricte discipline.

Il n'est rien que n'efface le temps tout-puissant, et, pour ma part, je ne proclamerai plus rien d'impossible, du moment qu'Ajax, transformé, aura contre toute attente,

renoncé à ses fureurs contre les enfants d'Atrée et à ses féroces querelles.

(Entre un Messager.)

LE MESSAGER : Amis, je vous veux tout d'abord apprendre une nouvelle. Teucros est là, il arrive à l'instant des monts de la Mysie. Mais cependant qu'il gagne le centre de la place où se tiennent les chefs, il se voit insulté par tous les Grecs ensemble. Il s'avance entouré d'un cercle de soldats qui, à peine avertis, sont aussitôt venus et le couvrent d'outrages. A sa droite, à sa gauche, personne qui l'épargne. Ils l'appellent le frère du fou, du fou qui en veut à l'armée et qu'il ne préservera pas de périr broyé sous les pierres. Cela va à tel point que les bras tirent les épées des fourreaux et en mettent la pointe au vent. La querelle s'apaise, non sans avoir été fort loin, sur l'intervention des vieillards. Mais où est Ajax ? dis-moi, que je l'informe de ces faits. C'est à qui de droit qu'il me faut en faire un rapport complet.

LE CORYPHÉE : Il n'est pas chez lui, il vient de partir. Il règle ses nouveaux projets sur de nouveaux sentiments.

LE MESSAGER : Ah ! malheur ! celui qui m'a dépêché m'a donc dépêché trop tard — ou vais-je moi-même apparaître comme ayant trop longtemps tardé ?

LE CORYPHÉE : Et quelle négligence a donc été commise en ce pressant besoin ?

LE MESSAGER : Teucros nous défendait de laisser
Ajax sortir de chez lui, avant qu'il fût là lui-même.

LE CORYPHÉE : Mais, s'il est parti, c'est qu'il s'était
décidé à prendre le bon chemin : il voulait faire sa paix
avec les dieux.

LE MESSAGER : Que voilà bien des mots pleins de
sotte candeur ! — si du moins Calchas est un vrai
devin.

LE CORYPHÉE : Que dis-tu là ? que sais-tu de l'affaire ?

LE MESSAGER : Tout ce que je sais, le voici, et j'en ai
été moi-même témoin. Du cercle des rois siégeant en
conseil, seul Calchas s'est levé [1]. Laissant là les Atrides
et mettant sa main amicalement dans celle de Teucros,
il lui a dit, lui a recommandé d'enfermer à tout prix
Ajax dans sa baraque, tant que ce jour luirait, et de
l'empêcher d'en sortir, s'il voulait le revoir vivant ; car
c'est durant ce jour, ce seul jour, selon lui, que le
poursuivrait la colère de la divine Athéna. Les êtres
anormaux et vains succombent, disait le prophète,
sous le poids des malheurs que leur envoient les dieux.
Ainsi en est-il pour tous ceux qui, étant nés hommes,
conçoivent des pensers qui ne sont pas d'un homme.
Ajax s'est montré insensé le jour, où, quittant sa
demeure, il entendait son père lui donner de sages avis.
« Mon fils, lui disait ce père, au combat souhaite la
victoire, mais toujours la victoire avec l'aide d'un
dieu. » Et lui, insolemment, follement, de répondre :
« Avec l'aide d'un dieu, père, cette victoire, même un
homme de rien la pourrait obtenir. C'est sans les dieux
que, pour ma part, je suis bien sûr de ramener la
gloire. » Voilà déjà comment il se vantait. Une autre
fois encore, comme la divine Athéna l'invitait à
tourner son bras meurtrier du côté de l'ennemi, il lui
fait cette réponse effrayante, inouïe : « Va assister,
maîtresse, les autres Argiens, ce n'est pas où je suis que
le front craquera. » C'est par de tels propos qu'il s'est

attiré la colère implacable de la déesse : ses pensers ne sont pas d'un homme. S'il survit pourtant à cette journée, peut-être le sauverons-nous, avec l'aide de quelque dieu. Le devin n'en a pas dit plus. Teucros aussitôt se lève et m'envoie te porter ces ordres. Observe-les bien ; si nous y manquons, notre héros n'est plus, ou Calchas ne sait rien.

LE CORYPHÉE : Infortunée Tecmesse, pauvre créature, viens et juge à ton tour du récit que nous fait cet homme. Il entaille la chair vive, et nul ne peut s'en réjouir.

(Tecmesse sort de la baraque.)

TECMESSE : C'est à peine si j'ai quelque trêve à mes immenses chagrins, et vous venez encore réveiller la malheureuse que je suis !

LE CORYPHÉE : Écoute cet homme : il vient nous apprendre le sort réservé à Ajax et qui fait ici mon tourment.

TECMESSE : Ah ! l'homme, que dis-tu ? sommes-nous perdus sans retour ?

LE MESSAGER : Ton sort à toi, je l'ignore ; mais pour celui d'Ajax, s'il est vraiment parti, je ne suis guère rassuré.

TECMESSE : Eh ! oui, il est parti, et mon cœur, gros d'angoisse, se demande ce que tu veux dire.

LE MESSAGER : Teucros nous donne l'ordre de l'enfermer dans sa baraque et de ne pas le laisser sortir seul.

TECMESSE : Où donc est Teucros ? Et qu'est-ce qui le fait parler de telle sorte ?

LE MESSAGER : Il vient d'arriver, et il craint que cette sortie ne soit la perte d'Ajax.

TECMESSE : Ah ! malheureuse ! De qui tient-il cela ?

LE MESSAGER : Du devin, fils de Thestor. C'est en ce jour que se décide la mort ou le salut d'Ajax.

TECMESSE : Hélas ! pitié, mes amis ! préservez-moi

d'être ici le jouet du sort. Hâtez-vous. Que les uns fassent ce qu'il faut pour que Teucros vienne au plus vite. Que les autres aillent fouiller tous les recoins du couchant, tous ceux du midi, et qu'ils y cherchent les traces de cette funeste sortie. Je le vois maintenant : l'homme m'a jouée, il m'a exclue de sa faveur d'hier... Las ! que faire, mon petit ? Il ne s'agit pas de rester sans agir. Non, non, j'irai là-bas, moi aussi, j'irai jusqu'où mes forces me permettront d'aller. Partons et pressons-nous. Ce n'est pas le moment de demeurer assis, quand on prétend sauver un homme qui se rue lui-même à la mort.

LE CORYPHÉE : Je suis prêt à marcher, et je le prouverai par autre chose que des mots. Actes et pas suivront, aussi rapides.

> (*Le Chœur sort derrière Tecmesse. Le lieu de la scène change. Un pré au bord de la mer, coupé seulement de quelques buissons. Ajax vient de planter son épée dans le sol, la pointe en l'air.*)

AJAX : Le couteau du sacrifice est donc là dressé, de manière à trancher au mieux — si l'on peut s'accorder encore le loisir de tout calculer. Il est le don du plus détesté de mes hôtes, du plus odieux à ma vue, Hector. Et il est enfoncé dans un sol ennemi, dans le sol de Troade, fraîchement aiguisé à la pierre qui ronge le fer. Je l'ai planté en outre avec le plus grand soin, afin qu'il ait la complaisance de me faire mourir au plus vite. Ainsi pour moi, je suis prêt. — Et maintenant c'est toi, Zeus, toi le premier, comme il est juste, dont je réclame le secours. Je ne te demanderai pas une bien grande faveur. Fais-moi la grâce seulement de dépêcher à Teucros un messager porteur de la triste nouvelle, pour qu'il soit le premier à relever mon corps transpercé de ce fer sanglant. Il ne faut pas que, mes ennemis l'ayant aperçu avant lui, je sois jeté aux chiens et aux oiseaux. C'est là, Zeus, c'est là tout ce

que j'attends de toi. Mais, en même temps, j'invoque
Hermès Infernal, le guide des morts. Qu'il m'endorme
doucement et que ce soit d'un saut facile et prompt que
j'aille déchirer mon flanc à cette épée. Et j'invoque
encore, pour qu'elles m'assistent, les Vierges éternelles
qui éternellement observent les forfaits des hommes,
les Érinyes sévères aux jarrets rapides. Qu'elles
sachent comment je succombe, malheureux, sous les
fils d'Atrée, et qu'elles les saisissent, eux aussi, à leur
tour, pour les faire périr, périr tout entiers, misérables,
misérablement ; et, de même qu'elles me voient verser
ici mon propre sang, que de même donc ils périssent
sous les coups des plus proches des leurs, qui ainsi à
leur tour verseront leur propre sang. Allez ! Érinyes,
promptes vengeresses, allez, mettez-vous au festin,
n'épargnez pas leur peuple, leur peuple tout entier. Et
toi, qui vas menant ton char dans les hauteurs du
firmament, Soleil, quand tu verras la terre de mes
pères, retiens tes rênes plaquées d'or pour annoncer
mes malheurs et ma fin à mon vieux père et à ma
pauvre mère. Ah ! quand la malheureuse apprendra la
nouvelle, c'est un long sanglot que sans doute elle
poussera par toute la ville !... Mais à quoi bon se
lamenter pour rien ? Il faut se mettre à la besogne au
contraire, et vivement. O Mort, ô Mort, voici l'heure,
viens, jette un regard sur moi. Mais toi du moins, là-
bas, je pourrai te parler encore, tu seras toujours près
de moi. Tandis que toi, clarté de ce jour radieux, et toi,
Soleil sur ton char, je vous salue ici pour la dernière
fois, et jamais plus ne le ferai. Lumière ! Sol sacré de
ma terre natale, Salamine, qui sers d'assise au foyer de
mes aïeux ! Illustre Athènes avec ton peuple frère ! Et
vous, sources et fleuves que j'ai là sous les yeux,
plaines de Troade, tous ensemble, je vous salue ici :
adieu, vous qui m'avez nourri ! Voilà le dernier mot
que vous adresse Ajax. Désormais c'est à ceux d'en bas
dans l'Enfer que je parlerai.

> *(Il se jette sur son épée. Mais un buisson dérobe*
> *son cadavre à la vue du Chœur, qui entre à ce moment*
> *dans l'orchestre.)*

Vif.

PREMIER DEMI-CHŒUR : *Peine sur peine, toujours peiner !*
Par où, par où n'ai-je donc point passé ?
  Et pas un lieu qui sache me dire son secret. Attention !
attention ! cette fois j'entends un bruit.

SECOND DEMI-CHŒUR : *C'est nous, tes compagnons sur*
ton vaisseau en mer.

PREMIER DEMI-CHŒUR : *Et qu'as-tu à me dire ?*

SECOND DEMI-CHŒUR : *J'ai exploré entièrement le côté*
ouest de la flotte.

PREMIER DEMI-CHŒUR : *Et tu y as trouvé ?...*

SECOND DEMI-CHŒUR : *Une immense fatigue, rien en*
revanche qui ait frappé mes yeux.

PREMIER DEMI-CHŒUR : *Je n'ai pas, ma foi ! gagné*
davantage à parcourir le côté du levant. Nulle part l'homme
n'apparaît.

Agité.

LE CHŒUR : *N'est-il donc personne, ou parmi ces rudes*
pêcheurs dont la nuit se passe à guetter leur proie,
  ou parmi les déesses qui habitent l'Olympe, ou parmi tous les
fleuves qui coulent du Bosphore, personne qui voie quelque part
errer l'homme au cœur farouche et nous en avise d'un cri ? Je me
désole à penser
  que je suis là, perdant mon temps et ma peine, sans que
jamais dans ma course je rencontre un vent favorable, sans que je
puisse apercevoir notre héros désemparé.

> *(Un cri s'élève de derrière un buisson.)*

TECMESSE : Hélas ! hélas ! sur moi !

LE CORYPHÉE : De qui vient donc le cri qui sort là du
fourré tout près ?

TECMESSE : Ah ! malheureuse !

LE CORYPHÉE : C'est l'épouse, la captive, la pauvre Tecmesse, que je vois plongée dans cette désolation.

TECMESSE : Pour moi, voilà la fin, la mort, la ruine, amis !

LE CORYPHÉE : Qu'est-ce donc ?

TECMESSE : Ajax est là, à terre, baignant dans son sang encore tout fumant, transpercé d'un fer que son corps nous cache.

LE CHŒUR : *Hélas ! Et mon retour ! Hélas ! seigneur ! tu as, malheureux, assassiné ton compagnon de route. Hélas ! pauvre femme !*

TECMESSE : Tel est le sort d'Ajax : tu as lieu de gémir.

LE CORYPHÉE : Par quelle main a donc agi le malheureux ?

TECMESSE : Par sa propre main. La chose est assez claire ; l'épée plantée au sol qui transperce son corps dénonce aussi le meurtrier.

LE CHŒUR : *Ah ! pour moi, quel désastre ! Tu auras donc ainsi versé ton sang tout seul, hors du rempart de tes amis.*

Et moi, sourd à tout, ignorant de tout, j'ai failli à ma tâche Où donc, où donc gît-il, Ajax l'intraitable, Ajax au nom sinistre ?

TECMESSE : Il n'est pas en état d'être vu. Je le couvrirai de ce manteau qui le cachera tout entier. Personne — fût il de ses proches — n'aurait le courage de le voir ainsi, crachant par les narines et par sa plaie sanglante le sang noir de son suicide. Las ! que vais-je faire ? Qui des siens va le relever ? Où est Teucros ? Qu'il arriverait donc à propos, s'il venait maintenant m'aider à apprêter le corps de son frère ! O malheureux Ajax, qu'as-tu été, et qu'es-tu à cette heure ? C'est au point que tu mérites les pleurs de tes ennemis mêmes.

Agité.

LE CHŒUR : *Tu devais, malheureux, tu devais, je le vois, avec ton cœur inflexible, finir par épuiser ton lot,*

ton douloureux lot d'immenses souffrances. Pourquoi férocement, la nuit et le jour, lançais-tu donc tant de plaintes haineuses à l'égard des Atrides, et avec une si funeste passion ?

Oui, il est là, terrible, à l'origine de nos maux, le jour où fut créé en faveur du plus brave, ce débat engagé autour d'armes maudites !

TECMESSE : Hélas ! hélas sur moi !

LE CORYPHÉE : Je sais qu'un vrai malheur te perce jusqu'au foie.

TECMESSE : Hélas ! Hélas !

LE CORYPHÉE : Je ne m'étonne certes pas que tu redoubles de sanglots, à l'heure où tu viens, femme, d'être privée d'un tel ami.

TECMESSE : Tu imagines, toi ; mais moi, mon âme sent — plus qu'elle ne voudrait.

LE CORYPHÉE : J'en conviens comme toi.

TECMESSE : Ah ! mon petit [1], vers quel joug d'esclave nous marchons maintenant, avec les maîtres qui nous commandent désormais.

LE CHŒUR : *Oh ! l'horrible conduite que ton langage prête là aux deux implacables Atrides, en présence d'un tel revers. Veuillent les dieux te l'épargner !*

TECMESSE : Nous ne serions pas où nous sommes, si les dieux n'y avaient aidé.

LE CORYPHÉE : Ils nous ont procuré là un faix trop lourd de chagrins.

TECMESSE : Oui, c'est l'œuvre de la fille de Zeus. Pallas, la terrible déesse, a voulu complaire à Ulysse.

LE CHŒUR : *Certes, il triomphe en son cœur sombre, le héros d'endurance ;*

il rit de ces accès de folie douloureuse, il en rit aux éclats —

hélas ! quelle pitié ! — et, avec lui, lorsqu'il leur en dit la
nouvelle, rient les deux rois issus d'Atrée.

TECMESSE : Ah ! qu'ils rient donc tout à leur aise !
qu'ils triomphent de ses malheurs ! S'ils ne l'aimaient
pas vivant, mort, ils le pleureront sans doute, lorsqu'il
leur manquera sur le champ de bataille. Les esprits
vulgaires ne comprennent le prix de ce qu'ils possèdent
que du jour où ils l'ont perdu. Si sa mort m'est une
peine, plus vive que leur joie, à eux, pour lui du moins
elle n'est que douceur, puisqu'il a obtenu l'objet de ses
désirs, la mort qu'il convoitait. Pourquoi donc iraient-
ils l'insulter de leurs rires ? Il a, par sa mort, satisfait
aux dieux — aux Atrides, non ! Ulysse après cela
pourra perdre son temps à faire l'insolent : Ajax pour
eux n'est plus. A moi, en revanche, il ne laisse en
mourant que douleurs et sanglots.

> *(Elle rentre dans la baraque. On entend gémir*
> *Teucros dans le lointain, avant de le voir entrer dans*
> *l'orchestre.)*

TEUCROS : Hélas ! hélas sur moi !

LE CORYPHÉE : Tais-toi, il me semble entendre la
voix de Teucros, et le chant qu'elle clame vise ce
désastre.

TEUCROS : O Ajax chéri, visage fraternel, as-tu
vraiment eu le sort qu'affirme la voix publique ?

LE CORYPHÉE : Oui, il est bien mort, Teucros, sois-
en sûr.

TEUCROS : Ah ! l'écrasant destin qui pèse donc sur
moi !...

LE CORYPHÉE : Oui, c'en est fait...

TEUCROS : Ah ! malheur ! malheur !

LE CORYPHÉE : ... et tu as tout lieu de gémir.

TEUCROS : Ah ! cruelle douleur !

LE CORYPHÉE : Trop cruelle, Teucros.

TEUCROS : Ah ! malheur ! Et son fils, qu'est-il

devenu? En quel lieu de Troade est-il maintenant? dis-moi.

LE CORYPHÉE : Seul, près des baraques...

TEUCROS : Vas-tu donc pas bien vite nous l'amener ici? Il ne faut pas qu'un de nos ennemis vienne nous le ravir, comme on fait des petits d'une lionne veuve. Va, et vite! aide-nous. Le monde est toujours prêt à bafouer les morts, sitôt qu'ils sont à terre.

LE CORYPHÉE : Aussi bien, le héros lui-même, alors qu'il vivait encore, t'invitait, Teucros, à veiller sur lui, comme justement tu le fais ici.

TEUCROS : Ah! le voilà bien le plus douloureux de tous les spectacles que mes yeux jamais aient pu contempler[1], et la route de toutes les routes la plus pénible à mon cœur, celle qui m'a mené ici, du moment où, instruit de ta mort, ô très cher Ajax, j'ai passé le pas pour suivre ta trace. Un bruit, un bruit si prompt qu'on l'eût dit venu d'un dieu, avait soudainement couru l'armée grecque : c'en était fait, tu étais mort! En l'entendant, malheureux, j'ai d'abord gémi à l'écart. Mais à présent je te vois, et j'en meurs!... Ah! misère! Allons, découvre-le, que je voie mon malheur tout entier. O lugubre spectacle, miroir d'un si cruel courage! Que de chagrins ta mort, Ajax, aura donc semés dans ma vie! Où aller maintenant! vers quels hommes! moi qui n'ai jamais su t'apporter un secours au milieu de tes peines! Oui, vraiment, il me recevra d'un air affable et accueillant, Télamon, notre père, quand je reviendrai seul, sans toi! Comment en douter? Lui qui même à un fils vainqueur n'accorderait pas sans doute plus doux sourire pour cela! Et c'est lui qui se contraindrait, qui m'épargnerait une injure, à moi, le bâtard, le fils d'une captive de sang ennemi[2], moi qui par lâcheté, qui par couardise, t'ai trahi, cher Ajax — ou par perfidie même, pour obtenir, au moyen de ta mort, et ton pouvoir et ton palais! C'est là ce qu'il dira, acerbe comme il est, encore aigri par l'âge, toujours prêt à s'emporter et à quereller sans raison. Si bien que, pour finir, je serai rejeté, banni de mon pays [1], et qu'on parlera de moi désormais comme d'un esclave, et non plus d'un homme libre. Voilà pour mon retour. Mais déjà en Troade, que d'ennemis pour moi, et combien peu d'appuis ! Tout cela, c'est ta mort qui me l'aura valu. Las ! que faire ? comment te dégager de ce fer luisant, de ce fer cruel, qui fut ton meurtrier et t'arracha la vie, malheureux ? Tu as vu comment Hector a fini en mourant par te tuer à son tour. Admirez, je vous prie, le sort de ces deux hommes. C'est avec la ceinture même dont Ajax lui avait fait don qu'Hector, lié à la rampe d'un char [2] d'une façon qui lui sciait la chair, se vit traîné, déchiré sans merci, jusqu'à ce qu'il expirât alors que celui qui l'avait reçue en présent de lui a péri par cette épée sur laquelle il a chu d'une chute mortelle. Est-ce pas l'Érinye qui forgea ce fer, et Hadès, artisan féroce, qui fabriqua ce lien ? Pour moi, ici comme partout, je dirais volontiers que les dieux s'ingénient à façonner eux-mêmes les destins des mortels. Bien des gens se refusent à penser de la sorte : qu'ils gardent leurs idées, je garde moi, les miennes.

LE CORYPHÉE : N'en dis pas davantage. Occupe-toi bien plutôt de la tombe où tu vas déposer Ajax, et aussi du langage que tu vas avoir à tenir. J'aperçois là un ennemi, qui pourrait bien, en vrai bandit qu'il est, venir rire de nos malheurs.

TEUCROS : Quel guerrier de l'armée vois-tu donc s'avancer ?

LE CORYPHÉE : Ménélas, celui même pour qui nous avons pris la mer.

TEUCROS : Je le vois ; de plus près, il se laisse aisément reconnaître.

(Entre Ménélas.)

MÉNÉLAS : Eh là ! l'homme ! je te défends de prendre
ce mort dans tes bras ; laisse-le où il est.

TEUCROS : Et qu'est-ce qui te fait dépenser tant de
mots ?

MÉNÉLAS : Tel est mon bon plaisir, tel est celui du
chef de notre armée.

TEUCROS : Et pourrais-tu me dire la raison invo-
quée ?

MÉNÉLAS : La raison, c'est qu'en cet homme nous
avions pensé emmener de Grèce un allié, un ami des
Grecs, et qu'à l'épreuve nous avons découvert en lui
un ennemi pire que les Phrygiens. N'a-t-il pas comploté le massacre de toute l'armée ? et n'est-il pas parti
en guerre contre nous, au milieu de la nuit, pour nous
détruire de son fer ? Et si une divinité n'eût étouffé sa
tentative, c'est nous qui eussions en mourant subi le
sort qu'il a subi lui-même, c'est nous qui serions à cette
heure étendus à terre, frappés de mort ignominieuse,
alors qu'il vivrait encore ! Le ciel a heureusement
détourné sa folle insolence sur nos moutons et sur nos
bœufs, et c'est pourquoi il n'est pas aujourd'hui
d'homme assez puissant pour mettre son corps au
tombeau ; c'est pourquoi, jeté sur le sable fauve, son
cadavre va au contraire nourrir les oiseaux du rivage.
Ainsi garde-toi bien de soulever ici un flux de fureur. Si
nous n'avons pu venir à bout de lui vivant, bon gré mal
gré nous le ferons obéir mort, et ce sont nos bras qui le
dresseront, puisque de notre bouche il n'a jamais, tant
qu'il vivait, voulu entendre un seul mot. Pourtant c'est
le fait d'un traître que de prétendre, quand on n'est
qu'un sujet, ne pas obéir à ses chefs. Jamais les lois
dans un État ne seraient admises ainsi qu'il le faut, si
la crainte ne régnait pas ; et jamais plus une armée ne
ferait montre de sage discipline, sans un rempart de
crainte et de respect. Un homme doit savoir que,
quand même il aurait stature de géant, il n'en peut pas
moins succomber à un mal de rien. Celui qui garde

dans son cœur crainte et vergogne à la fois, celui-là,
sois-en sûr, porte son salut en lui. Crois bien que le
pays où l'on peut à sa guise étaler son insolence et faire
tout ce que l'on veut, même avec des vents favorables,
finit par aller au fond. Qu'en moi règne toujours une
crainte accordée aux événements ; et n'allons pas nous
figurer qu'en faisant ce qui nous plaît nous n'aurons
jamais en revanche à subir rien qui nous déplaise.
Chaque chose a son tour. Cet homme était, hier, brutal
et arrogant : aujourd'hui, c'est à moi à le prendre de
haut. Je te somme donc de ne pas enterrer ce mort — à
moins que tu ne veuilles, en préparant sa tombe,
rencontrer toi-même la tienne.

LE CORYPHÉE : Ne commence pas, Ménélas, par
poser de sages principes, pour ne plus étaler ensuite
qu'insolence à l'égard des morts.

TEUCROS : Non, vraiment, mes amis, je ne puis
m'étonner de voir parfois un homme qui par le sang
n'est rien commettre une sottise, lorsque j'entends des
gens qui semblent des mieux nés tenir en discutant des
propos aussi sots. Voyons, reprenons du début. Ainsi
tu prétends avoir amené Ajax en Troade comme allié
de ton choix pour les Achéens ? Ce ne serait plus alors
de lui-même, ni étant son propre maître, qu'il se serait
embarqué ? Mais qu'est-ce donc qui fait de toi son
chef ? Qu'est-ce donc qui te permet de parler en roi à
des hommes qu'il a lui-même amenés de chez lui ? Tu
es parti roi de Sparte, et non notre roi, à nous. Il n'est
point de règle concernant le commandement qui
t'autorise à diriger Ajax plus qu'Ajax à te diriger. Tu
es parti sous les ordres d'un autre, et non pas comme
chef de tous, ayant droit de jamais commander à Ajax.
Commande à ceux qui sont sous ton commandement,
adresse-leur, à eux, tes sévères semonces ; mais quant à
celui-là, quoi que vous puissiez dire, ou toi ou l'autre
chef, j'entends, moi, lui donner une tombe, la tombe
qu'il mérite, et tes mots ne me font pas peur. S'il est

parti en guerre, ce n'est pas pour ta femme, comme les gens que presse une immense misère, c'est pour être fidèle aux serments jurés ; mais ce n'est certes pas pour toi ; il ne faisait nul cas des gens qui ne sont rien ! Dès lors, si tu reviens, amène donc quelques hérauts de plus, voire le chef en personne [1] ; à tout le bruit que tu peux faire, toi, je ne tournerai pas seulement la tête, tant que tu seras l'être que tu es.

LE CORYPHÉE : Ce sont là des propos que je n'aime guère, quand on se trouve en plein malheur. Des mots trop durs blessent, pour justes qu'ils puissent être.

MÉNÉLAS : Cet archer [2] paraît n'être pas peu fier.

TEUCROS : C'est qu'il ne pense pas avoir un vil métier.

MÉNÉLAS : Quel orgueil aurais-tu alors, si tu portais un bouclier.

TEUCROS : Même la poitrine nue, j'aurais raison de ton armure.

MÉNÉLAS : C'est de mots que chez toi se nourrit le courage.

TEUCROS : Avec le droit pour soi, on peut bien être fier.

MÉNÉLAS : Le droit veut-il qu'Ajax triomphe, alors qu'il m'a assassiné ?

TEUCROS : Assassiné ? Le mot est bien étrange ; tu serais vivant tout en étant mort ?

MÉNÉLAS : Un dieu m'a préservé : pour Ajax, je suis mort.

TEUCROS : N'insulte pas les dieux, puisqu'ils t'ont préservé.

MÉNÉLAS : Quoi ! pour toi je discute ici les lois des dieux ?

TEUCROS : Eh oui ! Si tu m'empêches d'enterrer les morts.

MÉNÉLAS : Si ces morts sont nos ennemis, les enterrer est une honte.

TEUCROS : As-tu vu Ajax devant toi, du côté de nos ennemis ?

MÉNÉLAS : Je le haïssais, il me haïssait, et tu le savais.

TEUCROS : Tu t'étais révélé un voleur de suffrages.

MÉNÉLAS : Son échec fut le fait des juges, non de moi.

TEUCROS : N'aurais-tu donc pas en cachette adroitement machiné le scrutin ?

MÉNÉLAS : Ce mot coûtera cher à quelqu'un que je sais.

TEUCROS : Moins cher qu'il ne devra me le payer ensuite.

MÉNÉLAS : Je n'ai plus qu'un mot à te dire : « Pour cet homme, point de tombeau. »

TEUCROS : Et je te répondrai, moi : « Cet homme aura son tombeau. »

MÉNÉLAS : J'ai vu, jadis, un homme, fort hardi en paroles, qui pressait les marins de partir par gros temps, et dont tu n'aurais pu tirer ensuite un mot, une fois qu'il était au cœur de la tempête. Enfoui sous son manteau, il se laissait alors fouler aux pieds par n'importe quel matelot. Il se pourrait bien qu'il en fût de même pour toi et ta bouche arrogante. Que d'un petit nuage souffle le vent d'une grosse tempête, il étouffera bien vite tes cris.

TEUCROS : Moi aussi, j'ai vu jadis un homme empli de sottise, qui faisait l'insolent, alors que son prochain était dans le malheur. Sur ce, quelqu'un, qui me ressemblait fort et qui était de mon humeur, l'aperçoit et lui dit : « Eh ! l'ami, ne maltraite donc pas les morts ; sans quoi il t'en cuira, sois-en sûr. » Voilà la leçon qu'il donnait, bien en face, à un nigaud. Et celui-ci est sous mes yeux, ma foi ! et ce n'est, je crois, nul autre que toi. Est-ce là parler par énigme ?

MÉNÉLAS : Je m'en vais, j'aurais trop de honte, si

l'on venait à apprendre que j'emploie des mots pour
punir, alors que j'ai la force en main.

TEUCROS : Va-t'en donc ; j'aurais, moi, plus de
honte encore à écouter les sottises d'un fat.

(Ménélas sort.)

✕ LE CORYPHÉE : Voici l'instant décisif d'une terrible querelle ; va, hâte-toi, Teucros, autant que tu
pourras ; vois à faire au plus tôt creuser une fosse où
notre Ajax trouvera l'humide tombeau qui doit conserver sa mémoire parmi les hommes à jamais. ✕

(Entrent Tecmesse et son fils.)

TEUCROS : Mais voici justement pour la circonstance
qu'approchent son fils et sa femme. Ils entendent
donner leurs soins à la tombe du pauvre mort. Viens,
petit, viens plus près ; touche en suppliant le père à qui
tu dois le jour. Agenouille-toi là, implorant son appui
et ayant en main nos cheveux, à moi, à ta mère, à toi-
même. Les suppliants n'ont pas d'autre trésor. Si
quelqu'un dans l'armée prétend t'arracher de force à
ce mort, que, misérable, misérablement, il s'en aille,
expulsé de ce pays, où il ne devra plus trouver de
sépulture ; et qu'il voie sa race entière fauchée jusqu'en
sa racine, tout comme ici je coupe, moi, cette boucle
sur mon front. Prends-la, enfin, garde-la bien. Que
personne ne te fasse bouger d'ici ; reste accroché au sol
où s'appuient tes genoux. *(Au Chœur.)* Et vous aussi,
montrez-vous des hommes, non des femmes, et défen-
dez-les jusqu'à l'heure où je reviendrai, ayant assuré,
fût-ce contre tous, sa tombe à ce mort.

(Il sort.)

Modéré.

LE CHŒUR : *Quand s'achèvera-t-elle, cette longue suite
d'années vagabondes,*

qui chaque jour m'apporte la constante disgrâce de peiner sous les armes,

à travers la vaste Troade, triste opprobre pour les Grecs !

Ah ! que ne s'est-il donc plutôt enfoncé dans l'immense Éther, ou dans l'Enfer ouvert à tous,

l'homme qui a un jour révélé aux Grecs la fureur collective des armes exécrables !

Ah ! douleurs, mères de douleurs ! C'est lui qui a perdu les hommes.

Un peu plus vif.

C'est lui qui m'a refusé le contact charmant des couronnes, des coupes profondes,

et le bruit suave des flûtes — le misérable ! — et les plaisirs de la nuit et du lit.

Pour moi, il a mis un terme aux amours — aux amours, hélas ! — et me voilà, couchant à la dure, les cheveux toujours trempés par les rosées incessantes. Ah ! je n'oublierai pas l'inclémente Troade.

Jusqu'ici du moins, contre les frayeurs nocturnes, contre les traits de l'ennemi, j'avais un rempart, Ajax le Vaillant.

Mais aujourd'hui cet Ajax est la proie d'un destin d'horreur. Quel plaisir, quel plaisir sera mien désormais ?

Ah ! si je pouvais être devant le cap boisé que baigne la mer, au pied du haut plateau du Sounion, afin de saluer de là la sainte Athènes[1] !

(Teucros revient.)

TEUCROS : J'ai hâté le pas, quand j'ai vu le Chef, Agamemnon, venir ici vers nous. Il va évidemment déverser sur moi son brutal langage.

(Entre Agamemnon.)

AGAMEMNON : C'est donc toi qui, contre moi, oses ainsi impunément hurler les mots étranges que l'on me rapporte ? Oui, toi, je dis bien : toi, le fils de la captive.

Mais que ferais-tu donc, si tu étais né d'une noble
mère ? Tu parlerais du haut de ta grandeur, tu te
pavanerais dressé sur tes ergots, puisque aujourd'hui,
alors que tu n'es rien, tu te fais le champion de qui
n'était rien ; puisque te voilà attestant les dieux que
nous ne sommes chefs ni de l'armée ni de la flotte
grecques, pas plus que de toi-même, et qu'Ajax est
parti, à ce que tu prétends, n'ayant d'autre maître que
lui ! N'est-il pas effrayant d'entendre tels outrages
d'une bouche d'esclave ? Et quel est l'homme pour
lequel tu vas poussant des clameurs si hautaines ? Où
a-t-il donc jamais été, où l'a-t-on jamais vu posté où je
ne fusse moi aussi ? Les Achéens alors ne comptent pas
d'autres guerriers que lui ?... Vraiment, c'est un
fâcheux concours que nous avons naguère ouvert aux
Argiens pour les armes d'Achille, si maintenant, grâce
à Teucros, nous devons passer pour des lâches et si,
non contents de vous refuser à admettre, une fois
battus, un arrêt qu'a prononcé la majorité de vos
juges, vous allez encore nous jeter sans cesse des
insultes à la face, ou nous poindre traîtreusement,
vous, qui n'êtes que des vaincus. Avec de pareilles
façons pas une loi ne demeurerait stable. Nous faudra-
t-il donc repousser tous ceux que l'équité désigne pour
vainqueurs et amener au premier rang ceux qui se
trouvent au dernier ? Non, à cela il faut mettre ordre.
Ce ne sont pas les gros gaillards, larges d'épaules, qui
sont aussi les plus solides : les hommes de sens
l'emportent partout. Le bœuf a de larges flancs : il
suffit pourtant d'un mince aiguillon pour le faire
marcher droit. Et, pour toi-même, je vois venir bientôt
quelque chose qui te calmera si tu n'as pas encore
acquis un peu de sens, toi qui, pour un mort, pour ce
qui n'est qu'une ombre, ne crains pas de venir faire ici
l'arrogant et dire tout ce qui te plaît. Ne veux-tu donc
pas être raisonnable ? Ne veux-tu pas comprendre qui
tu es, et nous amener à ta place un homme libre,

capable de plaider ta cause devant nous. Quand c'est
toi qui parles, je ne peux comprendre : je n'entends pas
la langue des Barbares[1].

LE CORYPHÉE : Ah! que ne pouvez-vous tous deux
avoir assez de sens pour être raisonnables! Je n'ai pas
de meilleur avis, pour ma part, à vous donner.

TEUCROS : Las! que la gratitude — pourtant due à
ce mort — fuit donc vite des cœurs humains et commet
la plus flagrante trahison, si aujourd'hui pour toi,
Ajax, cet homme-là ne trouve pas le moindre mot de
souvenir, alors que tu as, toi, pour lui, exposé si
souvent ta vie dans les fatigues du combat. Et voilà
tout ce passé perdu et jeté aux vents! Mais dis-moi, toi
qui viens nous tenir de si longs et si sots discours, n'as-
tu pas conservé mémoire du jour où vous étiez bloqués
dans votre enceinte, ne comptant déjà plus, et où ce
héros vint tout seul vous épargner une déroute, alors
que déjà la flamme brillait au haut des gaillards de la
flotte et qu'Hector, franchissant le fossé, d'un bond
puissant sautait sur nos carènes[2]? Qui donc alors
écarta de vous le malheur? N'est-ce pas lui qui fut
l'auteur de cet exploit, lui dont tu prétends qu'il ne fut
jamais où tu ne fusses aussi? N'est-ce pas lui qui fit
pour vous ce que l'heure exigeait? Et, de même encore,
quand, face à Hector, seul à seul, désigné par le sort, et
non pas sur un ordre, il s'offrit pour lutter? Il n'avait
point alors jeté parmi les autres une marque fuyante,
une motte de terre humide, mais au contraire un sort
qui pût, d'un bond aisé, sortir du casque le premier[3].
Oui, c'était lui qui faisait tout cela, et j'étais à ses
côtés, moi, moi l'esclave, le fils de la Barbare! A quoi
pensas-tu donc, pauvre homme, lorsque tu parles de la
sorte? Sais-tu pas ce qu'était le père de ton père,
l'antique Pélops? Un Barbare, un Phrygien. Et cet
Atrée aussi, qui t'engendra? Le plus grand des impies,
l'homme qui à son frère servit la chair de ses enfants.
Et toi-même, n'es-tu pas né d'une Crétoise, que son

père surprit dans les bras d'un amant, un amant qu'il
fit jeter en pâture aux poissons muets [1] ? Et c'est toi, toi
sorti d'une souche pareille, qui reproches son origine à
un homme tel que moi, le fils de ce Télamon, qui,
après avoir obtenu la gloire du plus brave de l'armée,
eut pour femme la mère dont je suis né, une reine par
le sang, puisqu'elle était fille de Laomédon, celle que le
fils d'Alcmène lui avait lui-même offerte comme un
cadeau du plus haut prix. Et j'irais, moi, héros
doublement fils de héros, faire le déshonneur des
hommes de mon sang qui sont là, sur le sol, dans la
pire détresse, et que tu prétends, toi, jeter à la voirie !...
Dire que tu oses clamer pareils mots sans vergogne !
Eh bien, sache-le, si vous jetez ce corps à la voirie, vous
y jetterez tout ensemble nos trois corps, à nous aussi. Il
est plus beau pour moi de mourir en luttant franchement pour Ajax qu'en luttant pour ta femme ou celle
de ton frère. Considère donc ton intérêt et non le mien.
Si tu me fais la moindre injure, un jour viendra où tu
souhaiteras fort t'être montré à mon endroit un couard
plutôt qu'un bravache.

(Entre Ulysse.)

LE CORYPHÉE : Roi Ulysse, sache-le, tu arrives à
propos, si ta présence ici amène ces deux hommes à se
détendre, au lieu de se raidir.

ULYSSE : Qu'est-ce donc mes amis ? J'ai entendu de
loin les Atrides crier sur le corps de ce brave.

AGAMEMNON : Et ne venons-nous pas d'entendre de
cet homme, roi Ulysse, les propos les plus infamants ?

ULYSSE : Quels propos ? j'excuse volontiers qui
entend des mots malséants d'y répondre par des
outrages.

AGAMEMNON : S'il s'est entendu traiter en infâme,
c'est qu'il m'avait traité de même.

ULYSSE : Que t'avait-il fait qui t'eût porté tort ?

AGAMEMNON : Il déclare ne pas admettre que ce

mort soit privé de tombe, et il prétend l'enterrer malgré moi.

ULYSSE : M'est-il permis de te parler ouvertement et de te rendre ainsi un service d'ami, aujourd'hui comme hier ?

AGAMEMNON : Parle, je t'en prie. J'aurais sans cela bien peu de raison : tu es à mes yeux mon plus grand ami entre tous les Grecs.

ULYSSE : Eh bien ! écoute-moi. Daigne, au nom des dieux, ne pas jeter ainsi, impitoyablement, cet homme à la voirie. Ne laisse pas la violence triompher aujourd'hui de toi, et que ta haine n'aille pas jusqu'à fouler aux pieds le Droit. Pour moi aussi, il était le pire ennemi que j'eusse dans toute l'armée, du jour où j'étais devenu le maître des armes d'Achille. Et, malgré tout, je ne saurais répondre à sa haine par un affront ; je ne saurais nier que j'aie vu en lui le plus brave d'entre nous, d'entre tous les Grecs venus en Troade — Achille excepté. Il serait dès lors inique de lui infliger un affront. Ce serait là attenter aux lois divines, beaucoup plus encore qu'à lui. Nul n'est en droit de maltraiter un brave, une fois qu'il est mort, fût-il l'objet de votre pire haine.

AGAMEMNON : Comment ? c'est toi, Ulysse, qui te déclares ici son champion contre moi ?

ULYSSE : Oui, je le haïssais, mais lorsque mon devoir était de le haïr.

AGAMEMNON : Il est mort : c'est donc le moment de mettre ton pied sur son corps.

ULYSSE : Ne te plais pas, Atride, à des succès sans gloire.

AGAMEMNON : Il n'est pas toujours facile à un roi d'être pieux.

ULYSSE : Il l'est d'avoir égard aux bons conseils des siens.

AGAMEMNON : Le brave doit l'obéissance à ceux qui tiennent le pouvoir.

ULYSSE : Je t'arrête : tu restes le maître, lorsque tu cèdes à tes amis.

AGAMEMNON : Rappelle-toi quel était l'homme pour qui tu veux cette faveur.

ULYSSE : C'était mon ennemi, sans doute, mais c'était aussi un héros.

AGAMEMNON : Que penses-tu donc faire ? As-tu tant de respect pour un ennemi mort ?

ULYSSE : Son mérite prévaut largement sur sa haine.

AGAMEMNON : Voilà bien les inconséquences qu'on rencontre chez les mortels.

ULYSSE : Eh oui ! beaucoup sont nos amis qui nous seront ensuite hostiles.

AGAMEMNON : Et ce sont de pareils amis que tu viens nous recommander ?

ULYSSE : Je n'ai jamais recommandé en tout cas les cœurs inflexibles.

AGAMEMNON : Tu veux donc nous faire apparaître aujourd'hui comme des couards ?

ULYSSE : Dis mieux : comme des justes aux yeux de tous les Grecs.

AGAMEMNON : En somme tu m'engages à laisser enterrer ce mort ?

ULYSSE : N'est-ce donc pas aussi le terme où je viendrai moi-même un jour ?

AGAMEMNON : C'est donc partout la même chose ; chacun va travaillant pour soi.

ULYSSE : Et pour qui donc travaillerais-je, si ce n'est pas d'abord pour moi ?

AGAMEMNON : La décision sera ton fait en ce cas, mais non pas le mien.

ULYSSE : Arrange la chose à ta guise : tu n'en auras pas moins l'honneur.

AGAMEMNON : Eh bien donc, sache-le, je serais prêt à t'accorder plus encore que tu ne demandes. Pour cet homme en revanche, qu'il soit ici ou qu'il soit là, il restera toujours pour moi le plus grand de mes ennemis. Tu n'en demeures pas moins libre d'agir ainsi que tu l'entends.

(Il sort.)

LE CORYPHÉE : Qui ne reconnaît pas, Ulysse, qu'ainsi fait tu as l'âme d'un sage, n'est lui-même qu'un sot.

ULYSSE : Je ferai plus : à Teucros à son tour je déclare qu'il me sera de ce jour aussi cher qu'il m'était alors odieux. Et je veux avec lui ensevelir ce mort, avec lui besogner et ne rien négliger des peines qu'on doit prendre pour honorer les braves.

TEUCROS : Je ne puis, noble Ulysse, qu'approuver pleinement ton langage. Tu as donné à mes craintes un vigoureux démenti. Tu étais le pire ennemi de ce héros parmi les Grecs, et tu auras été le seul à le protéger de ton bras. Tu t'es refusé à infliger en face un éclatant outrage, toi, vivant, à ce mort, et à suivre ce chef soudain pris de démence, venu ici avec son frère dans l'intention tous deux de l'outrager, de le jeter à la voirie. Aussi puissent le Père [1] qui règne sur l'Olympe, et l'Érinys, qui n'oublie pas, et la Justice enfin, juge en dernier appel, les faire périr tous les deux misérables, misérablement, comme ils prétendaient eux-mêmes rejeter outrageusement un héros qui méritait mieux. Cependant, sang du vieux Laërte, j'hésite à te permettre de prêter la main à ces funérailles : je craindrais de faire ainsi une chose qui déplût au mort. Pour le reste, je suis prêt à accepter ton concours et, si tu songes à amener ici tel ou tel membre de l'armée, nous n'en aurons nul déplaisir. Je me charge moi, de ce qui me regarde. Sache seulement qu'à nos yeux tu es un preux désormais.

ULYSSE : C'était ce que j'eusse voulu, mais, s'il te déplaît qu'il en soit ainsi, je m'efface et me range à ton vœu.

(Ulysse s'en va.)

Mélodrame.

✕ TEUCROS : Assez parlé ! Nous avons déjà laissé se perdre trop de temps. Allons ! vous, vite de vos mains creusez une fosse profonde. Disposez, vous autres, au milieu du feu un haut trépied pour les ablutions saintes. Qu'un autre groupe enfin aille dans sa baraque chercher la brillante armure que couvrait son bouclier. Et toi, petit, passe tendrement tes mains sous ses flancs ; dans la mesure de tes forces, aide-moi à le soulever. Les veines encore brûlantes soufflent en l'air un jet noirâtre. Allons ! que tous ceux qui ici prétendent être des siens se mettent tous en branle, que tous viennent servir le Brave sans défaut. Ils ne pourront jamais servir plus vaillant homme. Je dis cela d'Ajax, lorsqu'il vivait !

(Le Chœur se joint au cortège funèbre.)

LE CORYPHÉE : Les hommes ont loisir de connaître beaucoup de choses en les voyant ; mais l'avenir, il n'est pas de devin, avant de l'avoir vu, qui connaisse ce qu'il sera. ✕

Œdipe Roi

PERSONNAGES

ŒDIPE, *roi de Thèbes.*

LE PRÊTRE DE ZEUS.

CRÉON, *fils de Ménécée, frère de Jocaste.*

CHŒUR DE VIEILLARDS THÉBAINS.

TIRÉSIAS, *devin.*

JOCASTE, *veuve de Laïos, femme d'Œdipe.*

UN CORINTHIEN.

UN SERVITEUR DE LAÏOS.

UN MESSAGER.

Devant le palais d'Œdipe. Un groupe d'enfants est accroupi sur les degrés du seuil. Chacun d'eux a en main un rameau d'olivier. Debout, au milieu d'eux, est le prêtre de Zeus.

ŒDIPE : Enfants, jeune lignée de notre vieux Cadmos, que faites-vous là ainsi à genoux, pieusement parés de rameaux suppliants ? La ville est pleine tout ensemble et de vapeurs d'encens et de péans mêlés de plaintes. Je n'ai pas cru dès lors pouvoir laisser à d'autres le soin d'entendre votre appel, je suis venu à vous moi-même, mes enfants, moi, Œdipe — Œdipe au nom que nul n'ignore. Allons ! vieillard, explique-toi : tu es tout désigné pour parler en leur nom. A quoi répond votre attitude ? A quelque crainte ou à quelque désir ? Va, sache-le, je suis prêt, si je puis, à vous donner une aide entière. Il faudrait bien que je fusse insensible pour n'être pas pris de pitié à vous voir ainsi à genoux.

LE PRÊTRE : Eh bien ! je parlerai. O souverain de mon pays, Œdipe, tu vois l'âge de tous ces suppliants à genoux devant tes autels. Les uns n'ont pas encore la force de voler bien loin, les autres sont accablés par la vieillesse ; je suis, moi, prêtre de Zeus ; ils forment, eux, un choix de jeunes gens. Tout le reste du peuple, pieusement paré, est à genoux, ou sur nos places, ou devant les deux temples consacrés à Pallas, ou encore

près de la cendre prophétique d'Isménos[1]. Tu le vois
comme nous, Thèbes, prise dans la houle, n'est plus en
état de tenir la tête au-dessus du flot meurtrier. La
mort la frappe dans les germes où se forment les fruits
de son sol, la mort la frappe dans ses troupeaux de
bœufs, dans ses femmes, qui n'enfantent plus la vie[2].
Une déesse porte-torche, déesse affreuse entre toutes,
la Peste, s'est abattue sur nous, fouaillant notre ville et
vidant peu à peu la maison de Cadmos, cependant que
le noir Enfer va s'enrichissant de nos plaintes, de nos
sanglots. Certes ni moi ni ces enfants, à genoux devant
ton foyer, nous ne t'égalons aux dieux ; non, mais nous
t'estimons le premier de tous les mortels dans les
incidents de notre existence et les conjonctures créées
par les dieux. Il t'a suffi d'entrer jadis dans cette ville
de Cadmos pour la libérer du tribut qu'elle payait
alors à l'horrible Chanteuse[3]. Tu n'avais rien appris
pourtant de la bouche d'aucun de nous, tu n'avais reçu
aucune leçon : c'est par l'aide d'un dieu — chacun le
dit, chacun le pense — que tu as su relever notre
fortune. Eh bien ! cette fois encore, puissant Œdipe
aimé de tous ici, à tes pieds, nous t'implorons.
Découvre pour nous un secours. Que la voix d'un dieu
te l'enseigne ou qu'un mortel t'en instruise, n'importe !
Les hommes éprouvés se trouvent aussi ceux dont je
vois les conseils le plus souvent couronnés de succès.
Oui, redresse notre ville, ô toi, le meilleur des
humains ! Oui, prends garde pour toi-même ! Ce pays
aujourd'hui t'appelle son sauveur, pour l'ardeur à le
servir que tu lui montras naguère : ne va pas maintenant lui laisser de ton règne ce triste souvenir qu'après
notre relèvement il aura ensuite marqué notre chute.
Redresse cette ville définitivement. C'est sous d'heureux auspices que tu nous apportas autrefois le salut :
ce que tu fus, sois-le encore. Aussi bien, si tu dois
régner sur cette terre, comme tu y règnes aujourd'hui,
ne vaut-il pas mieux pour cela qu'elle soit peuplée que

déserte ? Un rempart, un vaisseau ne sont rien, s'il n'y a plus d'hommes pour les occuper.

ŒDIPE : Mes pauvres enfants, vous venez à moi chargés de vœux que je n'ignore pas — que je connais trop. Vous souffrez tous, je le sais ; mais quelle que soit votre souffrance, il n'est pas un de vous qui souffre autant que moi. Votre douleur, à vous, n'a qu'un objet : pour chacun lui-même et nul autre. Mon cœur à moi gémit sur Thèbes et sur toi et sur moi tout ensemble. Vous ne réveillez pas ici un homme pris par le sommeil. Au contraire, j'avais, sachez-le, répandu déjà bien des larmes et fait faire bien du chemin à ma pensée anxieuse. Le seul remède que j'aie pu, tout bien pesé, découvrir, j'en ai usé sans retard. J'ai envoyé le fils de Ménécée [1], Créon, mon beau-frère, à Pythô, chez Phœbos, demander ce que je devais dire ou faire pour sauvegarder notre ville. Et même le jour où nous sommes, quand je le rapproche du temps écoulé, n'est pas sans m'inquiéter : qu'arrive-t-il donc à Créon ? La durée de son absence dépasse le délai normal beaucoup plus qu'il n'est naturel. Mais dès qu'il sera là, je serais criminel, si je refusais d'accomplir ce qu'aura déclaré le dieu.

LE PRÊTRE : Tu ne pouvais parler plus à propos : ces enfants me font justement signe que Créon est là, qui approche.

ŒDIPE : Ah ! s'il pouvait, cher Apollon, nous apporter quelque chance de sauver Thèbes, comme on se l'imagine à son air radieux !

LE PRÊTRE : On peut du moins croire qu'il est satisfait. Sinon, il n'irait pas le front ainsi paré d'une large couronne de laurier florissant.

ŒDIPE : Nous allons tout savoir. Le voici maintenant à portée de nos voix. O prince, cher beau-frère, ô fils de Ménécée, quelle réponse du dieu nous rapportes-tu donc ?

(Créon entre par la gauche.)

CRÉON : Une réponse heureuse. Crois-moi, les faits les plus fâcheux, lorsqu'ils prennent la bonne route, peuvent tous tourner au bonheur.

ŒDIPE : Mais quelle est-elle exactement ? Ce que tu dis — sans m'alarmer — ne me rassure guère.

CRÉON : Désires-tu m'entendre devant eux ? je suis prêt à parler. Ou bien préfères-tu rentrer ?

ŒDIPE : Va, parle devant tous. Leur deuil à eux me pèse plus que le souci de ma personne.

CRÉON : Eh bien ! voici quelle réponse m'a été faite au nom de dieu. Sire Phœbos nous donne l'ordre exprès « de chasser la souillure que nourrit ce pays, et de ne pas l'y laisser croître jusqu'à ce qu'elle soit incurable ».

ŒDIPE : Oui. Mais comment nous en laver ? Quelle est la nature du mal ?

CRÉON : En chassant les coupables, ou bien en les faisant payer meurtre pour meurtre, puisque c'est le sang dont il parle qui remue ainsi notre ville.

ŒDIPE : Mais quel est donc l'homme dont l'oracle dénonce la mort ?

CRÉON : Ce pays, prince, eut pour chef Laïos, autrefois, avant l'heure où tu eus toi-même à gouverner notre cité.

ŒDIPE : On me l'a dit ; jamais je ne l'ai vu moi-même.

CRÉON : Il est mort, et le dieu aujourd'hui nous enjoint nettement de le venger et de frapper ses assassins.

ŒDIPE : Mais où sont-ils ? Comment retrouver à cette heure la trace incertaine d'un crime si vieux ?

CRÉON : Le dieu les dit en ce pays. Ce qu'on cherche, on le trouve ; c'est ce qu'on néglige qu'on laisse échapper.

ŒDIPE : Est-ce en son palais, ou à la campagne, ou hors du pays, que Laïos est mort assassiné ?

CRÉON : Il nous avait quittés pour consulter l'oracle, disait-il. Il n'a plus reparu chez lui du jour qu'il en fut parti.

ŒDIPE : Et pas un messager, un compagnon de route n'a assisté au drame, dont on pût tirer quelque information ?

CRÉON : Tous sont morts, tous sauf un, qui a fui, effrayé, et qui n'a pu conter de ce qu'il avait vu qu'une chose, une seule...

ŒDIPE : Laquelle ? Un seul détail pourrait en éclairer bien d'autres, si seulement il nous offrait la moindre raison d'espérer.

CRÉON : Il prétendait que Laïos avait rencontré des brigands et qu'il était tombé sous l'assaut d'une troupe, non sous le bras d'un homme.

ŒDIPE : Des brigands auraient-ils montré pareille audace, si le coup n'avait pas été monté ici et payé à prix d'or ?

CRÉON : C'est bien aussi ce que chacun pensa ; mais, Laïos mort, plus de défenseur qui s'offrît à nous dans notre détresse.

ŒDIPE : Et quelle détresse pouvait donc bien vous empêcher, quand un trône venait de crouler, d'éclaircir un pareil mystère ?

CRÉON : La Sphinx aux chants perfides, la Sphinx, qui nous forçait à laisser là ce qui nous échappait, afin de regarder en face le péril placé sous nos yeux.

ŒDIPE : Eh bien ! je reprendrai l'affaire à son début et l'éclaircirai, moi. Phœbos a fort bien fait — et tu as bien fait, toi aussi — de montrer ce souci du mort. Il est juste que tous deux vous trouviez un appui en moi. Je me charge de la cause à la fois de Thèbes et du dieu. Et ce n'est pas pour des amis lointains, c'est pour moi que j'entends chasser d'ici cette souillure. Quel que soit l'assassin, il peut vouloir un jour me frapper d'un coup tout pareil. Lorsque je défends Laïos, c'est moi-même aussi que je sers. Levez-vous donc, enfants, sans

tarder, de ces marches et emportez ces rameaux
suppliants. Un autre cependant assemblera ici le
peuple de Cadmos. Pour lui, je suis prêt à tout faire, et,
si le dieu m'assiste, on me verra sans doute triompher
— ou périr.

(Il rentre dans le palais avec Créon.)

LE PRÊTRE : Relevons-nous, enfants, puisque ce que
nous sommes venus chercher ici, le roi nous le promet.
Que Phœbos, qui nous a envoyé ces oracles, maintenant vienne nous sauver et mettre un terme à ce fléau !

*(Les enfants sortent avec le Prêtre. Entre le Chœur
des Vieillards.)*

Large.

LE CHŒUR : *O douce parole de Zeus, que viens-tu apporter
de Pythô l'opulente à notre illustre ville,*
    *à Thèbes ? Mon âme, tendue par l'angoisse, est là qui palpite
d'effroi. Dieu qu'on invoque avec des cris aigus, dieu de Délos,
    dieu guérisseur,*
    *quand je pense à toi, je tremble : que vas-tu exiger de nous ?
une obligation nouvelle ? ou une obligation omise à renouveler
au cours des années ?*
    Dis-le-moi, Parole éternelle[1] fille de l'éclatante Espérance.
    *C'est toi que j'invoque d'abord, toi, la fille de Zeus,
immortelle Athéna ; et ta sœur aussi, reine de cette terre,*
    *Artémis, dont la place ronde de Thèbes forme le trône
glorieux[2] ; et, avec vous, Phœbos l'Archer ; allons !*
    *tous trois ensemble, divinités préservatrices, apparaissez à
mon appel ! Si jamais, quand un désastre menaçait jadis notre
ville,*
    *vous avez su écarter d'elle la flamme du malheur, aujourd'hui
encore accourez !*

Plus animé

    *Ah ! je souffre des maux sans nombre. Tout mon peuple est en
proie au fléau, et ma pensée ne possède pas d'arme*

qui nous permette une défense. Les fruits de ce noble terroir ne croissent plus à la lumière, et d'heureuses naissances

ne couronnent plus le travail qui arrache des cris aux femmes. L'un après l'autre, on peut voir les Thébains, pareils à des oiseaux ailés,

plus prompts que la flamme indomptable, se précipiter sur la rive où règne le dieu du Couchant[1].

Et la Cité se meurt en ces morts sans nombre. Nulle pitié ne va à ses fils gisant sur le sol : ils portent la mort à leur tour, personne ne gémit sur eux.

Épouses, mères aux cheveux blancs, toutes de partout affluent au pied des autels,

suppliantes, pleurant leurs atroces souffrances. Le péan éclate, accompagné d'un concert de sanglots.

Sauve-nous, fille éclatante de Zeus, dépêche-nous ton secours radieux !

Vif et bien marqué.

Arès le Brutal renonce cette fois au bouclier de bronze[2]. *Il vient, enveloppé d'une immense clameur, nous assaillir, nous consumer.*

Ah ! qu'il fasse donc volte-face, rebroussant chemin à toute vitesse, ou jusque dans la vaste demeure d'Amphitrite[3],

ou jusque vers ces flots de Thrace où ne se montre aucun rivage hospitalier !

Si la nuit a laissé quelque chose à faire, c'est le jour qui vient terminer sa tâche. Sur ce cruel, ô Zeus Père, maître de l'éclair enflammé, lâche ta foudre, écrase-le !

Et toi aussi, dieu Lycien, je voudrais voir les traits partis de ton arc d'or se disperser, invincibles,

pour me secourir, pour me protéger, en même temps que ces flambeaux dont la lueur illumine Artémis, quand elle court, bondissante, à travers les monts de Lycie.

J'appelle enfin le dieu au diadème d'or, celui qui a donné son nom à mon pays[4], *le dieu de l'évohé, Bacchos au visage empourpré, le compagnon des Ménades errantes. Ah! qu'il vienne, éclairé d'une torche ardente, attaquer le dieu à qui tout honneur est refusé parmi les dieux!*

> *(Œdipe sort du palais et s'adresse au Chœur du haut de son seuil.)*

ŒDIPE : J'entends tes prières, et à ces prières c'est moi qui réponds. Sache écouter, accueillir mes avis, sache te plier aux ordres du fléau, et tu auras le réconfort, l'allégement attendu de tes peines. Je parle ici en homme étranger au rapport[1] qu'il vient d'entendre, étranger au crime lui-même, dont l'enquête n'irait pas loin, s'il prétendait la mener seul, sans posséder le moindre indice ; et, comme je me trouve en fait un des derniers citoyens inscrits dans cette cité, c'est à vous, c'est à tous les Cadméens, que j'adresse solennellement cet appel :

« A quiconque parmi vous sait sous le bras de qui est tombé Laïos, le fils de Labdacos, j'ordonne de me révéler tout. S'il craint pour lui-même, qu'il se libère sans éclat[2] de l'inculpation qui pèse sur lui : il n'aura nul ennui et partira d'ici en pleine sûreté. S'il connaît l'assassin comme étant un autre — voire un homme né sur une autre terre — qu'il ne garde pas le silence, je lui paierai le prix de sa révélation, et j'y joindrai ma gratitude. Mais en revanche, si vous voulez rester muets, si l'un de vous, craignant pour un des siens ou pour lui-même, se dérobe à mon appel, apprenez en ce cas comment j'entends agir. Quel que soit le coupable, j'interdis à tous, dans ce pays où j'ai le trône et le pouvoir, qu'on le reçoive, qu'on lui parle, qu'on l'associe aux prières ou aux sacrifices, qu'on lui accorde la moindre goutte d'eau lustrale. Je veux que tous, au contraire, le jettent hors de leurs maisons, comme la souillure de notre pays : l'oracle auguste de Pythô vient à l'instant de me le déclarer. Voilà comment j'entends servir et le dieu et le mort. Je voue le criminel, qu'il ait agi tout seul, sans se trahir, ou avec des complices, à user misérablement, comme un misérable, une vie sans joie ; et, si d'aventure je venais à l'admettre consciemment à mon foyer, je me voue moi-même à tous les châtiments que mes imprécations viennent à l'instant d'appeler sur d'autres. Tout cela, je vous somme de le faire pour moi, pour Apollon, pour cette terre qui se meurt, privée de ses moissons, oubliée de ses dieux. »

(Œdipe descend vers le Chœur. Sur un ton plus familier, mais qui s'anime et s'élargit peu à peu.)

Oui, quand bien même vous n'eussiez pas eu cet avis des dieux, il n'était pas décent pour vous de tolérer pareille tache. Le meilleur des rois avait disparu : il fallait pousser les recherches à fond. Je me vois à cette heure en possession du pouvoir qu'il eut avant moi, en possession de son lit, de la femme qu'il avait déjà rendue mère ; des enfants communs seraient aujourd'hui notre lot commun, si le malheur n'avait frappé sa race ; mais il a fallu que le sort vînt s'abattre sur sa tête ! C'est moi dès lors qui lutterai pour lui, comme s'il eût été mon père. J'y emploierai tous les moyens, tant je brûle de le saisir, l'auteur de ce meurtre, l'assassin du fils de Labdacos, du prince issu de Polydore, du vieux Cadmos, de l'antique Agénor [1] ! Et pour tous ceux qui se refuseront à exécuter mes ordres, je demande aux dieux de ne pas laisser la moisson sortir de leur sol, de ne pas laisser naître d'enfants de leurs femmes, mais de les faire tous périr du mal dont nous mourons, si ce n'est d'un pire encore... A vous au contraire, à tous les Cadméens qui obéiront ici à ma voix, je souhaite de trouver comme aide et compagne la Justice, ainsi que les dieux, à jamais !

LE CORYPHÉE : Tu m'as pris dans les liens de ton

imprécation, ô roi : je te parlerai comme elle l'exige. Je
n'ai pas commis le meurtre ; je ne saurais pas davantage te désigner le meurtrier. Mais c'était à Phœbos,
en nous répondant, de nous dire ce que nous cherchons, le nom de l'assassin.

ŒDIPE : Tu dis vrai ; mais est-il personne qui puisse
contraindre les dieux à faire ce qu'ils ne veulent pas ?

LE CORYPHÉE : Je voudrais bien alors te donner un
second avis.

ŒDIPE : Voire un troisième, si tu veux. Va, n'hésite
pas à parler.

LE CORYPHÉE : Comme sire Apollon, sire Tirésias
possède, je le sais, le don de clairvoyance. En recou-
rant à lui pour mener cette enquête, on serait renseigné
très exactement, roi.

ŒDIPE : Mais je n'ai pas non plus négligé ce moyen.
Créon m'en a parlé, et j'ai dépêché sur l'heure au
devin deux messagers. Je m'étonne même depuis un
moment qu'il ne soit pas là.

LE CORYPHÉE : Disons-le bien aussi, tout le reste ne
compte pas : propos en l'air et radotages.

ŒDIPE : Quels propos ? Il n'est rien de ce que l'on dit
que je n'entende contrôler.

LE CORYPHÉE : On l'a dit tué par d'autres voyageurs.

ŒDIPE : Je l'ai aussi entendu dire. Mais le témoin qui
aurait vu le fait, personne ici ne le voit plus lui-même.

LE CORYPHÉE : Mais, s'il est tant soit peu accessible
à la crainte, devant tes imprécations, le criminel ne
pourra plus tenir.

ŒDIPE : Celui qui n'a pas peur d'un acte a moins
peur encore d'un mot.

LE CORYPHÉE : Mais il est quelqu'un qui peut le
confondre : voici que l'on t'amène l'auguste devin,
celui qui, seul parmi les hommes, porte en son sein la
vérité !

(Entre Tirésias, guidé par un enfant. Deux esclaves d'Œdipe les accompagnent.)

ŒDIPE : Toi qui scrutes tout, ô Tirésias, aussi bien ce qui s'enseigne que ce qui demeure interdit aux lèvres humaines, aussi bien ce qui est du ciel que ce qui marche sur la terre, tu as beau être aveugle, tu n'en sais pas moins de quel fléau Thèbes est la proie. Nous ne voyons que toi, seigneur, qui puisses contre lui nous protéger et nous sauver. Phœbos, en effet — si tu n'as rien su par mes envoyés — Phœbos consulté nous a conseillés ainsi. Un seul moyen nous est offert pour nous délivrer du fléau : c'est de trouver les assassins de Laïos, pour les faire ensuite périr ou les exiler du pays. Ne nous refuse donc ni les avis qu'inspirent les oiseaux, ni aucune démarche de la science prophétique, et sauve-toi, toi et ton pays, sauve-moi aussi, sauve-nous de toute souillure que peut nous infliger le mort. Notre vie est entre tes mains. Pour un homme, aider les autres dans la mesure de sa force et de ses moyens, il n'est pas de plus noble tâche.

TIRÉSIAS : Hélas ! hélas ! qu'il est terrible de savoir, quand le savoir ne sert de rien à celui qui le possède ! Je ne l'ignorais pas ; mais je l'ai oublié. Je ne fusse pas venu sans cela[1].

ŒDIPE : Qu'est-ce là ? et pourquoi pareil désarroi à la pensée d'être venu ?

TIRÉSIAS : Va, laisse-moi rentrer chez moi : nous aurons, si tu m'écoutes, moins de peine à porter, moi mon sort, toi le tien.

ŒDIPE : Que dis-tu ? Il n'est ni normal ni conforme à l'amour que tu dois à Thèbes, ta mère, de lui refuser un oracle.

TIRÉSIAS : Ah ! c'est que je te vois toi-même ne pas dire ici ce qu'il faut ; et, comme je crains de commettre la même erreur à mon tour...

ŒDIPE : Non, par les dieux ! si tu sais, ne te détourne

pas de nous. Nous sommes tous ici à tes pieds, suppliants.

TIRÉSIAS : C'est que tous, tous, vous ignorez... Mais non, n'attends pas de moi que je révèle mon malheur — pour ne pas dire : le tien.

ŒDIPE : Comment ? tu sais et tu ne veux rien dire ! Ne comprends-tu pas que tu nous trahis et perds ton pays ?

TIRÉSIAS : Je ne veux affliger ni toi ni moi. Pourquoi me pourchasser vainement de la sorte ? De moi tu ne sauras rien.

ŒDIPE : Ainsi, ô le plus méchant des méchants — car vraiment tu mettrais en fureur un roc — ainsi, tu ne veux rien dire, tu prétends te montrer insensible, entêté à ce point ?

TIRÉSIAS : Tu me reproches mon furieux entêtement, alors que tu ne sais pas voir celui qui loge chez toi, et c'est moi qu'ensuite tu blâmes !

ŒDIPE : Et qui ne serait en fureur à entendre de ta bouche des mots qui sont autant d'affronts pour cette ville ?

TIRÉSIAS : Les malheurs viendront bien seuls : peu importe que je me taise et cherche à te les cacher !

ŒDIPE : Mais alors, s'ils doivent venir, faut-il pas que tu me les dises ?

TIRÉSIAS : Je n'en dirai pas plus. Après quoi, à ta guise ! laisse ton dépit déployer sa fureur la plus farouche.

ŒDIPE : Eh bien soit ! Dans la fureur où je suis, je ne cèlerai rien de ce que j'entrevois. Sache donc qu'à mes yeux c'est toi qui as tramé le crime, c'est toi qui l'as commis — à cela près seulement que ton bras n'a pas frappé. Mais, si tu avais des yeux, je dirais que même cela, c'est toi, c'est toi seul qui l'as fait.

TIRÉSIAS : Vraiment ? Eh bien, je te somme, moi, de t'en tenir à l'ordre que tu as proclamé toi-même, et donc de ne plus parler de ce jour à qui que ce soit, ni à

moi, ni à ces gens ; car, sache-le, c'est toi, c'est toi, le criminel qui souille ce pays !

ŒDIPE : Quoi ? tu as l'impudence de lâcher pareil mot ! Mais comment crois-tu donc te dérober ensuite ?

TIRÉSIAS : Je demeure hors de tes atteintes : en moi vit la force du vrai.

ŒDIPE : Et qui t'aurait appris le vrai ? Ce n'est certes pas ton art.

TIRÉSIAS : C'est toi, puisque tu m'as poussé à parler malgré moi.

ŒDIPE : Et à dire quoi ? répète, que je sache mieux.

TIRÉSIAS : N'as-tu donc pas compris ? Ou bien me tâtes-tu pour me faire parler ?

ŒDIPE : Pas assez pour dire que j'ai bien saisi. Va, répète encore.

TIRÉSIAS : Je dis que c'est toi l'assassin cherché.

ŒDIPE : Ah ! tu ne répéteras pas telles horreurs impunément !

TIRÉSIAS : Et dois-je encore, pour accroître ta fureur...

ŒDIPE : Dis ce que tu voudras : tu parleras pour rien.

TIRÉSIAS : Eh bien donc, je le dis. Sans le savoir, tu vis dans un commerce infâme avec les plus proches des tiens, et sans te rendre compte du degré de misère où tu es parvenu.

ŒDIPE : Et tu t'imagines pouvoir en dire plus sans qu'il t'en coûte rien ?

TIRÉSIAS : Oui, si la vérité garde quelque pouvoir.

ŒDIPE : Ailleurs, mais pas chez toi ! Non, pas chez un aveugle, dont l'âme et les oreilles sont aussi fermées que les yeux !

TIRÉSIAS : Mais toi aussi, tu n'es qu'un malheureux, quand tu me lances des outrages que tous ces gens bientôt te lanceront aussi.

ŒDIPE : Tu ne vis, toi, que de ténèbres : comment

donc me pourrais-tu nuire, à moi, comme à quiconque voit la clarté du jour?

TIRÉSIAS : Non, mon destin n'est pas de tomber sous tes coups : Apollon n'aurait pas de peine à te les faire payer.

ŒDIPE : Est-ce Créon ou toi qui inventas l'histoire?

TIRÉSIAS : Ce n'est pas Créon qui te perd, c'est toi.

ŒDIPE : Ah! richesse, couronne, savoir surpassant tous autres savoirs, vous faites sans doute la vie enviable; mais que de jalousies vous conservez aussi contre elle chez vous! s'il est vrai que, pour ce pouvoir, que Thèbes m'a mis elle-même en main, sans que je l'aie, moi, demandé jamais, Créon, le loyal Créon, l'ami de toujours, cherche aujourd'hui sournoisement à me jouer, à me chasser d'ici, et qu'il a pour cela suborné ce faux prophète, ce grand meneur d'intrigues, ce fourbe charlatan, dont les yeux sont ouverts au gain, mais tout à fait clos pour son art. Car enfin, dis-moi, quand donc as-tu été un devin véridique? pourquoi, quand l'ignoble Chanteuse [1] était dans nos murs, ne disais-tu pas à ces citoyens le mot qui les eût sauvés? Ce n'était pourtant pas le premier venu qui pouvait résoudre l'énigme : il fallait là l'art d'un devin. Cet art, tu n'as pas montré que tu l'eusses appris ni des oiseaux ni d'un dieu! Et cependant j'arrive, moi Œdipe, ignorant de tout, et c'est moi, moi seul, qui lui ferme la bouche, sans rien connaître des présages, par ma seule présence d'esprit. Et voilà l'homme qu'aujourd'hui tu prétends expulser de Thèbes! Déjà tu te vois sans doute debout auprès du trône de Créon? Cette expulsion-là pourrait te coûter cher, à toi comme à celui qui a mené l'intrigue. Si tu ne me faisais l'effet d'un bien vieil homme, tu recevrais exactement la leçon due à ta malice.

LE CORYPHÉE : Il nous semble bien à nous que, si ses mots étaient dictés par la colère, il en est de même pour les tiens, Œdipe; et ce n'est pas de tels propos que

nous avons besoin ici. Comment résoudre au mieux l'oracle d'Apollon! voilà seulement ce que nous avons à examiner.

TIRÉSIAS : Tu règnes; mais j'ai mon droit aussi, que tu dois reconnaître, le droit de te répondre point pour point à mon tour, et il est à moi sans conteste. Je ne suis pas à tes ordres, je suis à ceux de Loxias [1]; je n'aurai pas dès lors à réclamer le patronage de Créon. Et voici ce que je te dis. Tu me reproches d'être aveugle; mais toi, toi qui y vois, comment ne vois-tu pas à quel point de misère tu te trouves à cette heure? et sous quel toit tu vis, en compagnie de qui? — sais-tu seulement de qui tu es né? — Tu ne te doutes pas que tu es en horreur aux tiens, — dans l'enfer comme sur la terre. Bientôt, comme un double fouet, la malédiction d'un père et d'une mère, qui approche terrible, va te chasser d'ici. Tu vois le jour : tu ne verras bientôt plus que la nuit. Quels bords ne rempliras-tu pas alors de tes clameurs? — quel Cithéron [2] n'y fera pas écho? — lorsque tu comprendras quel rivage inclément fut pour toi cet hymen où te fit aborder un trop heureux voyage! Tu n'entrevois pas davantage le flot de désastres nouveaux qui va te ravaler au rang de tes enfants! Après cela, va, insulte Créon, insulte mes oracles : jamais homme avant toi n'aura plus durement été broyé du sort.

ŒDIPE : Ah! peut-on tolérer d'entendre parler de la sorte? Va-t'en à la male heure, et vite! Vite, tourne le dos à ce palais. Loin d'ici! va-t'en!

TIRÉSIAS : Je ne fusse pas venu de moi-même : c'est toi seul qui m'as appelé.

ŒDIPE : Pouvais-je donc savoir que tu ne dirais que sottises? J'aurais pris sans cela mon temps pour te mander jusqu'ici.

TIRÉSIAS : Je t'apparais donc sous l'aspect d'un sot? Pourtant j'étais un sage aux yeux de tes parents.

ŒDIPE : Quels parents ? Reste là. De qui suis-je le fils ?

TIRÉSIAS : Ce jour te fera naître et mourir à la fois.

ŒDIPE : Tu ne peux donc user que de mots obscurs et d'énigmes ?

TIRÉSIAS : Quoi ! tu n'excelles plus à trouver les énigmes ?

ŒDIPE : Va, reproche-moi donc ce qui fait ma grandeur.

TIRÉSIAS : C'est ton succès pourtant qui justement te perd.

ŒDIPE : Si j'ai sauvé la ville, que m'importe le reste ?

TIRÉSIAS : Eh bien ! je pars. Enfant, emmène-moi.

ŒDIPE : Oui, certes, qu'il t'emmène ! Ta présence me gêne et me pèse. Tu peux partir : je n'en serai pas plus chagrin.

TIRÉSIAS : Je pars, mais je dirai d'abord ce pour quoi je suis venu. Ton visage ne m'effraie pas : ce n'est pas toi qui peux me perdre. Je te le dis en face : l'homme que tu cherches depuis quelque temps avec toutes ces menaces, ces proclamations sur Laïos assassiné, cet homme est ici même. On le croit un étranger, un étranger fixé dans le pays : il se révélera un Thébain authentique — et ce n'est pas cette aventure qui lui procurera grand-joie. Il y voyait : de ce jour il sera aveugle ; il était riche : il mendiera, et, tâtant sa route devant lui avec son bâton, il prendra le chemin de la terre étrangère. Et, du même coup, il se révélera père et frère à la fois des fils qui l'entouraient, époux et fils ensemble de la femme dont il est né, rival incestueux aussi bien qu'assassin de son propre père ! Rentre à présent, médite mes oracles, et, si tu t'assures que je t'ai menti, je veux bien alors que tu dises que j'ignore tout de l'art des devins.

(Il sort. Œdipe rentre dans son palais.)

Animé.

LE CHŒUR : *Quel est donc celui qu'à Delphes a désigné la roche prophétique comme ayant de sa main sanglante consommé des forfaits passant tous les forfaits ?*

Voici l'heure pour lui de mouvoir dans sa fuite des jarrets plus robustes que ceux de ces cavales qui luttent avec les vents.

Déjà sur lui le fils de Zeus s'élance, armé de flammes et d'éclairs, et sur ses traces courent les déesses de mort [1], les terribles déessses qui jamais n'ont manqué leur proie.

Elle vient de luire, éclatante, la parole jaillie du Parnasse neigeux [2]. Elle veut que chacun se jette sur la piste du coupable incertain.

Déjà il va errant par la forêt sauvage, à travers grottes et rochers, tout comme un taureau [3].

Solitaire et misérable dans sa fuite misérable, il tâche d'échapper aux oracles sortis du centre de la terre. Mais eux sont toujours là, volant autour de lui !

Plus soutenu.

Sans doute il me trouble, me trouble étrangement, le sage devin. Je ne puis le croire ni le démentir. Que dire ? Je ne sais. Je flotte au vent de mes craintes et ne vois plus rien ni devant ni derrière moi.

Quel grief pouvait exister, soit dans l'âme des Labdacides, soit dans celle du fils de Polybe [4] ? Ni dans le passé ni dans le présent,

je ne trouve la moindre preuve qui me force à partir en guerre contre le renom bien assis d'Œdipe, et à m'instituer, au nom des Labdacides, le vengeur de tel ou tel meurtre incertain.

Mais, si Zeus et si Apollon sont sans doute clairvoyants et s'ils sont bien instruits du destin des mortels, parmi les hommes en revanche, un devin possède-t-il, lui, des dons supérieurs aux miens ? Rien ne l'atteste vraiment. Oui, un savoir humain peut toujours en dépasser d'autres, mais, tant que je n'aurai

*pas vu se vérifier les dires de ses accusateurs, je me refuse à les
admettre.*

Ce qui demeure manifeste, c'est que la Vierge ailée [1] *un jour
s'en prit à lui, et qu'il prouva alors et sa sagesse et son amour
pour Thèbes. Et c'est pourquoi jamais mon cœur ne lui imputera
un crime.*

(Créon arrive par la droite.)

CRÉON : On m'apprend, citoyens, que notre roi
Œdipe se répand contre moi en propos singuliers.
L'idée m'en est intolérable, et c'est pourquoi je suis ici.
Si vraiment il s'imagine qu'à l'heure où nous nous
trouvons je lui cause le moindre tort, soit en paroles,
soit en actes, je ne souhaite plus de vivre davantage :
tel décri me pèserait trop. Des dires de ce genre
m'apportent plus qu'un simple préjudice : serait-il
pour moi rien de pis que de passer pour un félon dans
ma cité, pour un félon à tes yeux ainsi qu'aux yeux de
tous les miens ?

LE CORYPHÉE : L'outrage a bien pu lui être arraché
par la colère plutôt qu'énoncé de sang-froid.

CRÉON : Et la chose a été formellement dite : ce
serait pour servir mes vues que le devin aurait énoncé
ces mensonges ?

LE CORYPHÉE : Oui, c'est bien là ce qu'il disait, mais
dans quel esprit ? je l'ignore.

CRÉON : Mais conservait-il le regard, le jugement
d'un homme ayant sa tête, alors qu'il lançait cette
accusation contre moi ?

LE CORYPHÉE : Je ne sais pas : je n'ai point d'yeux
pour ce que font mes maîtres. Mais le voici qui sort à
l'instant du palais.

(Œdipe paraît sur son seuil.)

ŒDIPE : Hé là ! que fais-tu donc ici ? Quoi ! tu as le
front, insolent, de venir jusqu'à mon palais, assassin
qui en veux clairement à ma vie, brigand visiblement

avide de mon trône !... Mais, voyons, parle, au nom
des dieux ! qu'as-tu saisi en moi — lâcheté ou sottise ?
— pour que tu te sois décidé à me traiter de cette
sorte ? Ou pensais-tu que je ne saurais pas surprendre
ton complot en marche, ni lui barrer la route, si je le
surprenais ? La sottise est plutôt dans ton projet, à toi,
toi qui, sans le peuple, toi qui, sans amis, pars à la
conquête d'un trône que l'on n'a jamais obtenu que
par le peuple et par l'argent.

CRÉON : Sais-tu ce que tu as à faire ? Tu as parlé :
laisse-moi parler à mon tour, puis juge toi-même, une
fois que tu m'auras entendu.

ŒDIPE : Tu parles bien, mais moi, je t'entends mal.
Je te trouve à la fois hostile et inquiétant.

CRÉON : Sur ce point justement, commence par
m'écouter.

ŒDIPE : Sur ce point justement, ne commence pas
par dire que tu n'es pas un félon.

CRÉON : Si vraiment tu t'imagines qu'arrogance sans
raison constitue un avantage, tu n'as plus alors ton
bon sens.

ŒDIPE : Si vraiment tu t'imagines qu'un parent qui
trahit les siens n'en doit pas être châtié, tu as perdu
aussi le sens.

CRÉON : J'en suis d'accord. Rien de plus juste. Mais
quel tort prétends-tu avoir subi de moi ? dis-le.

ŒDIPE : Oui ou non, soutenais-tu que je devais
envoyer quérir l'auguste devin ?

CRÉON : Et, à cette heure encore, je suis du même
avis.

ŒDIPE : Dis-moi donc depuis quand votre roi
Laïos...

CRÉON : A fait quoi ? je ne saisis pas toute ta pensée.

ŒDIPE : ... a disparu, victime d'une agression mortelle.

CRÉON : On compterait depuis beaucoup de longues
et de vieilles années.

ŒDIPE : Notre devin déjà exerçait-il son art ?

CRÉON : Oui, déjà aussi sage, aussi considéré.

ŒDIPE : Parla-t-il de moi en cette occurrence ?

CRÉON : Non, jamais, du moins devant moi.

ŒDIPE : Mais ne fîtes-vous pas d'enquête sur le mort ?

CRÉON : Si ! cela va de soi — sans aboutir à rien.

ŒDIPE : Et pourquoi le sage devin ne parlait-il donc pas alors ?

CRÉON : Je ne sais. Ma règle est de me taire quand je n'ai pas d'idée.

ŒDIPE : Ce que tu sais et ce que tu diras, si tu n'as pas du moins perdu le sens...

CRÉON : Quoi donc ? Si je le sais, je ne cacherai rien.

ŒDIPE : C'est qu'il ne m'eût jamais, sans accord avec toi, attribué la mort de Laïos.

CRÉON : Si c'est là ce qu'il dit, tu le sais par toi-même. Je te demande seulement de répondre, toi, à ton tour, ainsi que je l'ai fait pour toi.

ŒDIPE : Soit ! interroge-moi : ce n'est pas en moi qu'on découvrira l'assassin !

CRÉON : Voyons : tu as bien épousé ma sœur.

ŒDIPE : Il me serait bien malaisé d'aller prétendre le contraire.

CRÉON : Tu règnes donc sur ce pays avec des droits égaux aux siens ?

ŒDIPE : Et tout ce dont elle a envie, sans peine elle l'obtient de moi.

CRÉON : Et n'ai-je pas, moi, part égale de votre pouvoir à tous deux ?

ŒDIPE : Et c'est là justement que tu te révèles un félon !

CRÉON : Mais non ! Rends-toi seulement compte de mon cas. Réfléchis à ceci d'abord : crois-tu que personne aimât mieux régner dans le tremblement sans répit, que dormir paisible tout en jouissant du même pouvoir ? Pour moi, je ne suis pas né avec le

désir d'être roi, mais bien avec celui de vivre comme
un roi. Et de même quiconque est doué de raison.
Aujourd'hui, j'obtiens tout de toi, sans le payer
d'aucune crainte : si je régnais moi-même, que de
choses je devrais faire malgré moi ! Comment pourrais-
je donc trouver le trône préférable à un pouvoir, à une
autorité qui ne m'apportent aucun souci ? Je ne me
leurre pas au point de souhaiter plus qu'honneur uni à
profit. Aujourd'hui je me trouve à mon aise avec tous,
aujourd'hui chacun me fête, aujourd'hui quiconque a
besoin de toi vient me chercher jusque chez moi : pour
eux, le succès est là tout entier. Et je lâcherais ceci
pour cela ? Non, raison ne saurait devenir déraison.
Jamais je n'eus de goût pour une telle idée. Et je
n'aurais pas admis davantage de m'allier à qui aurait
agi ainsi. La preuve ? Va à Pythô tout d'abord, et
demande si je t'ai rapporté exactement l'oracle. Après
quoi, si tu peux prouver que j'aie comploté avec le
devin, fais-moi mettre à mort : ce n'est pas ta voix
seule qui me condamnera, ce sont nos deux voix, la
mienne et la tienne. Mais ne va pas, sur un simple
soupçon, m'incriminer sans m'avoir entendu. Il n'est
pas équitable de prendre à la légère les méchants pour
les bons, les bons pour les méchants. Rejeter un ami
loyal, c'est en fait se priver d'une part de sa propre vie,
autant dire de ce qu'on chérit plus que tout. Mais cela,
il faut du temps pour l'apprendre de façon sûre. Le
temps seul est capable de montrer l'honnête homme,
tandis qu'il suffit d'un jour pour dévoiler un félon.

LE CORYPHÉE : Qui prétend se garder d'erreur trouvera qu'il a bien parlé. Trop vite décider n'est pas sans
risque, roi.

ŒDIPE : Quand un traître, dans l'ombre, se hâte vers
moi, je dois me hâter, moi aussi, de prendre un parti.
Que je reste là sans agir, voilà son coup au but et le
mien manqué.

CRÉON : Que souhaites-tu donc ? M'exiler du pays ?

ŒDIPE : Nullement : c'est ta mort que je veux, ce n'est pas ton exil.

CRÉON : Mais montre-moi d'abord la raison de ta haine.

ŒDIPE : Tu prétends donc être rebelle ? Tu te refuses à obéir ?

CRÉON : Oui, quand je te vois hors de sens.

ŒDIPE : J'ai le sens de mon intérêt.

CRÉON : L'as-tu du mien aussi ?

ŒDIPE : Tu n'es, toi, qu'un félon.

CRÉON : Et si tu ne comprends rien ?

ŒDIPE : N'importe ! obéis à ton roi.

CRÉON : Pas à un mauvais roi.

ŒDIPE : Thèbes ! Thèbes !

CRÉON : Thèbes est à moi autant qu'à toi.

LE CORYPHÉE : O princes, arrêtez !... Mais je vois Jocaste sortir justement du palais. Il faut qu'elle vous aide à régler la querelle qui vous a mis aux prises.

(Jocaste apparaît au seuil du palais et s'interpose entre Œdipe et Créon.)

JOCASTE : Malheureux ! qu'avez-vous à soulever ici une absurde guerre de mots ? N'avez-vous pas de honte, lorsque votre pays souffre ce qu'il souffre, de remuer ici vos rancunes privées ? *(A Œdipe.)* Allons, rentre au palais. Et toi chez toi, Créon. Ne faites pas d'un rien une immense douleur.

CRÉON : C'est ton époux, ma sœur, c'est Œdipe, qui prétend me traiter d'une étrange façon et décider lui-même s'il me chassera de Thèbes ou m'arrêtera pour me mettre à mort.

ŒDIPE : Parfaitement ! Ne l'ai-je pas surpris en train de monter criminellement contre ma personne une intrigue criminelle ?

CRÉON : Que toute chance m'abandonne et que je meure à l'instant même sous ma propre imprécation, si j'ai jamais fait contre toi rien de ce dont tu m'accuses !

JOCASTE : Au nom des dieux, Œdipe, sur ce point-là, crois-le. Respecte sa parole — les dieux en sont garants — respecte-moi aussi, et tous ceux qui sont là.

Assez agité.

LE CHŒUR : *Cède à sa prière, montre bon vouloir, reprends ton sang-froid, je t'en prie, seigneur !*

ŒDIPE : Alors que dois-je t'accorder ?

LE CHŒUR : *Respecte ici un homme qui jamais ne fut fou, et qu'aujourd'hui son serment rend sacré.*

ŒDIPE : Mais sais-tu bien ce que tu souhaites ?

LE CORYPHÉE : Je le sais.

ŒDIPE : Eh bien ! dis ce que tu veux dire.

LE CHŒUR : *C'est ton parent ; un serment le protège : ne lui fais pas l'affront de l'accuser sur un simple soupçon.*

ŒDIPE : Voilà donc ce que tu demandes ! En ce cas, sache-le bien, tu veux ma mort, ou mon exil.

LE CHŒUR : *Non, j'en prends à témoin le dieu qui prime tous les dieux, j'en prends à témoin le Soleil, que je périsse ici dans les derniers supplices, abandonné des dieux, abandonné des miens, si j'ai telle pensée !*

Mais ce pays qui meurt désole mon âme, si je dois voir maintenant s'ajouter aux maux d'hier des maux qui viennent de vous deux.

ŒDIPE : Eh bien soit ! qu'il parte ! dussé-je périr à coup sûr, ou me voir expulsé par force et ignominieusement de Thèbes. C'est ton langage qui me touche ; il m'apitoie, et non le sien. Où qu'il soit, il sera, lui, l'objet de ma haine.

CRÉON : Tu cèdes la rage au cœur, on le voit, pour être ensuite tout contus, quand ton courroux sera tombé. Des caractères comme le tien sont surtout pénibles à eux-mêmes, et c'est bien justice.

ŒDIPE : Vas-tu donc me laisser en paix et t'en aller !

CRÉON : Je m'en vais, tu m'auras méconnu ; mais pour eux je reste l'homme que j'étais.

(Il s'éloigne par la gauche.)

Assez agité.

LE CHŒUR : *Que tardes-tu, femme, à l'emmener chez lui ?*

JOCASTE : Je veux savoir d'abord ce qui est arrivé.

LE CHŒUR : *Une idée qu'on s'est faite sur des mots mal compris. Mais on se pique aussi d'un injuste reproche.*

JOCASTE : Tous deux sont responsables, alors ?

LE CORYPHÉE : Oui.

JOCASTE : Mais quel était donc le propos ?

LE CHŒUR : *C'est assez, bien assez, quand Thèbes souffre déjà tant, d'en rester où finit l'affaire.*

ŒDIPE : Tu vois à quoi tu aboutis, malgré ta bonne intention, en faisant ainsi fléchir et en émoussant mon courroux ?

LE CHŒUR : *O roi, je te l'ai dit plus d'une fois déjà, je me montrerais, sache-le, insensé, privé de raison, si je me détachais de toi.*

C'est toi qui, quand ma cité était en proie aux traverses, as su la remettre dans le sens du vent : aujourd'hui encore, si tu peux, pour elle sois le bon pilote.

JOCASTE : Au nom des dieux, dis-moi, seigneur, ce qui a bien pu, chez toi, soulever pareille colère.

ŒDIPE : Oui, je te le dirai. Je te respecte, toi, plus que tous ceux-là. C'est Créon, c'est le complot qu'il avait formé contre moi.

JOCASTE : Parle, que je voie si tu peux exactement dénoncer l'objet de cette querelle.

ŒDIPE : Il prétend que c'est moi qui ai tué Laïos.

JOCASTE : Le sait-il par lui-même ? ou le tient-il d'un autre ?

ŒDIPE : Il nous a dépêché un devin — un coquin. Pour lui, il garde sa langue toujours libre d'impudence.

JOCASTE : Va, absous-toi toi-même du crime dont tu parles, et écoute-moi. Tu verras que jamais créature

humaine ne posséda rien de l'art de prédire. Et je vais
t'en donner la preuve en peu de mots. Un oracle arriva
jadis à Laïos, non d'Apollon lui-même, mais de ses
serviteurs. Le sort qu'il avait à attendre était de périr
sous le bras d'un fils qui naîtrait de lui et de moi. Or
Laïos, dit la rumeur publique, ce sont des brigands qui
l'ont abattu, au croisement de deux chemins, et
d'autre part, l'enfant une fois né, trois jours ne
s'étaient pas écoulés, que déjà Laïos, lui liant les
talons, l'avait fait jeter sur un mont désert. Là aussi,
Apollon ne put faire ni que le fils tuât son père, ni que
Laïos, comme il le redoutait, pérît par la main de son
fils. C'était bien pourtant le destin que des voix
prophétiques nous avaient signifié! De ces voix-là ne
tiens donc aucun compte. Les choses dont un dieu
poursuit l'achèvement, il saura bien les révéler lui-
même.

ŒDIPE : Ah! comme à t'entendre, je sens soudain, ô
femme, mon âme qui s'égare, ma raison qui chancelle!

JOCASTE : Quelle inquiétude te fait soudainement
regarder en arrière?

ŒDIPE : Tu as bien dit ceci : Laïos aurait été tué au
croisement de deux chemins?

JOCASTE : On l'a dit alors, on le dit toujours.

ŒDIPE : Et en quel pays se place l'endroit où Laïos
aurait subi ce sort?

JOCASTE : Le pays est la Phocide; le carrefour est
celui où se joignent les deux chemins qui viennent de
Delphes et de Daulia[1].

ŒDIPE : Et combien de temps se serait-il passé
depuis l'événement?

JOCASTE : C'est un peu avant le jour où fut reconnu
ton pouvoir sur Thèbes que la nouvelle en fut apportée
ici.

ŒDIPE : Ah! que songes-tu donc, Zeus, à faire de
moi?

JOCASTE : Quel est le souci qui te tient, Œdipe?

ŒDIPE : Attends encore un peu pour m'interroger. Et Laïos, quelle était son allure ? quel âge portait-il ?

JOCASTE : Il était grand. Les cheveux sur son front commençaient à blanchir. Son aspect n'était pas très éloigné du tien.

ŒDIPE : Malheureux ! je crains bien d'avoir, sans m'en douter, lancé contre moi-même tout à l'heure d'étranges malédictions.

JOCASTE : Que dis-tu, seigneur ? Je tremble à te regarder.

ŒDIPE : Je perds terriblement courage à l'idée que le devin ne voie trop clair. Tu achèveras de me le prouver d'un seul mot encore.

JOCASTE : Certes j'ai peur aussi ; mais apprends-moi ce que tu veux savoir et je te répondrai.

ŒDIPE : Laïos allait-il en modeste équipage ? ou entouré de gardes en nombre, ainsi qu'il convient à un souverain ?

JOCASTE : Ils étaient cinq en tout, dont un héraut. Un chariot portait Laïos.

ŒDIPE : Ah ! cette fois tout est clair !... Mais qui vous a fait le récit, ô femme ?

JOCASTE : Un serviteur, le seul survivant du voyage.

ŒDIPE : Est-il dans le palais, à l'heure où nous sommes ?

JOCASTE : Non, sitôt de retour, te trouvant sur le trône et voyant Laïos mort, le voilà qui me prend la main, me supplie de le renvoyer à ses champs, à la garde de ses bêtes. Il voulait être désormais le plus loin possible de Thèbes. Je le laissai partir. Ce n'était qu'un esclave, mais qui méritait bien cela, et mieux encore.

ŒDIPE : Pourrait-on nous le faire revenir au plus vite ?

JOCASTE : On le peut. Mais pourquoi désires-tu si ardemment sa présence ?

ŒDIPE : Je crains pour moi, ô femme, je crains

d'avoir trop parlé. Et c'est pourquoi je veux le voir.

JOCASTE : Il viendra. Mais moi aussi, ne mérité-je
pas d'apprendre ce qui te tourmente, seigneur ?

ŒDIPE : Je ne saurais te dire non : mon anxiété est
trop grande. Quel confident plus précieux pourrais-je
donc avoir que toi, au milieu d'une telle épreuve ? Mon
père est Polybe — Polybe de Corinthe. Mérope, ma
mère, est une Dorienne. J'avais le premier rang là-bas,
parmi les citoyens, lorsque survint un incident, qui
méritait ma surprise sans doute, mais ne méritait pas
qu'on le prît à cœur comme je le pris. Pendant un
repas, au moment du vin, dans l'ivresse, un homme
m'appelle « enfant supposé ». Le mot me fit mal ; j'eus
peine ce jour-là à me contenir, et dès le lendemain
j'allai questionner mon père et ma mère. Ils se
montrèrent indignés contre l'auteur du propos ; mais,
si leur attitude en cela me satisfit, le mot n'en cessait
pas moins de me poindre et faisait son chemin peu à
peu dans mon cœur. Alors, sans prévenir mon père ni
ma mère, je pars pour Pythô ; et là Phœbos me renvoie
sans même avoir daigné répondre à ce pour quoi j'étais
venu, mais non sans avoir en revanche prédit à
l'infortuné que j'étais le plus horrible, le plus lamentable destin : j'entrerais au lit de ma mère, je ferais voir
au monde une race monstrueuse, je serais l'assassin du
père dont j'étais né ! Si bien qu'après l'avoir entendu, à
jamais, sans plus de façons, je laisse là Corinthe et son
territoire, je m'enfuis vers des lieux où je ne pusse voir
se réaliser les ignominies que me prédisait l'effroyable
oracle. Et voici qu'en marchant j'arrive à l'endroit
même où tu prétends que ce prince aurait péri... Eh
bien ! à toi, femme, je dirai la vérité tout entière. Au
moment où, suivant ma route, je m'approchais du
croisement des deux chemins, un héraut, puis, sur un
chariot attelé de pouliches, un homme tout pareil à
celui que tu me décris, venaient à ma rencontre. Le
guide [1], ainsi que le vieillard lui-même, cherche à me

repousser de force. Pris de colère, je frappe, moi, celui
qui me prétend écarter de ma route, le conducteur.
Mais le vieux me voit, il épie l'instant où je passe près
de lui et de son chariot il m'assène en pleine tête un
coup de son double fouet. Il paya cher ce geste-là ! En
un moment, atteint par le bâton que brandit cette
main, il tombe à la renverse et du milieu du chariot il
s'en va rouler à terre — et je les tue tous... Si quelque
lien existe entre Laïos et cet inconnu, est-il à cette
heure un mortel plus à plaindre que celui que tu vois ?
Est-il homme plus abhorré des dieux ? Étranger,
citoyen, personne ne peut plus me recevoir chez lui,
m'adresser la parole, chacun me doit écarter de son
seuil. Bien plus, c'est moi-même qui me trouve aujour-
d'hui avoir lancé contre moi-même les imprécations
que tu sais. A l'épouse du mort j'inflige une souillure,
quand je la prends entre ces bras qui ont fait périr
Laïos ! Suis-je donc pas un criminel ? suis-je pas tout
impureté ? puisqu'il faut que je m'exile, et qu'exilé je
renonce à revoir les miens, à fouler de mon pied le sol
de ma patrie ; sinon, je devrais tout ensemble entrer
dans le lit de ma mère et devenir l'assassin de mon
père, ce Polybe qui m'a engendré et nourri. Est-ce
donc pas un dieu cruel qui m'a réservé ce destin ? On
peut le dire, et sans erreur. O sainte majesté des dieux,
non, que jamais je ne voie ce jour-là ! Ah ! que plutôt je
parte et que je disparaisse du monde des humains
avant que la tache d'un pareil malheur soit venue
souiller mon front !

LE CORYPHÉE : Tout cela, je l'avoue, m'inquiète,
seigneur. Mais tant que tu n'as pas entendu le témoin,
conserve bon espoir.

ŒDIPE : Oui, mon espoir est là : attendre ici cet
homme, ce berger — rien de plus.

JOCASTE : Mais pourquoi tel désir de le voir apparaître ?

ŒDIPE : Pourquoi ? Voici pourquoi : que nous le

retrouvions disant ce que tu dis, et je suis hors de cause.

JOCASTE : Et quels mots si frappants ai-je donc pu te dire ?

ŒDIPE : C'étaient des brigands, disais-tu, qui avaient, selon lui, tué Laïos. Qu'il répète donc ce pluriel, et ce n'est plus moi l'assassin : un homme seul ne fait pas une foule. Au contraire, s'il parle d'un homme, d'un voyageur isolé, voilà le crime qui retombe clairement sur mes épaules.

JOCASTE : Mais non, c'est cela, sache-le, c'est cela qu'il a proclamé ; il n'a plus le moyen de le démentir : c'est la ville entière, ce n'est pas moi seule qui l'ai entendu. Et, en tout cas, même si d'aventure il déviait de son ancien propos, il ne prouverait pas pour cela, seigneur, que son récit du meurtre est cette fois le vrai, puisque aussi bien ce Laïos devait, d'après Apollon, périr sous le bras de mon fils, et qu'en fait ce n'est pas ce malheureux fils qui a pu lui donner la mort, attendu qu'il est mort lui-même le premier. De sorte que désormais, en matière de prophéties, je ne tiendrai pas plus de compte de ceci que de cela.

ŒDIPE : Tu as raison ; mais, malgré tout, envoie quelqu'un qui nous ramène ce valet. N'y manque pas.

JOCASTE : J'envoie à l'instant même. Mais rentrons chez nous. Il n'est rien qui te plaise, que je ne sois, moi, prête à faire.

(Ils rentrent ensemble dans le palais.)

Modéré.

LE CHŒUR : *Ah ! fasse le Destin que toujours je conserve la sainte pureté dans tous mes mots, dans tous mes actes. Les lois qui leur commandent*
siègent dans les hauteurs : elles sont nées dans le céleste éther, et l'Olympe
est leur seul père ; aucun être mortel ne leur donna le jour ;

jamais l'oubli ne les endormira : un dieu puissant est en elle, un dieu qui ne vieillit pas.

La démesure enfante le tyran. Lorsque la démesure s'est gavée follement, sans souci de l'heure ni de son intérêt,

et lorsqu'elle est montée au plus haut, sur le faîte, la voilà soudain qui s'abîme dans un précipice fatal,

où dès lors ses pieds brisés se refusent à la servir. Or, c'est la lutte glorieuse pour le salut de la cité qu'au contraire je demande à Dieu de ne voir jamais s'interrompre : Dieu est ma sauvegarde et le sera toujours.

Celui en revanche qui va son chemin, étalant son orgueil dans ses gestes et ses mots, sans crainte de la Justice, sans respect des temples divins, celui-là, je le voue à un sort douloureux, qui châtie son orgueil funeste,

du jour qu'il se révèle apte à ne rechercher que profits criminels, sans même reculer devant le sacrilège, à porter follement les mains sur ce qui est inviolable.

Est-il en pareil cas personne qui puisse se flatter d'écarter de son âme les traits de la colère ? Si ce sont de pareilles mœurs que l'on honore désormais, quel besoin ai-je vraiment de former ici des chœurs ?

Non, je n'irai plus vénérer le centre auguste de la terre, je n'irai plus aux sanctuaires ni d'Abae[1] ni d'Olympie, si tous les humains ne sont pas d'accord pour flétrir de telles pratiques.

Ah ! Zeus souverain, puisque, si ton renom dit vrai, tu es maître de l'Univers, ne permets pas qu'elles échappent à tes regards, à ta puissance éternelle.

Ainsi donc on tient pour caducs et l'on prétend abolir les oracles rendus à l'antique Laïos ! Apollon se voit privé ouvertement de tout honneur. Le respect des dieux s'en va.

(Jocaste sort du palais avec des servantes portant des fleurs et des vases à parfum.)

JOCASTE : Chefs de ce pays, l'idée m'est venue d'aller dans les temples des dieux leur porter de mes

mains ces guirlandes, ces parfums. Œdipe laisse ses
chagrins ébranler un peu trop son cœur. Il ne sait pas
juger avec sang-froid du présent par le passé. Il
appartient à qui lui parle, lorsqu'on lui parle de
malheur. Puis donc que mes conseils n'obtiennent rien
de lui, c'est vers toi que je me tourne, ô dieu lycien,
Apollon, notre voisin. Je viens à toi en suppliante,
porteuse de nos vœux. Fournis-nous un remède contre
toute souillure. Nous nous inquiétons, à voir Œdipe en
désarroi, alors qu'il tient dans ses mains la barre de
notre vaisseau.

(Un Vieillard arrive par la gauche.)

LE CORINTHIEN : Étrangers, pourrais-je savoir où
donc est le palais d'Œdipe, votre roi ? Ou, mieux
encore, si vous savez où lui-même se trouve, dites-le-
moi.

LE CORYPHÉE : Voici sa demeure, et tu l'y trouveras
en personne, étranger. La femme que tu vois là est la
mère de ses enfants.

LE CORINTHIEN : Qu'elle soit heureuse à jamais au
milieu d'enfants heureux, puisqu'elle est pour Œdipe
une épouse accomplie !

JOCASTE : Qu'il en soit de même pour toi, étranger :
ta courtoisie vaut bien cela. Mais explique-moi ce
pourquoi tu viens, ce dont tu dois nous informer.

LE CORINTHIEN : C'est un bonheur, pour ta maison,
ô femme, comme pour ton époux.

JOCASTE : Que dis-tu ? Et d'abord de chez qui nous
viens-tu ?

LE CORINTHIEN : J'arrive de Corinthe. La nouvelle
que je t'apporte va sans doute te ravir — le contraire
serait impossible — mais peut-être aussi t'affliger.

JOCASTE : Qu'est-ce donc ? et comment a-t-elle ce
double pouvoir ?

LE CORINTHIEN : Les gens du pays, disait-on là-bas,
institueraient Œdipe roi de l'Isthme.

JOCASTE : Quoi ! et le vieux Polybe ? n'est-il plus sur le trône ?

LE CORINTHIEN : Non, la mort le tient au tombeau.

JOCASTE : Que dis-tu là ? Polybe serait mort ?

LE CORINTHIEN : Que je meure moi-même, si je ne dis pas vrai !

JOCASTE : Esclave, rentre vite porter la nouvelle au maître. Ah ! oracles divins, où êtes-vous donc à cette heure ? Ainsi voilà un homme qu'Œdipe fuyait depuis des années, dans la terreur qu'il avait de le tuer, et cet homme aujourd'hui meurt frappé par le sort, et non pas par Œdipe !

(Œdipe sort du palais.)

ŒDIPE : Ô très chère femme, Jocaste que j'aime, pourquoi m'as-tu fait chercher dans le palais ?

JOCASTE : Écoute l'homme qui est là, et vois en l'écoutant ce que sont devenus ces oracles augustes d'un dieu.

ŒDIPE : Cet homme, qui est-il ? et qu'a-t-il à me dire ?

JOCASTE : Il vient de Corinthe et te fait savoir que Polybe n'est plus : la mort a frappé ton père.

ŒDIPE : Que dis-tu, étranger ? Explique-toi toi-même.

LE CORINTHIEN : S'il me faut tout d'abord te rendre un compte exact, sache bien qu'en effet Polybe a disparu.

ŒDIPE : Victime d'un complot ou d'une maladie ?

LE CORINTHIEN : Le moindre heurt suffit pour mettre un vieux par terre.

ŒDIPE : Le malheureux, si je t'en crois, serait donc mort de maladie ?

LE CORINTHIEN : Et des longues années aussi qu'il a vécues.

ŒDIPE : Ah ! femme, qui pourrait désormais recourir à Pythô, au foyer prophétique ? ou bien à ces oiseaux

criaillant sur nos têtes ? D'après eux, je devais assassiner mon père : et voici mon père mort, enseveli dans le
fond d'un tombeau, avant que ma main ait touché
aucun fer !... à moins qu'il ne soit mort du regret de ne
plus me voir ? ce n'est qu'en ce sens qu'il serait mort
par moi. — Le fait certain, c'est qu'à cette heure
Polybe est dans les Enfers avec tout ce bagage
d'oracles sans valeur.

JOCASTE : N'était-ce donc pas là ce que je te disais
depuis bien longtemps ?

ŒDIPE : Assurément, mais la peur m'égarait.

JOCASTE : Alors ne te mets plus rien en tête pour
eux.

ŒDIPE : Et comment ne pas craindre la couche de
ma mère ?

JOCASTE : Et qu'aurait donc à craindre un mortel,
jouet du destin, qui ne peut rien prévoir de sûr ? Vivre
au hasard, comme on le peut, c'est de beaucoup le
mieux encore. Ne redoute pas l'hymen d'une mère :
bien des mortels ont déjà dans leurs rêves partagé le lit
maternel [1]. Celui qui attache le moins d'importance à
pareilles choses est aussi celui qui supporte le plus
aisément la vie.

ŒDIPE : Tout cela serait fort bon, si ma mère n'était
vivante. Mais tant qu'elle vit, tu auras beau parler, et
bien parler, fatalement, moi, je dois craindre.

JOCASTE : C'est un immense allégement pourtant
que de savoir ton père dans la tombe.

ŒDIPE : Immense, je le sens. Mais la vivante ne m'en
fait pas moins peur.

LE CORINTHIEN : Mais quelle est donc, dis-moi, la
femme qui vous cause une telle épouvante ?

ŒDIPE : C'est Mérope, vieillard, l'épouse de Polybe.

LE CORINTHIEN : Et d'où provient la peur qu'elle
t'inspire ?

ŒDIPE : D'un oracle des dieux effroyable, étranger.

LE CORINTHIEN : Peux-tu le dire ? ou bien doit-il rester secret ?

ŒDIPE : Nullement. Loxias m'a déclaré jadis que je devais entrer dans le lit de ma mère et verser de mes mains le sang de mon père. C'est pourquoi depuis longtemps je m'étais fixé bien loin de Corinthe — pour mon bonheur, sans doute, bien qu'il soit doux de voir les yeux de ses parents.

LE CORINTHIEN : Et c'est cette crainte seule qui te tenait loin de ta ville ?

ŒDIPE : Je ne voulais pas être parricide, vieillard.

LE CORINTHIEN : Pourquoi ai-je donc tardé à t'en délivrer plus tôt, roi, puisque aussi bien j'arrive ici tout disposé à t'être utile ?

ŒDIPE : Ma foi ! tu en auras le prix que tu mérites.

LE CORINTHIEN : Ma foi ! c'est justement pourquoi je suis venu, pour que ton retour au pays me procure quelque avantage.

ŒDIPE : Non, ne compte pas que jamais je rejoigne mes parents.

LE CORINTHIEN : Ah ! comme on voit, mon fils, que tu ne sais pas quelle est ton erreur !

ŒDIPE : Que dis-tu, vieillard ? Au nom des dieux, éclaire-moi.

LE CORINTHIEN : Si ce sont là tes raisons pour renoncer à ton retour...

ŒDIPE : J'ai bien trop peur que Phœbos ne se révèle véridique.

LE CORINTHIEN : Tu crains une souillure auprès de tes parents ?

ŒDIPE : C'est bien là, vieillard, ce qui m'obsède.

LE CORINTHIEN : Alors tu ne sais pas que tu crains sans raison.

ŒDIPE : Comment est-ce possible, si je suis bien né d'eux ?

LE CORINTHIEN : Sache donc que Polybe ne t'est rien par le sang.

ŒDIPE : Quoi! ce n'est pas Polybe qui m'aurait engendré?

LE CORINTHIEN : Polybe ne t'a pas engendré plus que moi.

ŒDIPE : Quel rapport entre un père et toi qui ne m'es rien?

LE CORINTHIEN : Pas plus lui que moi-même jamais ne fut ton père.

ŒDIPE : Et pourquoi donc alors me nommait-il son fils?

LE CORINTHIEN : C'est qu'il t'avait reçu comme un don de mes mains.

ŒDIPE : Et pour l'enfant d'un autre il eut cette tendresse?

LE CORINTHIEN : Les enfants lui avaient manqué un si long temps.

ŒDIPE : Tu m'avais acheté, ou rencontré, toi-même?

LE CORINTHIEN : Oui, trouvé dans un val du Cithéron boisé.

ŒDIPE : Pourquoi voyageais-tu dans cette région?

LE CORINTHIEN : Je gardais là des troupeaux transhumants.

ŒDIPE : Ah! tu étais berger nomade, mercenaire...

LE CORINTHIEN : Mais qui sauva ta vie, mon fils, en ce temps-là!

ŒDIPE : Quel était donc mon mal, quand tu m'as recueilli en pareille détresse?

LE CORINTHIEN : Tes pieds pourraient sans doute en témoigner encore.

ŒDIPE : Ah! pourquoi rappeler mon ancienne misère?

LE CORINTHIEN : C'est moi qui dégageai tes deux pieds transpercés.

ŒDIPE : Dieux! quelle étrange honte autour de mon berceau!

LE CORINTHIEN : Tu lui as dû un nom tiré de l'aventure.

ŒDIPE : Mais cela, qui l'avait voulu ? Mon père ? ma mère ? par les dieux, dis-le.

LE CORINTHIEN : Je ne sais ; mais celui qui te mit en mes mains sait cela mieux que moi.

ŒDIPE : Ce n'est donc pas toi qui m'avais trouvé ? Tu me tenais d'un autre ?

LE CORINTHIEN : Oui, un autre berger t'avait remis à moi.

ŒDIPE : Qui est-ce ? le peux-tu désigner clairement ?

LE CORINTHIEN : Il était sans nul doute des gens de Laïos.

ŒDIPE : Du prince qui régnait sur ce pays jadis ?

LE CORINTHIEN : Parfaitement, c'était un berger de ce roi.

ŒDIPE : Est-il vivant encore, que je puisse le voir ?

LE CORINTHIEN : C'est vous, gens du pays, qui le sauriez le mieux.

ŒDIPE, *au Chœur :* Parmi ceux qui sont là est-il quelqu'un qui sache quel est le berger dont parle cet homme, s'il habite aux champs, si on l'a vu ici ? Parlez donc franchement : le moment est venu de découvrir enfin le mot de cette affaire.

LE CORYPHÉE : Je crois bien qu'il n'est autre que le berger fixé à la campagne que tu désirais voir. Mais Jocaste est là : personne ne pourrait nous renseigner mieux qu'elle.

ŒDIPE : Tu sais, femme : l'homme que tout à l'heure nous désirions voir et celui dont il parle...

JOCASTE : Et n'importe de qui il parle ! N'en aie nul souci. De tout ce qu'on t'a dit, va, ne conserve même aucun souvenir. A quoi bon !

ŒDIPE : Impossible. J'ai déjà saisi trop d'indices pour renoncer désormais à éclaircir mon origine.

JOCASTE : Non, par les dieux ! Si tu tiens à la vie, non, n'y songe plus. C'est assez que je souffre, moi.

ŒDIPE : Ne crains donc rien. Va, quand je me

révélerais et fils et petit-fils d'esclaves, tu ne serais pas, toi, une vilaine pour cela.

JOCASTE : Arrête-toi pourtant, crois-moi, je t'en conjure.

ŒDIPE : Je ne te croirai pas, je veux savoir le vrai.

JOCASTE : Je sais ce que je dis. Va, mon avis est bon.

ŒDIPE : Eh bien ! tes bons avis m'exaspèrent à la fin.

JOCASTE : Ah ! puisses-tu jamais n'apprendre qui tu es !

ŒDIPE : N'ira-t-on pas enfin me chercher ce bouvier ? Laissons-la se vanter de son riche lignage.

JOCASTE : Malheureux ! malheureux ! oui, c'est là le seul nom dont je peux t'appeler. Tu n'en auras jamais un autre de ma bouche.

(Elle rentre, éperdue, dans le palais.)

LE CORYPHÉE : Pourquoi sort-elle ainsi, Œdipe ? On dirait qu'elle a sursauté sous une douleur atroce. Je crains qu'après un tel silence n'éclate quelque grand malheur.

ŒDIPE : Eh ! qu'éclatent donc tous les malheurs qui voudront ! Mais mon origine, si humble soit-elle, j'entends, moi, la saisir. Dans son orgueil de femme, elle rougit sans doute de mon obscurité : je me tiens, moi, pour fils de la Fortune, Fortune la Généreuse, et n'en éprouve point de honte. C'est Fortune qui fut ma mère, et les années qui ont accompagné ma vie m'ont fait tour à tour et petit et grand. Voilà mon origine, rien ne peut la changer : pourquoi renoncerais-je à savoir de qui je suis né ?

(Le Chœur entoure Œdipe et cherche à le distraire de son angoisse.)

Soutenu.

LE CHŒUR : *Si je suis bon prophète, si mes lumières me révèlent le vrai, oui, par l'Olympe, je le jure, dès demain, à la*

pleine lune, tu t'entendras glorifier comme étant, ô Cithéron, le
compatriote d'Œdipe,

son nourricier, son père ; et nos chœurs te célébreront pour les
faveurs que tu fis à nos rois. Et puisses-tu aussi Phœbos, toi
qu'on invoque avec des cris aigus, avoir ces chants pour
agréables !

Qui donc, enfant, qui donc t'a mis au monde ? Parmi les
Nymphes aux longs jours, quelle est donc celle qui aima et qui
rendit père Pan, le dieu qui court par les monts ? Ou bien serait-
ce une amante de Loxias ? Il se plaît à hanter tous les plateaux
sauvages.

Ou bien s'agirait-il du maître du Cyllène [1] ? Ou du divin
Bacchos, l'habitant des hauts sommets, qui t'aurait reçu comme
fils des mains d'une des Nymphes avec qui si souvent il s'ébat
sur l'Hélicon ?

       (Par la gauche entre deux esclaves conduisant un
       vieux berger.)

ŒDIPE : Pour autant que je puisse ici le supposer,
sans l'avoir rencontré encore, ce berger, vieillards, m'a
l'air d'être celui que j'attends depuis un moment. Son
grand âge s'accorde à celui de cet homme. D'ailleurs,
dans ceux qui le conduisent, je reconnais des gens à
moi. Mais ton savoir l'emporte sur le mien sans doute,
puisque tu l'as vu toi-même jadis.

LE CORYPHÉE : Oui, sache-le bien, je le reconnais. Il
était chez Laïos tenu pour un berger fidèle entre tous.

ŒDIPE : C'est à toi d'abord que je m'adresse, à toi, le
Corinthien. Est-ce là l'homme dont tu parles ?

LE CORINTHIEN : C'est celui-là même ; tu l'as devant
toi.

ŒDIPE : Ça, vieillard, à ton tour ! Approche et, les
yeux dans mes yeux, réponds à mes demandes. Tu
étais bien à Laïos ?

LE SERVITEUR : Oui, esclave non acheté, mais né au
palais du roi.

ŒDIPE : Attaché à quelle besogne ? Menant quelle sorte de vie ?

LE SERVITEUR : Je faisais paître les troupeaux la plus grande partie du temps.

ŒDIPE : Et dans quelles régions séjournais-tu de préférence ?

LE SERVITEUR : Dans la région du Cithéron, ou dans les régions voisines.

ŒDIPE : Et là, te souviens-tu d'avoir connu cet homme ?

LE SERVITEUR : Mais qu'y faisait-il ? de qui parles-tu ?

ŒDIPE : De celui qui est là. L'as-tu pas rencontré ?

LE SERVITEUR : Pas assez pour que ma mémoire me laisse répondre si vite.

LE CORINTHIEN : Rien d'étonnant à cela, maître. Mais je vais nettement, puisqu'il ne me reconnaît pas, réveiller, moi, ses souvenirs. Je suis bien sûr qu'il se souvient du temps où, sur le Cithéron, lui avec deux troupeaux, et moi avec un, nous avons tous les deux vécu côte à côte, à trois reprises, pendant six mois, du début du printemps au lever de l'Arcture. L'hiver venu, nous ramenions nos bêtes, moi dans ma bergerie, lui aux étables de son maître. Oui ou non, dis-je vrai ?

LE SERVITEUR : Vrai. Mais il s'agit là de choses bien anciennes.

LE CORINTHIEN : Et maintenant, dis-moi. En ce temps-là, te souviens-tu de m'avoir remis un enfant, afin que je l'élève comme s'il était mien ?

LE SERVITEUR : Que dis-tu ? Où veux-tu en venir ?

LE CORINTHIEN : Le voilà, mon ami, cet enfant d'autrefois !

LE SERVITEUR, *levant son bâton :* Malheur à toi ! veux-tu te taire !

ŒDIPE : Eh là, vieux, pas de coups ! Ce sont bien tes

propos qui méritent des coups, beaucoup plus que les siens.

LE SERVITEUR : Mais quelle est donc ma faute, ô le meilleur des maîtres ?

ŒDIPE : Tu ne nous as rien dit de l'enfant dont il parle.

LE SERVITEUR : Il parle sans savoir, il s'agite pour rien.

ŒDIPE : Si tu ne veux pas parler de bon gré, tu parleras de force et il t'en cuira.

LE SERVITEUR : Ah ! je t'en supplie, par les dieux, ne maltraite pas un vieillard.

ŒDIPE : Vite, qu'on lui attache les mains dans le dos !

LE SERVITEUR : Hélas ! pourquoi donc ? que veux-tu savoir ?

ŒDIPE : C'est toi qui lui remis l'enfant dont il nous parle ?

LE SERVITEUR : C'est moi. J'aurais bien dû mourir le même jour.

ŒDIPE : Refuse de parler, et c'est ce qui t'attend.

LE SERVITEUR : Si je parle, ma mort est bien plus sûre encore.

ŒDIPE : Cet homme m'a tout l'air de chercher des délais.

LE SERVITEUR : Non, je l'ai dit déjà : c'est moi qui le remis.

ŒDIPE : De qui le tenais-tu ? De toi-même ou d'un autre ?

LE SERVITEUR : Il n'était pas à moi. Je le tenais d'un autre.

ŒDIPE : De qui ? de quel foyer de Thèbes sortait-il ?

LE SERVITEUR : Non, maître, au nom des dieux, n'en demande pas plus.

ŒDIPE : Tu es mort, si je dois répéter ma demande.

LE SERVITEUR : Il était né chez Laïos.

ŒDIPE : Esclave ?... Ou parent du roi ?

LE SERVITEUR : Hélas ! j'en suis au plus cruel à dire.

ŒDIPE : Et pour moi à entendre. Pourtant je l'entendrai.

LE SERVITEUR : Il passait pour son fils... Mais ta femme, au palais, peut bien mieux que personne te dire ce qui est.

ŒDIPE : C'est elle qui te l'avait remis ?

LE SERVITEUR : C'est elle, seigneur.

ŒDIPE : Dans quelle intention ?

LE SERVITEUR : Pour que je le tue.

ŒDIPE : Une mère !... La pauvre femme !

LE SERVITEUR : Elle avait peur d'un oracle des dieux.

ŒDIPE : Qu'annonçait-il ?

LE SERVITEUR : Qu'un jour, prétendait-on, il tuerait ses parents.

ŒDIPE : Mais pourquoi l'avoir, toi, remis à ce vieillard ?

LE SERVITEUR : J'eus pitié de lui, maître. Je crus, moi, qu'il l'emporterait au pays d'où il arrivait. Il t'a sauvé la vie, mais pour les pires maux ! Si tu es vraiment celui dont il parle, sache que tu es né marqué par le malheur.

ŒDIPE : Hélas, hélas ! ainsi tout à la fin serait vrai ! Ah ! lumière du jour, que je te voie ici pour la dernière fois, puisque aujourd'hui, je me révèle le fils de qui je ne devais pas naître, l'époux de qui je ne devais pas l'être, le meurtrier de qui je ne devais pas tuer !

(Il se rue dans le palais.)

Modéré.

LE CHŒUR : *Pauvres générations humaines, je ne vois en vous qu'un néant !*

Quel est, quel est donc l'homme qui obtient plus de bonheur qu'il en faut pour paraître heureux, puis, cette apparence donnée, disparaître de l'horizon ?

*Ayant ton sort pour exemple, ton sort à toi, ô malheureux
Œdipe, je ne puis plus juger heureux qui que ce soit parmi les
hommes.*

*Il avait visé au plus haut. Il s'était rendu maître d'une
fortune et d'un bonheur complets.*

*Il avait détruit, ô Zeus, la devineresse aux serres aiguës. Il
s'était dressé devant notre ville comme un rempart contre la
mort.*

*Et c'est ainsi, Œdipe, que tu avais été proclamé notre roi, que
tu avais reçu les honneurs les plus hauts, que tu régnais sur la
puissante Thèbes.*

Plus vif.

*Et maintenant qui pourrait être dit plus malheureux que toi ?
Qui a subi désastres, misères plus atroces, dans un pareil
revirement ?*

*Ah ! noble et cher Œdipe ! Ainsi la chambre nuptiale a vu le
fils après le père entrer au même port terrible !*

*Comment, comment le champ labouré[1] par ton père a-t-il pu
si longtemps, sans révolte, te supporter, ô malheureux ?*

*Le temps, qui voit tout, malgré toi l'a découvert. Il condamne
l'hymen, qui n'a rien d'un hymen, d'où naissaient à la fois et
depuis tant de jours un père et des enfants.*

*Ah ! fils de Laïos ! que j'aurais donc voulu ne jamais, ne
jamais te connaître ! Je me désole, et des cris éperdus*

*s'échappent de ma bouche. Il faut dire la vérité : par toi jadis
j'ai recouvré la vie, et par toi aujourd'hui je ferme à jamais les
yeux !*

(Un esclave sort du palais.)

LE MESSAGER : O vous que ce pays a de tout temps
entre tous honorés, qu'allez-vous donc ouïr et qu'allez-
vous voir ? Quel chant de deuil devrez-vous faire
entendre si, fidèles à votre sang, vous vous intéressez
encore à la maison des Labdacides ? Ni l'Ister ni le

Phase[1] ne seraient capables, je crois, de laver les souillures que cache ce palais, et dont il va bientôt révéler une part — souillures voulues, non involontaires ; mais, parmi les malheurs, les plus affligeants ne sont-ils pas ceux justement qui sont nés d'un libre choix ?

LE CORYPHÉE : Ce que nous savions nous donnait déjà matière à gémir : qu'y viens-tu ajouter encore ?

LE MESSAGER : Un mot suffit, aussi court à dire qu'à entendre : notre noble Jocaste est morte.

LE CORYPHÉE : La malheureuse ! Et qui causa sa mort ?

LE MESSAGER : Elle-même. Mais le plus douloureux de tout cela t'échappe : le spectacle du moins t'en aura été épargné. Malgré tout, dans la mesure où le permettra ma mémoire, tu vas savoir ce qu'a souffert l'infortunée. A peine a-t-elle franchi le vestibule que, furieuse, elle court vers le lit nuptial, en s'arrachant à deux mains les cheveux. Elle entre et violemment ferme la porte derrière elle. Elle appelle alors Laïos, déjà mort depuis tant d'années ; elle évoque « les enfants que jadis il lui donna et par qui il périt lui-même, pour laisser la mère à son tour donner à ses propres fils une sinistre descendance ». Elle gémit sur la couche « où, misérable, elle enfanta un époux de son époux et des enfants de ses enfants » ! Comment elle périt ensuite, je l'ignore, car à ce moment Œdipe, hurlant, tombe au milieu de nous, nous empêchant d'assister à sa fin : nous ne pouvons plus regarder que lui. Il fait le tour de notre groupe ; il va, il vient, nous suppliant de lui fournir une arme, nous demandant où il pourra trouver « l'épouse qui n'est pas son épouse, mais qui fut un champ maternel à la fois pour lui et pour ses enfants ». Sur quoi un dieu sans doute dirige sa fureur, car ce n'est certes aucun de ceux qui l'entouraient avec moi. Subitement, il poussa un cri terrible et, comme mené par un guide, le voilà qui se

précipite sur les deux vantaux de la porte, fait fléchir le
verrou qui saute de la gâche, se rue enfin au milieu de
la pièce... La femme est pendue! Elle est là, devant
nous, étranglée par le nœud qui se balance au toit... Le
malheureux à ce spectacle pousse un gémissement
affreux. Il détache la corde qui pend, et le pauvre corps
tombe à terre... C'est un spectacle alors atroce à voir.
Arrachant les agrafes d'or[1] qui servaient à draper ses
vêtements sur elle, il les lève en l'air et il se met à en
frapper ses deux yeux dans leurs orbites. « Ainsi ne
verront-ils plus, dit-il, ni le mal que j'ai subi, ni celui
que j'ai causé; ainsi les ténèbres leur défendront-elles
de voir désormais ceux que je n'eusse pas dû voir[2], et
de connaître ceux que, malgré tout, j'eusse voulu
connaître[3]! » Et tout en clamant ces mots, sans répit,
les bras levés, il se frappait les yeux, et leurs globes en
sang coulaient sur sa barbe. Ce n'était pas un suintement de gouttes rouges, mais une noire averse de grêle
et de sang, inondant son visage!... Le désastre a éclaté,
non par sa seule faute, mais par le fait de tous deux à la
fois : c'est le commun désastre de la femme et de
l'homme. Leur bonheur d'autrefois était hier encore
un bonheur au sens vrai du mot : aujourd'hui, au
contraire, sanglots, désastre, mort et ignominie, toute
tristesse ayant un nom se rencontre ici désormais; pas
une qui manque à l'appel!

LE CORYPHÉE : Et, à présent, le misérable jouit-il de
quelque relâche à sa peine?

LE MESSAGER : Il demande à grands cris « qu'on
ouvre les portes et qu'on fasse voir à tous les Cadméens
celui qui tua son père et qui fit de sa mère... » — ses
mots sont trop ignobles, je ne puis les redire. Il parle
« en homme qui s'apprête à s'exiler lui-même du pays,
qui ne peut plus y demeurer, puisqu'il se trouve sous le
coup de sa propre imprécation ». Pourtant, il a besoin
d'un appui étranger, il a besoin d'un guide. Le coup
qui l'a frappé est trop lourd à porter. Tu vas en juger

par toi-même. On pousse justement le verrou de sa porte. Tu vas contempler un spectacle qui apitoierait même un ennemi.

(*Œdipe apparaît, la face sanglante, cherchant sa route à tâtons.*)

Mélodrame.

LE CORYPHÉE : O disgrâce effroyable à voir[1] pour des mortels — oui, la plus effroyable que j'aie jamais croisée sur mon chemin ! Quelle démence, infortuné, s'est donc abattue sur toi ? Quel Immortel a fait sur ta triste fortune un bond plus puissant qu'on n'en fit jamais ?

Ah ! malheureux ! non, je ne puis te regarder en face. Et cependant je voudrais tant t'interroger, te questionner, t'examiner... Mais tu m'inspires trop d'effroi !

ŒDIPE : Hélas ! hélas ! malheureux que je suis ! Où m'emportent mes pas, misérable ? où s'envole ma voix, en s'égarant dans l'air ? Ah ! mon destin, où as-tu été te précipiter ?

LE CORYPHÉE : Dans un désastre, hélas ! effrayant à voir autant qu'à entendre.

Agité.

ŒDIPE : *Ah ! nuage de ténèbres ! nuage abominable, qui t'étends sur moi, immense, irrésistible, écrasant !*

Ah ! comme je sens pénétrer en moi tout ensemble et l'aiguillon de mes blessures et le souvenir de mes maux.

LE CORYPHÉE : Nul assurément ne sera surpris qu'au milieu de telles épreuves tu aies double deuil, double douleur à porter.

ŒDIPE : *Ah ! mon ami, tu restes donc encore, toi seul, à mes côtés ? Tu consens donc encore à soigner un aveugle ?*

Ah ! ce n'est pas un leurre : du fond de mes ténèbres, très nettement, je reconnais ta voix.

LE CORYPHÉE : Oh ! qu'as-tu fait ? Comment as-tu donc pu détruire tes prunelles ? Quel dieu poussa ton bras ?

ŒDIPE : *Apollon, mes amis ! oui, c'est Apollon qui m'inflige à cette heure ces atroces, ces atroces disgrâces qui sont mon lot, mon lot désormais. Mais aucune autre main n'a frappé que la mienne, la mienne, malheureux !*

Que pouvais-je encore voir dont la vue pour moi eût quelque douceur ?

LE CHŒUR : *Las ! il n'est que trop vrai !*

ŒDIPE : *Oui, que pouvais-je voir qui me pût satisfaire ? Est-il un appel encore que je puisse entendre avec joie ?*

Ah ! emmenez-moi loin de ces lieux bien vite ! emmenez, mes amis, l'exécrable fléau, le maudit entre les maudits, l'homme qui parmi les hommes est le plus abhorré des dieux !

LE CORYPHÉE : Ton âme te torture autant que ton malheur. Comme j'aurais voulu que tu n'eusses rien su !

ŒDIPE : *Ah ! quel qu'il fût, maudit soit l'homme qui, sur l'herbe d'un pâturage, me prit par ma cruelle entrave, me sauva de la mort, me rendit à la vie ! Il ne fit rien là qui dût me servir.*

Si j'étais mort à ce moment, ni pour moi ni pour les miens je ne fusse devenu l'affreux chagrin que je suis aujourd'hui.

LE CHŒUR : *Moi aussi, c'eût été mon vœu.*

ŒDIPE : *Je n'eusse pas été l'assassin de mon père ni aux yeux de tous les mortels l'époux de celle à qui je dois le jour ;*

tandis qu'à cette heure, je suis un sacrilège, fils de parents impies, qui a lui-même des enfants de la mère dont il est né ! S'il existe un malheur au-delà du malheur, c'est là, c'est là, le lot d'Œdipe !

LE CORYPHÉE : Je ne sais vraiment comment justifier ta résolution. Mieux valait pour toi ne plus vivre que vivre aveugle à jamais.

ŒDIPE : Ah ! ne me dis pas que ce que j'ai fait n'était pas le mieux que je pusse faire ! Épargne-moi et leçons

et conseils !... Et de quels yeux, descendu aux Enfers,
eussé-je pu, si j'y voyais, regarder mon père et ma
pauvre mère, alors que j'ai sur tous les deux commis
des forfaits plus atroces que ceux pour lesquels on se
pend ? Est-ce la vue de mes enfants qui aurait pu
m'être agréable ? — des enfants nés comme ceux-ci
sont nés ! Mes yeux, à moi, du moins ne les reverront
pas, non plus que cette ville, ces murs, ces images
sacrées de nos dieux, dont je me suis exclu moi-même,
infortuné, moi, le plus glorieux des enfants de Thèbes,
le jour où j'ai donné l'ordre formel à tous de repousser
le sacrilège, celui que les dieux mêmes ont révélé
impur, l'enfant de Laïos ! Et après avoir de la sorte
dénoncé ma propre souillure, j'aurais pu les voir [1] sans
baisser les yeux ? Non, non ! Si même il m'était
possible de barrer au flot des sons la route de mes
oreilles, rien ne m'empêcherait alors de verrouiller
mon pauvre corps, en le rendant aveugle et sourd tout
à la fois. Il est si doux à l'âme de vivre hors de ses
maux !... Ah ! Cithéron, pourquoi donc m'as-tu
recueilli ? Que ne m'as-tu plutôt saisi et tué sur
l'heure ! Je n'eusse pas ainsi dévoilé aux humains de
qui j'étais sorti... O Polybe, ô Corinthe, et toi, palais
antique, toi qu'on disait le palais de mon père, sous
tous ces beaux dehors, quel chancre malfaisant vous
nourrissiez en moi ! J'apparais aujourd'hui ce que je
suis en fait : un criminel, issu de criminels... O double
chemin ! val caché ! bois de chênes ! ô étroit carrefour
où se joignent deux routes ! vous qui avez bu le sang de
mon père versé par mes mains, avez-vous oublié les
crimes que j'ai consommés sous vos yeux, et ceux que
j'ai plus tard commis ici encore ? Hymen, hymen à qui
je dois le jour, qui, après m'avoir enfanté, as une fois
de plus fait lever la même semence et qui, de la sorte,
as montré au monde des pères, frères, enfants, tous de
même sang ! des épousées à la fois femmes et mères [2]
— les pires hontes des mortels... Non, non ! Il est des

choses qu'il n'est pas moins honteux d'évoquer que de faire. Vite, au nom des dieux, vite, cachez-moi quelque part, loin d'ici ; tuez-moi, jetez-moi à la mer ou en des lieux du moins où l'on ne me voie plus... Venez, daignez toucher un malheureux. Ah ! croyez-moi, n'ayez pas peur : mes maux à moi, il n'est point d'autre mortel qui soit fait pour les porter.

LE CORYPHÉE : Mais, pour répondre à tes demandes, Créon arrive à propos. Il est désigné pour agir autant que pour te conseiller, puisqu'il reste seul à veiller à ta place sur notre pays.

(Entre Créon.)

ŒDIPE : Las ! que dois-je lui dire ? Quelle confiance puis-je donc normalement lui inspirer ? Ne me suis-je pas naguère montré en tout cruel à son endroit ?

CRÉON : Je ne viens point ici pour te railler, Œdipe ; moins encore pour te reprocher tes insultes de naguère. Mais vous autres, si vous n'avez plus de respect pour la race des humains, respectez tout au moins le feu qui nourrit ce monde ; rougissez d'exposer sans voile à ses rayons un être aussi souillé, que ne sauraient admettre ni la terre, ni l'eau sainte, ni la lumière du jour. Allez, renvoyez-le au plus vite chez lui. C'est aux parents seuls que la pitié laisse le soin de voir et d'écouter des parents en peine.

ŒDIPE : Au nom des dieux, puisque tu m'as tiré de crainte, en venant, toi, ô le meilleur des hommes, vers le plus méchant des méchants, écoute-moi. Je veux te parler dans ton intérêt, et non dans le mien.

CRÉON : Et quelle est la requête pour laquelle tu me presses ainsi ?

ŒDIPE : Jette-moi hors de ce pays, et au plus tôt, dans des lieux où personne ne m'adresse plus la parole.

CRÉON : Je l'eusse fait, sois-en bien sûr, si je n'avais voulu savoir d'abord du dieu où était mon devoir.

ŒDIPE : Mais le dieu a déjà publié sa sentence : pour l'assassin, pour l'impie que je suis, c'est la mort.

CRÉON : Ce sont bien ses paroles ; mais, dans la détresse où nous sommes, mieux vaut pourtant nous assurer de ce qui est notre devoir.

ŒDIPE : Eh quoi ! pour un malheureux vous iriez consulter encore ?

CRÉON : C'est justement pour que toi-même tu en croies cette fois le dieu.

ŒDIPE : Je l'en crois ; et, à mon tour, je t'adresse mes derniers vœux. A celle qui est là, au fond de ce palais, va, fais les funérailles que tu désireras : il est bien dans ton rôle de t'occuper des tiens. Mais pour moi, tant que je vivrai, que jamais cette ville, la ville de mes pères, ne me soit donnée pour séjour ! Laisse-moi bien plutôt habiter les montagnes, ce Cithéron qu'on dit mon lot. Mon père et ma mère, de leur vivant même, l'avaient désigné pour être ma tombe : je mourrai donc ainsi par ceux-là qui voulaient ma mort. Et pourtant, je le sais, ni la maladie ni rien d'autre au monde ne peuvent me détruire : aurais-je été sauvé à l'heure où je mourais, si ce n'avait été pour quelque affreux malheur ? N'importe : que mon destin, à moi, suive sa route ! Mais j'ai mes enfants... De mes fils, Créon, ne prends pas souci. Ce sont des hommes : où qu'ils soient, ils ne manqueront pas de pain. Mais de mes pauvres et pitoyables filles, sans qui jamais on ne voyait dressée la table où je mangeais, et qui toujours avaient leur part de tous les plats que je goûtais, de celles-là je t'en supplie, prends soin !... Et surtout, laisse-moi les palper de mes mains, tout en pleurant sur nos misères. Ah ! prince, noble et généreux prince, si mes mains les touchaient seulement, je croirais encore les avoir à moi, tout comme au temps où j'y voyais... Mais que dis-je ? O dieux ! n'entends-je pas ici mes deux filles qui pleurent ? Créon, pris de pitié,

m'aurait-il envoyé ce que j'ai de plus cher, mes deux
enfants ? Dis-je vrai ?

> *(Antigone et Ismène sortent du gynécée, conduites
> par une esclave.)*

CRÉON : Vrai. C'est bien moi qui t'ai ménagé cette
joie, dont je savais que la pensée depuis un moment
t'obsédait.

ŒDIPE : Le bonheur soit donc avec toi ! et, pour te
payer de cette venue, puisse un dieu te sauvegarder, et
mieux qu'il n'a fait moi-même ! — O mes enfants, où
donc êtes-vous ? venez, venez vers ces mains frater-
nelles, qui ont fait ce que vous voyez de ces yeux tout
pleins de lumière du père dont vous êtes nées ! ce père,
mes enfants qui, sans avoir rien vu, rien su, s'est révélé
soudain comme vous ayant engendrées dans le sein où
lui-même avait été formé !... Sur vous aussi, je pleure
— puisque je ne suis plus en état de vous voir — je
pleure, quand je songe combien sera amère votre vie à
venir et quel sort vous feront les gens. A quelles
assemblées de votre cité, à quelles fêtes pourrez-vous
bien aller, sans retourner chez vous en larmes, frus-
trées du spectacle attendu ? Et, quand vous atteindrez
l'heure du mariage, qui voudra, qui osera se charger
de tous ces opprobres faits pour ruiner votre existence,
comme ils ont fait pour mes propres parents ? Est-il un
crime qui y manque ? Votre père a tué son père ; il a
fécondé le sein d'où lui-même était sorti ; il vous a eues
de celle même dont il était déjà issu : voilà les hontes
qu'on vous reprochera ! Qui, dès lors, vous épousera ?
Personne, ô mes enfants, et sans doute, vous faudra-t-il
vous consumer alors dans la stérilité et dans la
solitude. O fils de Ménécée, puisque tu restes seul pour
leur servir de père — nous, leur père et leur mère,
sommes morts tous les deux — ne laisse pas des filles
de ton sang errer sans époux, mendiant leur pain. Ne
fais point leur malheur égal à mon malheur. Prends

pitié d'elles, en les voyant si jeunes, abandonnées de tous, si tu n'interviens pas. Donne-m'en ta parole, prince généreux, en me touchant la main... *(Créon lui donne la main.)* Ah! que de conseils, mes enfants, si vous étiez d'âge à comprendre j'aurais encore à vous donner! Pour l'instant, croyez-moi, demandez seulement aux dieux, où que le sort vous permette de vivre, d'y trouver une vie meilleure que celle du père dont vous êtes nées.

CRÉON : Tu as assez pleuré, rentre dans la maison.

ŒDIPE : Je ne puis qu'obéir, même s'il m'en coûte.

CRÉON : Ce qu'on fait quand il faut est toujours bien fait.

ŒDIPE : Sais-tu mes conditions pour m'éloigner d'ici?

CRÉON : Dis-les-moi, et je les saurai.

ŒDIPE : Veille à me faire mener hors du pays.

CRÉON : La réponse appartient au dieu.

ŒDIPE : Mais je fais horreur aux dieux désormais.

CRÉON : Eh bien! alors tu l'obtiendras sans doute.

ŒDIPE : Ainsi tu consens?

CRÉON : Je n'ai pas l'habitude de parler contre ma pensée.

ŒDIPE : Emmène-moi donc tout de suite.

CRÉON : Viens alors, et laisse tes filles.

ŒDIPE : Non, pas elles! non, ne me les enlève pas!

CRÉON : Ne prétends donc pas triompher toujours : tes triomphes n'ont pas accompagné ta vie.

(On ramène les fillettes dans le gynécée, tandis qu'on fait rentrer Œdipe par la grande porte du palais.)

LE CORYPHÉE : Regardez, habitants de Thèbes, ma patrie. Le voilà, cet Œdipe, cet expert en énigmes fameuses, qui était devenu le premier des humains. Personne dans sa ville ne pouvait contempler son destin sans envie. Aujourd'hui, dans quel flot d'effrayante misère est-il précipité ! C'est donc ce dernier jour qu'il faut, pour un mortel, toujours considérer. Gardons-nous d'appeler jamais un homme heureux, avant qu'il ait franchi le terme de sa vie sans avoir subi un chagrin [1].

Électre

PERSONNAGES

LE PRÉCEPTEUR.

ORESTE, *fils d'Agamemnon et de Clytemnestre.*

ÉLECTRE, *sœur d'Oreste.*

CHŒUR DE JEUNES FEMMES DE MYCÈNES.

CHRYSOTHÉMIS, *sœur d'Électre.*

CLYTEMNESTRE, *fille de Tyndare, veuve d'Agamemnon.*

ÉGISTHE, *fils de Thyeste, cousin germain d'Agamemnon, amant de Clytemnestre.*

Sur l'acropole de Mycènes, d'où l'on découvre toute la plaine d'Argolide. L'aube se lève. Oreste, Pylade et le Précepteur débouchent soudain devant le palais d'Agamemnon.

LE PRÉCEPTEUR : Enfant d'Agamemnon, le chef qui commanda nos armées devant Troie, tu peux toi-même voir enfin ces lieux qui toujours ont fait ton envie. La voilà, cette antique Argolide vers qui tu soupirais, ce pourpris de la vierge, fille d'Inachos, taraudée par le taon[1]. Voilà la place Lycienne[2], vouée au dieu tueur de loups ; et là, à gauche, le temple illustre d'Héra. Ici même, ce qui est sous tes yeux, dis-toi que c'est l'opulente Mycènes et ce palais sanglant des Pélopides où jadis, t'arrachant aux assassins d'un père, je te reçus des mains de l'un des tiens — de ta propre sœur — et t'emportai, te gardai, te nourris jusqu'à l'âge où tu es, pour que tu fusses un jour le vengeur de ce père. Et maintenant, Oreste, et toi aussi, Pylade, le plus aimé des hôtes[3], que devez-vous faire ? il faut en décider, et vite. Déjà l'éclat lumineux du soleil éveille, bien distincts, les chants des oiseaux qui saluent l'aurore, et la sombre nuit étoilée lui a abandonné la place. Avant que personne sorte du palais, mettez-vous d'accord : nous allons prendre une route où cesse l'heure d'hésiter et où il n'y a plus qu'à agir.

ORESTE : O le plus cher des serviteurs, quelles marques éclatantes tu me donnes donc de ta loyauté envers moi ! Comme un cheval de race, même déjà vieux, ne perd rien de sa fougue et dresse encore l'oreille à l'heure des combats, ainsi on te voit tout ensemble m'inciter à la lutte et te montrer des premiers à me suivre. Je veux donc que tu saches ce que j'ai décidé. Prête à mon plan une oreille attentive ; redresse-moi, si je manque le but. Le jour où j'ai recouru à l'oracle de Pythô, afin de savoir comment je pourrais, pour un père, tirer juste vengeance de ses assassins, Phœbos m'a répondu ce que tu vas entendre : je dois, « seul, sans bouclier, sans armée, par la ruse, en dissimulant, pourvoir au juste sacrifice qui est réservé à mon bras ». Puisque tel est l'oracle que j'ai entendu, va, et dès que l'occasion t'aura permis d'entrer dans ce palais, sache ce qui s'y passe ; puis, quand tu le sauras, rapporte-le-moi très exactement. Il n'est pas à craindre qu'on ne te reconnaisse, à l'âge où tu es, après un si long temps, ni même que l'on ne te soupçonne sous ce poil fleuri. Emploie donc à peu près ce langage : tu es un étranger, un Phocidien, et tu viens de la part d'un certain Phanotée [1], le meilleur de leurs hôtes. Après quoi, sous la foi du serment, annonce-leur qu'Oreste est mort : il a, jouet d'un sort fatal, roulé de son char en marche au cours du tournoi pythique. Que ce thème soit bien arrêté entre nous. — Moi, cependant, suivant l'ordre du dieu, j'irai d'abord au tombeau de mon père lui faire hommage à la fois de libations et d'offrandes coupées sur mon propre front. Je reviendrai ensuite, ayant dans mes bras l'urne aux flancs d'airain que tu m'as vu cacher dans un taillis, pour leur apporter en un récit menteur l'agréable nouvelle que mon corps lui-même n'est plus : le feu l'a consumé et réduit en cendres. Et pourquoi, après tout, m'affligerais-je d'être mort en paroles, quand en fait je reste vivant et me conquiers un grand renom ? Il n'est pas de mot, je pense, capable de faire du mal, lorsqu'il assure un avantage. J'ai déjà vu bien des sages mourir en paroles — en vaines paroles — et, sitôt de retour chez eux, y être honorés plus qu'avant [1]. Tout de même je me flatte, après ce faux bruit, de poindre quelque jour bien vivant, comme un astre, à la vue de mes ennemis. Allons ! sol de mes pères, dieux de ma patrie, donnez à ce voyage un heureux succès. Et toi aussi, palais de mes ancêtres, c'est toi qu'ici je viens purifier, au nom des dieux, suivant le droit. Ne m'infligez pas l'affront d'être écarté de cette terre ; mais permettez-moi d'entrer en possession de mes richesses et de relever ma maison. J'ai fini. A toi maintenant, vieillard, d'aller veiller à ta besogne. Nous allons, nous, nous éloigner. L'occasion est propice, et c'est le meilleur des guides dans toute entreprise humaine.

(On entend Électre gémir dans le palais.)

ÉLECTRE : Hélas ! hélas sur moi, malheureuse !

LE PRÉCEPTEUR : Je crois avoir perçu, mon fils, le sourd gémissement de quelque servante derrière cette porte.

ORESTE : Ah ! ne serait-ce pas la malheureuse Électre ? Veux-tu que nous restions ici pour prêter l'oreille à ses plaintes ?

LE PRÉCEPTEUR : Garde-t'en bien. Ne faisons rien passer avant l'ordre de Loxias ; et commençons donc par lui obéir, en versant à ton père l'eau qui purifie. C'est à cette condition seule que la victoire est à nous, et avec elle le succès de notre entreprise.

(Ils sortent. Électre apparaît au seuil du palais.)

Mélodrame.

⚔ ÉLECTRE : O pure lumière, et toi, plaine de l'air, créée à la mesure exacte de la terre, que de fois vous aurez ouï mes chants de deuil ! que de fois vous

m'aurez vue me frapper en pleine poitrine de coups qui
me laissent en sang, à l'heure où disparaît la sombre
nuit ! Pour mes veilles nocturnes, c'est ma lugubre
couche entre ces tristes murs qui en sait déjà le secret :
les gémissements que je pousse sur ce père infortuné,
dont Arès meurtrier n'a jamais voulu, tant qu'il a été
en terre barbare, mais que ma mère et son amant
Égisthe ont abattu, eux, comme bûcherons font un
chêne, en lui ouvrant le front d'une hache homicide,
sans que jamais autre femme que moi ait émis une
plainte sur cette mort inique et pitoyable qui fut la
tienne, père.

Eh bien ! moi, je ne cesserai ni mes lamentations ni
mes lugubres plaintes, aussi longtemps que je verrai
l'éclat scintillant des étoiles ou cette lumière du jour.
Non, non, je ne cesserai plus, comme le rossignol qui a
tué ses petits, de clamer en pleurant mon appel à tous
devant le palais paternel. Demeure d'Hadès et de
Perséphone ; Hermès Infernal ; puissante Imprécation ; et vous Érinyes, sévères filles des dieux, vous dont
les yeux ne quittent pas les hommes que l'on tue sans
droit ou à qui l'on vole leurs femmes, venez, prêtez-
moi votre aide, vengez le meurtre de mon père !... Et
tout d'abord, ramenez-moi mon frère, puisque, seule,
je n'ai plus la force de résister au poids de douleur qui
m'entraîne.

> *(Entre le Chœur. Il est composé de jeunes femmes
> de Mycènes.)*

Large et soutenu.

LE CHŒUR : *Électre, mon enfant, fille de la plus misérable
des mères, pourquoi sans cesse te répandre en plaintes inassouvies*

   *sur cet Agamemnon qu'une perfide mère prit jadis au filet de
ses ruses impies, pour le livrer au bras d'un lâche ? Ah ! qu'il*

meure à son tour l'auteur de ce forfait, s'il est permis d'exprimer un tel vœu !

ÉLECTRE : *O filles d'un généreux sang, vous êtes donc venues soulager ma misère. Oui, je sais, je comprends, je ne m'abuse pas. Je ne veux pourtant pas renoncer à ma tâche et cesser de gémir sur mon malheureux père.*

Je vous dois le bienfait d'une amitié qui prend toutes les formes ; mais laissez-moi à ma démence, hélas ! je vous en supplie.

LE CHŒUR : *Ni sanglots ni prières n'arracheront ton père au marais de l'Enfer, où tous doivent descendre.*

Et toi, en passant la mesure pour te plonger dans un deuil éperdu, pour te lamenter sans répit, tu te tues lentement, sans davantage parvenir à te délivrer de tes maux. Pourquoi ne chercher que ce qui t'afflige ?

ÉLECTRE : *Seul un fou pourrait oublier un père ainsi tombé d'une mort pitoyable. Ce qui répond à mon humeur, à moi, c'est l'oiseau qui se lamente en répétant « Itys ! Itys ! » c'est l'oiseau désespéré qui sert de messager à Zeus*[1].

Et c'est toi que je proclame ma déesse, toi, la triste Niobé qui sous ta tombe de roc, hélas ! continues de pleurer[2].

Un peu plus animé.

LE CHŒUR : *Tu n'es pas la seule parmi les humains à qui la douleur se soit révélée, ma fille, et, en face d'elle, tu montres quelque excès, comparée à d'autres de ton sang, de ta race, qui vivent autrement, comme Chrysothémis et Iphianassa*[3] *;*

comme celui aussi, dont la jeunesse heureuse demeure à l'abri des chagrins et que la glorieuse terre de Mycènes accueillera un jour en vrai fils de ses pères, quand, par le vouloir bienveillant de Zeus, il rentrera dans ce pays, Oreste !

ÉLECTRE : *Oui, c'est lui que moi aussi inlassablement, moi, la malheureuse sans enfants, sans mari, c'est lui que je viens attendre à toute heure,*

baignée de larmes, en proie à la douleur constante de mes maux. Mais il est oublieux des services rendus et des avis reçus.

Ai-je un seul message de lui que les faits ne démentent pas ? Il ne cesse de désirer et, en dépit de ce désir, ne se résout pas à paraître.

LE CHŒUR : *Rassure-toi, rassure-toi, ma fille. Le grand Zeus est toujours au ciel, d'où il voit tout et règle tout. Abandonne-lui un courroux dont tu souffres toi-même au-delà de tes forces, et n'accorde à tes ennemis ni chagrin extrême ni oubli complet.*

Le temps est le dieu qui aplanit tout. Le fils d'Agamemnon, sur les rives aux bons pacages de Crisa[1], n'est pas assurément insoucieux de sa tâche, et pas davantage le dieu qui règne aux bords de l'Achéron.

ÉLECTRE : *Oui, mais moi, hélas ! j'ai déjà vu fuir un long temps de ma vie, trompée dans mes espoirs, et je n'ai plus de forces.*

Je me consume ici sans père et sans mère. Pas un homme parmi les miens qui se déclare mon champion ! Comme une réfugiée que nul ne considère, je suis servante au palais de mon père, dans l'appareil indigne où tu me vois, et faisant le siège[2] de tables qui sont toujours vides pour moi.

Plus large.

LE CHŒUR : *Ah ! l'appel lamentable qui marqua l'heure du retour, l'appel qui partit du lit de ton père, quand sur lui, en plein front, vint s'abattre la hache à denture d'airain !*

La ruse avait tramé le meurtre, l'amour l'exécuta, dès qu'ils eurent tous deux fait naître à la lumière une forme terrible entre les plus terribles. Dieu ou mortel ? je ne sais qui agit[3].

ÉLECTRE : *Ah ! de tous les jours de ma vie jour le plus horrible pour moi ! Ah ! nuit ! ah ! douleur affolante de ce banquet d'horreur ! Mon père vit venir une mort infâme au bout de ces deux bras*

qui m'ont pris l'existence, m'ont trahie, m'ont perdue moi aussi. Ah ! ceux-là, que le dieu tout-puissant de l'Olympe leur fasse donc subir la peine de leurs crimes ! qu'ils ignorent la joie du triomphe, après avoir commis de tels forfaits !

LE CHŒUR : *Sois prudente et n'en dis pas plus. Ne comprends-tu pas ce qui fait que tu te heurtes maintenant à des malheurs qui sont ton œuvre et que suit tant d'ignominie ?*

Tu t'es toi-même procuré beaucoup plus que ta part de maux, en provoquant sans cesse des conflits par ton humeur impatiente. Il est des choses qu'on ne discute pas, lorsqu'on a affaire aux puissants.

ÉLECTRE : *Ma détresse, ma détresse m'y a forcée. Va, je sais, ma colère n'est pas inconsciente. Mais, dans cette détresse même, j'entends ne pas mettre fin à ces malheurs qui sont mon œuvre, aussi longtemps que je vivrai. Qui donc, ô sœurs chéries,*

qui donc, ayant le sens de l'heure, croira qu'on puisse me donner un avis vraiment fait pour moi ? Laissez-moi donc, eh ! laissez-moi, mes conseillères ! Mon cas jamais ne cessera d'être de ceux que l'on dit sans remède. De mes douleurs jamais je ne verrai le terme : j'ai matière à gémir sans fin !

Très appuyé.

LE CHŒUR : *Mais c'est par amitié, crois-moi, que je t'engage, ainsi qu'une mère fidèle, à ne pas provoquer malheur après malheur.*

ÉLECTRE : *Et l'infortune, elle, a-t-elle une mesure ? Serait-il beau de négliger les morts ? Est-il des gens en qui l'idée a pu germer ?*

Je ne veux pas alors de leur estime, et, si je garde au cœur quelque droiture, je ne veux pas vivre auprès d'eux tranquille, en infligeant de la sorte à mon père l'affront de retenir l'envol de mes sanglots, de mes appels aigus.

Si le malheureux mort devait rester gisant, réduit à n'être plus que néant et poussière, sans que les autres à leur tour en portent la sanglante peine, c'en serait fait à jamais pour les hommes de toute conscience, de toute piété.

LE CORYPHÉE : Je suis venue, ma fille, servir ton intérêt tout autant que le mien. Si mon avis n'est pas le

bon, que ce soit le tien qui l'emporte, et, nous, nous te
suivrons.

ÉLECTRE : J'ai quelque honte à penser, femmes, que
mes gémissements sans fin me doivent donner l'air
d'être peu patiente. Mais je subis ici la contrainte des
faits : pardonnez-moi donc. Une femme bien née
pourrait-elle agir autrement, quand elle a sous les yeux
les malheurs de son père et quand ceux-ci, devant elle,
sans cesse jour et nuit grandissent, au lieu de dimi-
nuer ? Avec ma mère, d'abord, avec celle qui m'a mise
au monde, mes rapports ne sont que de haine. Ensuite,
il me faut vivre, dans ma propre maison, en compagnie
des meurtriers d'un père. C'est d'eux que je reçois des
ordres, et c'est d'eux qu'il dépend que l'on me donne
ou refuse mon pain. Et que sont mes journées — vous
l'imaginez-vous ? — lorsque je vois Égisthe assis au
trône de mon père ! lorsque je vois qu'il porte les
mêmes vêtements, ou que, devant notre foyer, il
répand ses libations à la place où il l'a tué ! lorsque
enfin — suprême insolence — je vois l'assassin de mon
père dans le lit de sa victime, aux côtés de ma triste
mère, si l'on peut appeler mère celle qui couche aux
côtés de cet homme ! Et dire qu'elle a l'audace de vivre
avec cet être impur, sans craindre aucune Érinys ! Bien
au contraire, elle affecte d'être fière de ce qu'elle a fait :
ayant retrouvé le jour où elle a par traîtrise assassiné
mon père, c'est ce jour-là qu'elle choisit pour y
organiser des chœurs et pour y faire chaque mois
couler le sang des victimes en hommage aux Dieux
Sauveurs ! Et moi, qui vois cela, moi, misérable, au
fond de ce palais, je pleure, je me consume, je gémis
sur cet affreux festin — ce festin dit d'« Agamemnon [1] » ! — seule pour moi seule, puisque je ne puis
même pleurer assez de larmes pour contenter mon
cœur. Près de moi en effet une femme « au noble
langage » est là qui élève la voix et qui me couvre
d'injures : « Eh quoi ! peste maudite ! es-tu la seule

dont le père soit mort? N'est-il donc pas d'autre mortel en deuil? Ah! puisses-tu périr misérablement et que jamais les dieux d'en bas eux-mêmes ne mettent fin à tes sanglots! » Voilà de ses invectives! Mais qu'elle entende dire qu'Oreste va venir, elle entre aussitôt en fureur et elle vient à moi criant : « Est-ce pas toi qui me vaut tout cela? est-ce pas là ton œuvre? puisqu'en fait c'est toi qui traîtreusement m'as tiré Oreste des mains. Mais tu me paieras, sois-en sûre, le prix que tu en mérites! » Et tandis qu'elle hurle ainsi, l'autre est près d'elle à l'exciter, l'autre, « l'illustre époux », la lâcheté, la malfaisance mêmes, l'homme qui fait la guerre en restant près des femmes[1]! Et moi, moi toujours dans l'attente de ce retour d'Oreste qui doit finir nos maux, je me meurs, malheureuse! A différer sans cesse, il a ruiné tous mes espoirs, passés ou à naître. Comment, en pareil cas, amies, prêter l'oreille à la raison ou à la piété? Le malheur oblige à être méchant.

LE CORYPHÉE : Mais, dis-moi, Égisthe est-il près d'ici, quand tu nous parles de la sorte? Ou est-il absent du palais?

ÉLECTRE : Bien sûr! Ne t'imagine pas, s'il était près d'ici, que je franchirais cette porte. A l'heure actuelle, il est aux champs.

LE CORYPHÉE : A mon tour, je me sens vraiment plus à mon aise pour causer avec toi, s'il en est bien ainsi.

ÉLECTRE : Oui, dis-toi bien qu'il n'est pas là, et demande ce qu'il te plaît.

LE CORYPHÉE : Eh bien! voici ma question : Que peux-tu dire de ton frère? revient-il? ou retarde-t-il son retour?... C'est ce que je voudrais savoir.

ÉLECTRE : Il promet, oui, mais ne tient rien de ses promesses.

LE CORYPHÉE : On hésite toujours devant un grand devoir.

ÉLECTRE : Je n'ai pas hésité, moi, à sauver sa vie.

LE CORYPHÉE : Ne crains rien, il est d'un sang trop noble pour ne pas venir au secours des siens.

ÉLECTRE : J'en suis sûre ; je ne serais pas sans cela en vie — depuis si longtemps...

LE CORYPHÉE : N'en dis pas davantage : je vois sortir de la maison ta sœur Chrysothémis, fille du même père et de la même mère. Elle tient dans ses mains les offrandes funèbres que l'usage est d'offrir à ceux qui sont sous terre.

(Chrysothémis sort du palais.)

CHRYSOTHÉMIS : Qu'est-ce encore que ce propos que tu t'en viens tenir, ma sœur, à la sortie de notre vestibule ? Le temps a beau passer, tu n'écoutes pas ses leçons, tu ne refuses pas à ta fureur stérile une vaine satisfaction. Moi, je ne sais qu'une chose, c'est que je souffre certes de l'état où nous sommes — au point que, si un jour j'en trouvais la force, je montrerais à ces gens-là les sentiments que j'ai pour eux — mais c'est aussi qu'en plein désastre je crois bon de plier les voiles et de ne pas me donner l'air d'agir, alors qu'en réalité mes coups n'atteignent personne. Et je voudrais que tu fisses de même. Il n'en reste pas moins que la justice est dans ce que tu penses bien plus que dans ce que je dis. Mais si je tiens à vivre libre, je dois en tout obéir à mes maîtres.

ÉLECTRE : Il est singulier qu'une fille sortie d'un père comme le tien puisse oublier celui-ci pour ne plus songer qu'à sa mère. Tous ces sermons que tu m'adresses, c'est elle qui te les a appris : rien dans tout cela qui vienne de toi. Sache donc choisir, ou de déraisonner, ou, si tu gardes ta raison, d'oublier à jamais les tiens. Mais le fais-tu, toi qui viens me dire que, si tu en trouvais la force, tu montrerais la haine que tu as contre eux, et qui, lorsque je cherche à venger mon père à tout prix, te refuses à m'aider et

t'appliques même à m'empêcher d'agir ? N'est-ce donc
pas là ajouter à nos malheurs l'opprobre d'une lâcheté ?
Car enfin apprends-moi — sans quoi, c'est moi qui
devrai te l'apprendre — le profit que j'aurais à arrêter
mes plaintes. Ne suis-je pas encore en vie ? Vie
misérable je le sais, mais qui me suffit, à moi. D'autre
part, je fais leur tourment, et c'est là un hommage
qu'ainsi je rends au mort, si du moins il est quelque
chose qui lui agrée encore là-bas. Tandis que toi, toi
qui les hais, tu les hais en paroles, mais au vrai tu vis
avec eux, les assassins de ton père ! Moi, au contraire,
quand je gagnerais à ce prix tous les avantages dont tu
es si fière, moi jamais je ne plierai devant eux. A toi,
une table luxueuse, une vie toute d'abondance ! Laisse-
moi me nourrir, moi, d'une seule idée : ne pas me
contrister moi-même. Je n'ai aucun goût pour tes
privilèges, et tu ferais de même, si tu étais sage. Mais
alors que tu pourrais être appelée la fille du plus noble
des hommes, va, fais-toi appeler la fille de ta mère, tu
auras l'air ainsi, aux yeux de presque tous, d'une
mauvaise fille, qui a trahi son père mort, en même
temps que tous les siens.

LE CORYPHÉE : Ne laisse pas, je t'en supplie, parler
la seule colère. Il y a des choses à retenir dans
vos propos à toutes deux, si du moins vous acceptiez
de faire votre profit, toi, de ses raisons, et elle, des
tiennes.

CHRYSOTHÉMIS : J'ai, pour ma part, femmes, quelque habitude de ses thèmes, et n'en aurais soufflé mot,
si je n'avais ouï parler d'un grand malheur qui la
menace et qui doit mettre un terme à ses trop longues
plaintes.

ÉLECTRE : Va donc, révèle-moi ce sujet d'épouvante,
et, s'il dépasse ceux que je connais déjà, je n'aurai plus
rien à te répliquer.

CHRYSOTHÉMIS : Je vais donc te dire tout ce que je
sais. — Ils se disposent, si tu n'arrêtes pas tes

lamentations, à t'expédier dans des lieux où tu ne
verras plus la clarté du soleil et où, murée toute vive
dans une retraite profonde, hors de nos frontières, tu
pourras célébrer tes malheurs à ta guise. Voilà !
Réfléchis donc, et ne viens pas t'en prendre à moi plus
tard, lorsque tu pâtiras. C'est aujourd'hui qu'il sied de
se montrer sensée.

ÉLECTRE : C'est bien cela vraiment qu'ils méditent
de faire ?

CHRYSOTHÉMIS : Sans nul doute, sitôt qu'Égisthe
sera là.

ÉLECTRE : S'il n'est que de cela, qu'il revienne alors
vite !

CHRYSOTHÉMIS : Malheureuse ! quel vœu pro-
nonces-tu donc là ?

ÉLECTRE : Oui, qu'il revienne vite, si telle est sa
menace

CHRYSOTHÉMIS : Qu'attends-tu de cela ? Ne perds-
tu pas l'esprit ?

ÉLECTRE : J'en attends simplement d'être très loin
de vous.

CHRYSOTHÉMIS : Et tu n'as pas un mot pour la vie
que tu laisses ?

ÉLECTRE : Elle est belle, ma vie, et digne qu'on s'en
loue !

CHRYSOTHÉMIS : Mais elle pourrait l'être, si tu étais
plus sage.

ÉLECTRE : Non, ne me prêche pas d'être infidèle aux
miens.

CHRYSOTHÉMIS : Je ne te prêche rien que de céder
aux forts.

ÉLECTRE : Flatte-les à ton aise ! je suis d'une autre
espèce.

CHRYSOTHÉMIS : Sied-il pourtant d'aller se perdre
par sottise ?

ÉLECTRE : Je me perdrai, s'il faut, mais en vengeant
mon père.

CHRYSOTHÉMIS : Mais notre père même, je le sais, nous pardonne.

ÉLECTRE : Ce sont là des propos qui ne plaisent qu'aux lâches.

CHRYSOTHÉMIS : Tu ne veux pas m'entendre et accepter mes vues ?

ÉLECTRE : Non, certes, que jamais je ne sois si naïve !

CHRYSOTHÉMIS : Je ne peux plus alors que me rendre où j'allais.

ÉLECTRE : Où vas-tu ? et à qui portes-tu ces offrandes ?

CHRYSOTHÉMIS : Ma mère envoie ces libations à notre père.

ÉLECTRE : Que dis-tu ! à celui qu'elle hait entre tous ?

CHRYSOTHÉMIS : A celui qu'elle a tué — c'est ce que tu veux dire ?

ÉLECTRE : Qui des siens en croit-elle ? De qui vient donc l'idée ?

CHRYSOTHÉMIS : Elle obéit, je pense, à sa peur de la nuit.

ÉLECTRE : Dieux de mes pères, venez cette fois à mon aide !

CHRYSOTHÉMIS : Tu peux dans cette peur voir un motif d'espoir ?

ÉLECTRE : Raconte-moi son rêve, et je te répondrai.

CHRYSOTHÉMIS : Mais je ne puis t'en dire, moi, que fort peu de chose.

ÉLECTRE : Dis-moi ce peu du moins. Il suffit de si peu de mots pour décider souvent ou d'un échec ou d'un succès.

CHRYSOTHÉMIS : On dit qu'elle aurait vu notre père, à nous deux, reparaître devant elle, et qu'il aurait planté dans notre foyer le sceptre qu'il portait jadis, avant qu'Égisthe le lui eût pris. De ce spectre alors aurait jailli un laurier florissant, capable de couvrir à lui seul de son ombre toute la terre de Mycènes. Tel est

le récit que je tiens d'un homme qui se trouvait là
lorsqu'elle exposait son rêve au Soleil [1]. Je n'en sais pas
plus, si ce n'est que ma mission est la suite de sa
terreur. Je t'en conjure donc par les dieux de nos pères,
crois-moi et ne va pas te perdre par sottise. Si tu
repousses ma prière, c'est toi qui à ton tour courras à
ma recherche, quand le malheur sera sur toi.

ÉLECTRE : Non, ma chère, crois-moi, n'offre rien au
tombeau de ce que tu as là. Il n'est ni juste ni licite
qu'au nom de sa pire ennemie tu déposes des offrandes
ou verses l'eau qui purifie sur la tombe de notre père.
Jette-les au vent bien plutôt ; ou va-t'en les ensevelir
sous une couche épaisse de poussière, afin que rien
n'en parvienne à la couche paternelle. Qu'au contraire
elles restent en réserve sous terre, à son intention, pour
le jour où elle mourra ! Elle n'eût même jamais dû, si
elle n'avait pas été la plus impudente de toutes les
femmes, offrir ces libations insultantes à l'homme
qu'elle avait tué. Réfléchis un peu : t'imagines-tu donc
que le mort au tombeau pût agréer tels dons d'une
âme bienveillante, lui qui, mort sous ses coups ignominieusement, a été de plus mutilé par elle comme un
ennemi, quand, pour se libérer, elle essuyait son arme
ensanglantée sur la tête de sa victime ? Crois-tu
vraiment que les dons que tu portes soient de nature à
racheter le sang qu'elle a répandu ? Non, laisse tout
cela. Coupe plutôt toi-même, sur ta tête — et sur la
mienne, à moi aussi, malheureuse — les bouts de nos
tresses. C'est peu sans doute, mais c'est tout ce que
j'ai. Puis offre-lui ces cheveux suppliants, en y joignant
cette ceinture, qui n'a rien d'un travail de prix ; et
ensuite, tombant à genoux, prie-le de bien vouloir dans
sa bonté venir en personne du fond de la terre nous
prêter son secours contre ses ennemis, et faire qu'O-
reste, son fils, nous revienne bien vivant, et, au sortir
d'un combat triomphant, mette enfin son talon sur le
corps de ses adversaires, afin que nous soyons dès lors

en mesure de lui rendre nos hommages avec des mains chargées de plus riches présents que ceux que nous lui offrons là. Pour moi, je crois bien, oui, je crois que c'est lui qui aura justement à expédier ces visions sinistres à celle qui l'avait tué. Rends-nous cependant ce service, ma sœur, à toi, comme à moi, et aussi à celui qui nous est plus cher que tous, à notre commun père gisant dans les enfers.

LE CORYPHÉE : C'est un pieux avis que te donne là cette fille. Si tu es sage, ma chère, tu feras ce qu'elle te dit.

CHRYSOTHÉMIS : Je le ferai. Ce qui est juste n'exige pas de débat, mais une prompte exécution. Pendant que j'essaierai, moi, d'agir en ce sens, vous, je vous en supplie, gardez-moi le secret, mes amies. Car si ma mère apprend la chose, l'aventure que je vais tenter pourra, je crains, me coûter cher un jour.

(Elle s'éloigne.)

Assez vif.

LE CHŒUR : *A moins que je ne sois un devin qui s'égare et que je manque de bon jugement, elle va venir, celle qui s'annonce par cette prophétie,*
la Justice ! Elle va de haute lutte remporter un juste triomphe. Sa poursuite va commencer, ma fille, avant qu'il soit longtemps.
L'assurance grandit en moi, depuis que je viens d'entendre, il y a un instant déjà, les doux accents de ces songes.
Non, il n'a pas oublié, le roi des Grecs qui te donna le jour. Elle n'a pas oublié davantage, la vieille double hache au bronze tranchant sous laquelle il succomba dans d'infâmes violences.

Elle sera bientôt ici, partout présente et partout agissante, l'Érinys aux pieds d'airain, qui se cache pour dresser ses cruelles embuscades.
Le désir meurtrier d'une union qui ignore fiançailles et lit nuptial s'est abattu sur des mortels à qui il était interdit.

Et c'est bien pourquoi je m'assure que jamais, jamais, à mon sens, un présage n'apparaîtra, sans qu'ils aient lieu de s'en plaindre,

aux coupables ou à leurs complices. Ou bien alors disons qu'il n'est plus pour les hommes de prédictions à tirer des oracles ni des songes qui viennent les épouvanter, si cette vision nocturne ne s'achève pas dans le sens qu'il faut.

Ah ! funeste course de Pélops jadis[1], *que de souffrances tu auras apportées à ce pays !*

Du jour où Myrtile, englouti par les flots, y eut trouvé sa tombe, précipité du char en or massif[2], *à tout jamais anéanti par de tristes violences, la funeste violence n'a plus de ce jour quitté la maison.*

> *(Clytemnestre paraît sur le seuil du palais. Une esclave la suit, qui porte des offrandes.)*

CLYTEMNESTRE : Te voilà encore à courir, je crois ! On voit qu'Égisthe n'est pas là. Il t'empêchait, lui, chaque fois, d'aller dehors faire la honte des tiens ; mais comme il est absent, de moi tu n'as cure. N'as-tu pas assez dit pourtant, à tout instant et devant tous, que je gouverne ma maison de façon brutale et inique, que j'écrase de ma superbe, et toi et tout ce qui te touche ? Or, de superbe, moi, non, je n'en ai pas ! si je te dis des mots pénibles, c'est que sans cesse j'en entends de pareils de toi. Ton père, et rien d'autre, voilà ton prétexte toujours, parce qu'il est mort par mon fait ! Par mon fait, je le sais fort bien, et je songe d'autant moins à le nier que ce n'est pas moi seule, mais c'est la Justice qui l'a condamné, la Justice dont tu devrais toi-même prendre le parti, si tu avais le moindre sens. Car enfin, ce père sur lequel tu gémis toujours, c'est lui qui a eu le front, seul de tous les Grecs, d'immoler ta sœur[3] aux dieux, lui qui n'avait pas eu pourtant la même peine à l'engendrer que moi à la mettre au monde ! Voyons, apprends-moi qui il désirait satisfaire en l'immolant. Les Argiens ? Mais ils n'avaient aucun titre à prendre la vie de ma fille ; tandis que lui, quand il venait au nom de Ménélas, son frère, m'assassiner mon enfant, ne devait-il pas m'en rendre raison ? Et Ménélas lui-même, n'avait-il pas deux enfants, et n'était-il pas normal que ce fussent eux qui périssent, plutôt qu'elle, puisque leur père et leur mère étaient à l'origine de l'expédition ?... Ou bien Hadès s'était-il donc senti une soudaine envie de goûter à la chair de mes enfants, à moi, de préférence à celle des enfants d'Hélène ?... Ou serait-ce encore que, dans l'âme de cet abominable père, la tendresse s'était éteinte pour les enfants qu'il avait eus de moi, tandis qu'elle existait toujours pour les enfants de Ménélas ? N'était-ce pas alors le fait d'un père bien léger et bien peu raisonnable ? Je le crois pour ma part, dût mon idée différer de la tienne. Et la morte dirait de même, si elle pouvait élever la voix. Je n'éprouve aucun déplaisir, quand je songe à ce que j'ai fait ; et si je te parais en cela raisonner fort mal, eh bien ! attends d'avoir un jugement plus sûr, avant de t'en aller critiquer les autres.

ÉLECTRE : Tu ne diras pas cette fois que j'avais été la première à t'adresser des mots pénibles, quand j'ai dû entendre pareils mots de toi. Si pourtant tu me le permets, je te dirai la vérité et pour le mort et pour ma sœur ensemble.

CLYTEMNESTRE : Soit ! je te le permets. Pourquoi ne commences-tu pas tous tes discours sur ce ton-là ? Tu serais un peu moins fâcheuse à écouter.

ÉLECTRE : Eh bien ! voici ce que je veux te dire. Tu reconnais que tu as tué mon père : peut-il être un aveu plus honteux, que tu l'aies tué à juste droit ou non ? Mais je soutiendrai, moi, que tu l'as fait sans droit, et seulement pour obéir au lâche avec qui tu vis maintenant. Demande donc à Artémis la Chasseresse pour quelle faute elle a subitement arrêté tous les vents qui soufflent à Aulis [1]. Ou dois-je le dire à sa place, puisque

tu n'as pas le droit de l'apprendre de sa bouche? Mon
père, un jour, à ce qu'on raconte, se délassant dans
l'enclos saint de la déesse, y lève un cerf cornu à robe
tachetée, et, tout en l'abattant, laisse échapper un mot
présomptueux sur le beau coup qu'il vient de faire [1].
De là une grande colère chez la fille de Létô, qui arrête
le départ des Grecs et qui exige que mon père, en
échange de cette bête, lui immole sa propre fille. Voilà
comment eut lieu son sacrifice. Il n'y avait pour notre
armée aucun autre moyen d'atteindre ni ses foyers ni
Ilion; et ce fut là pourquoi, contre son gré, après avoir
lutté longtemps, à grand regret, il l'immola; ce ne fut
pas pour Ménélas! En tout cas, quand bien même —
pour entrer dans tes propres vues — il eût agi de cette
sorte dans l'intérêt de Ménélas, devait-il donc pour
cela périr lui-même sous tes coups? Et en vertu de quel
principe? Songes-y bien: si tu veux établir ce principe
pour tous, ne risques-tu pas d'établir ainsi ton propre
malheur et d'avoir à t'en repentir. On doit donc tuer
un homme pour un autre? Mais tu serais alors la
première à mourir, si tu étais punie comme tu le
mérites! Demande-toi surtout si tu nous offres là autre
chose qu'un vain prétexte. Apprends-nous, si tu le
veux bien, pourquoi tu mènes maintenant la plus
ignoble des conduites, en couchant avec le tueur dont
l'aide t'a permis d'assassiner jadis mon père, et à qui
tu donnes aujourd'hui des enfants [2], alors que tu
rejettes tes enfants légitimes, naguère issus d'une
union légitime. Cela, comment pourrais-je l'accepter?
A moins que tu n'ailles prétendre que c'est ta façon de
venger ta fille? Raison honteuse, si c'est celle que tu
oses nous donner: il n'y a rien de beau, pour venger
une fille, à choisir un amant parmi ses ennemis! Mais,
au vrai, on ne peut même plus te donner un avis,
puisque tu vas clamant sur tous les tons que je parle
mal de ma mère. C'est qu'aussi bien je vois en toi une
maîtresse, beaucoup plus qu'une mère, dans tous tes

rapports avec moi ; moi qui vis ici une vie misérable au milieu des peines sans nombre que je vous dois, à toi et à ton amant. Sans compter qu'ailleurs, loin de l'Argolide, ayant à grand-peine évité tes coups, le malheureux Oreste traîne, lui aussi, une vie lamentable[1], cet Oreste que si souvent tu m'as accusée d'élever en vue de consommer sur toi notre vengeance ! Et cela, sache-le, certes je le ferais, si j'en avais la force. Aussi va, proclame devant tous, si cela te convient, que je ne suis qu'une fille méchante, criarde, éhontée. Si je suis naturellement experte en telle matière, c'est sans doute que je fais honneur à ton sang.

LE CORYPHÉE : Je la vois là enflammée de fureur. Mais a-t-elle le droit pour elle ? il ne semble pas qu'elle en ait grand souci.

CLYTEMNESTRE : Et moi alors, quel souci dois-je avoir d'une fille qu'on voit insulter sa mère à ce point ? et à l'âge qu'elle a ! Ne te semble-t-il pas qu'elle irait jusqu'au pire crime — et sans la moindre honte ?

ÉLECTRE : De la honte, si ! j'en ai ; j'en ai de tout ce que je fais ici ; j'en ai, même si tu ne la vois pas. Je comprends que mes façons ne répondent ni à mon âge ni à mon rang ; mais c'est ta malveillance, et ce sont tes actes qui me contraignent à agir comme je le fais malgré moi. Voir des actes honteux enseigne à les commettre.

CLYTEMNESTRE : Ah ! impudente créature ! moi, mes paroles et mes actes, nous te faisons bien trop parler !

ÉLECTRE : C'est toi qui parles ici, ce n'est pas moi. C'est toi l'auteur de l'acte : les actes créent les mots.

CLYTEMNESTRE : Par Artémis souveraine, va, tu n'échapperas pas aux suites de ton audace, sitôt qu'Égisthe sera là !

ÉLECTRE : Tu le vois, tu t'abandonnes maintenant à la colère, alors que tu m'avais permis de te dire ce que je voulais ! Mais tu ne sais rien entendre.

CLYTEMNESTRE : Vas-tu me permettre de sacrifier en paix, puisque je t'ai permis, moi, de tout me dire ?

ÉLECTRE : Je te le permets, je t'y invite même. Offre ton sacrifice et ne t'en prends plus de cette heure à ma langue : je n'ajouterai plus un mot.

CLYTEMNESTRE, *à une esclave :* Tiens donc bien en l'air, suivante, mon offrande de tous fruits, afin qu'en même temps j'élève vers le dieu les vœux destinés à me délivrer des terreurs que je ressens. Prête sans tarder l'oreille, ô Phœbos Préservateur, à mon langage secret. Nous ne sommes pas ici entre amis, et il ne me sied pas de tout étaler au grand jour, alors que j'ai à mes côtés une fille qui pourrait bien, par rancune, à grands cris, aller répandre par la ville une fâcheuse rumeur. Entends-moi donc à mots couverts, puisque c'est ainsi que je parlerai. Si les visions ambiguës que j'ai vues cette nuit en rêve ont un sens qui m'est favorable, souffre, roi Lycien, qu'elles se réalisent. Mais si leur sens m'est hostile, retourne-les alors contre ceux qui me sont hostiles, et s'il se forme un complot pour m'expulser traîtreusement des richesses dont je jouis, ne le tolère pas, et, au contraire, fais que, vivante, je continue de posséder comme aujourd'hui, au cours d'une existence que rien ne vient troubler, le palais et le sceptre des descendants d'Atrée, tranquille, en compagnie des amis qui m'entourent et de tous ceux de mes enfants qui n'ont ni haine à mon endroit ni même chagrin trop amer. A ces vœux, Apollon Lycien, prête une oreille propice ; accorde-nous à tous le succès que nous implorons. Le reste, même si je le tais, je suppose, en tant que dieu, que tu le sais : il va de soi que les enfants de Zeus voient tout.

(Entre le Précepteur.)

LE PRÉCEPTEUR : Étrangères, puis-je savoir exactement si c'est là le palais d'Égisthe, votre roi ?

LE CORYPHÉE : Oui, c'est bien son palais, tu as deviné juste.

LE PRÉCEPTEUR : Et je devine sans doute juste encore, en supposant que c'est là son épouse. Elle a tout l'air d'une reine en effet.

LE CORYPHÉE : On ne peut dire mieux, c'est elle que tu vois.

LE PRÉCEPTEUR : Salut donc, salut à toi, reine ! Je t'apporte de bonnes nouvelles, et au nom d'un ami. Elles sont pour Égisthe aussi bien que pour toi.

CLYTEMNESTRE : J'agrée ton assurance ; mais j'aimerais apprendre avant tout de toi quel est le mortel qui t'envoie vers nous.

LE PRÉCEPTEUR : Phanotée[1] de Phocide. Il te ménage un avis d'importance.

CLYTEMNESTRE : Et lequel, étranger ? Venant de la part d'un ami, tu ne nous diras, je le sais, que des mots amis.

LE PRÉCEPTEUR : Oreste n'est plus qu'un mort : je t'ai tout dit en un seul mot.

ÉLECTRE : Malheureuse ! c'en est fait de moi aujourd'hui !

CLYTEMNESTRE : Que dis-tu ? que dis-tu, étranger ? N'écoute pas cette fille.

LE PRÉCEPTEUR : Oreste est mort, je te l'ai dit, je le répète.

ÉLECTRE : Ma vie est finie. Misérable ! je ne suis plus rien.

CLYTEMNESTRE, *à Électre :* Occupe-toi donc, toi, de ce qui te regarde. *(Au Précepteur.)* Mais à moi, étranger, dis la vérité. Comment est-il mort ?

LE PRÉCEPTEUR : C'est pour cela même qu'on m'a envoyé : je te dirai tout. Oreste était venu au célèbre concours, orgueil de la Grèce, pour conquérir les couronnes delphiques[2]. A peine a-t-il entendu l'appel sonore du héraut annonçant la course à pied, la première des épreuves, qu'il entre dans la lice, splendide et provoquant l'admiration de tous. Il achève la course avec un succès qui s'accorde à sa prestance, et il sort de la lice ayant acquis l'honneur d'une pleine victoire. Mais je ne sais vraiment comment je te pourrais rapporter seulement quelques-uns entre tant d'autres des exploits, des triomphes de ce héros. Qu'il te suffise de savoir que de toutes les épreuves que les juges firent proclamer, ce fut lui toujours qui emporta le prix et qui vit acclamer sa chance, au moment où l'on déclarait que le vainqueur était un Argien, qu'il portait le nom d'Oreste et qu'il était le fils de cet Agamemnon qui avait rassemblé jadis la plus fameuse des armées de la Grèce. Voilà comment se présentaient les choses. Mais, quand un dieu veut du mal à un homme, celui-ci a beau être fort, il ne peut lui échapper. C'est ainsi que, le jour suivant, alors qu'au lever du soleil s'ouvrait le concours réservé aux chars rapides, Oreste entre encore dans la lice, avec nombre d'autres cochers. L'un venait d'Achaïe, un autre de Sparte, et deux de Libye, chacun maître d'un attelage accouplé. Oreste, le cinquième du groupe, avait, lui, des cavales thessaliennes. Un sixième venait d'Étolie avec de jeunes alezans. Le septième était un Magnète. Le huitième, un Éniane, avait un attelage blanc. Le neuvième arrivait d'Athènes, la cité bâtie par les dieux. Un Béotien avec son char complétait enfin la dizaine.

Tous s'arrêtent à l'endroit où les juges désignés leur ont attribué leurs places par le sort et leur ont fait ranger leurs chars. La trompette d'airain donne le signal : ils partent, et tandis qu'ils excitent leurs chevaux de la langue, de leurs mains ils secouent les guides. Le stade entier s'emplit du fracas des chars sonores ; la poussière monte vers le ciel, et tous les concurrents ensemble, confondus, n'épargnent pas le fouet : chacun entend dépasser les moyeux ou l'attelage hennissant de ses rivaux. Sur leur dos, sur leurs roues en marche, le souffle des chevaux jaillit, écu-

mant. Oreste, qui va menant tout contre la borne
extrême, l'effleure à chaque fois de son essieu, en
rendant la main au cheval de volée, à droite, et en
retenant au contraire le cheval qui frôle la borne[1].
Tous les chars jusque-là étaient restés intacts, quand
soudain, au moment d'achever le sixième tour et de
commencer le septième, les chevaux de l'Éniane,
prenant le mors aux dents, enlèvent leur char, et
faisant demi-tour, vont donner du front contre le char
cyrénéen. Alors, du même coup, voilà les chars qui se
brisent, qui s'écroulent l'un sur l'autre. La plaine
entière de Crisa est remplie de leurs débris. L'adroit
cocher d'Athènes se rend compte du danger. Il tire
vers l'extérieur et suspend sa marche un moment, de
façon à laisser passer le flot trouble des chars qui roule
dans l'arène. Oreste menait le dernier, maintenant ses
cavales en queue, se réservant pour la fin de la course.
Il voit qu'il ne lui reste qu'un seul concurrent. Il fait
claquer un bruit sec aux oreilles de ses animaux
ardents et se lance... Tous deux maintenant vont
menant de front. Tantôt c'est l'un, tantôt c'est l'autre,
dont on aperçoit la tête en avant de son propre char.
Le malheureux avait sans défaillance mené son char
bien droit tous les autres tours, bien droit lui-même sur
son char toujours droit, quand soudain il laisse filer[2] la
guide de gauche au moment même où son cheval
prend le tournant, et, malgré lui, il heurte alors la
borne, brise son essieu entre les moyeux et glisse par-
dessus la rampe de son char. Le voilà aussitôt empêtré
dans les guides et, tandis qu'il roule à terre, ses
chevaux s'égaillent à travers la lice. Le peuple qui le
voit tomber de son char pousse un cri de deuil sur le
jeune athlète : quel désastre après quels exploits ! On
le voit tantôt projeté au sol et tantôt les jambes
dressées vers le ciel — jusqu'au moment où les autres
cochers, arrêtant à grand-peine la course de ses bêtes,
le dégagent, couvert de sang, dans un état où pas

même un des siens ne pourrait reconnaître sa pauvre dépouille. On l'a sans retard brûlé sur un bûcher : on a recueilli dans un bronze étroit [1] la puissante stature de ce héros réduit en une triste cendre, et des Phocidiens ont été délégués pour vous l'apporter, afin qu'il obtienne au moins une tombe au sol de ses pères. Voilà ! Ce sont là des faits pénibles à entendre et pour nous qui les avons vus de nos propres yeux, ce spectacle restera le plus douloureux de tous ceux auxquels j'aie jamais assisté.

LE CORYPHÉE : Hélas ! hélas ! voilà donc la vieille race de nos maîtres qui périt tout entière anéantie, je crois.

CLYTEMNESTRE : O Zeus ! qu'est-ce là ? puis-je dire un bonheur ? ou un événement tout à la fois terrible et profitable ? J'ai chagrin toutefois à ne garder la vie qu'au prix de mon malheur.

LE PRÉCEPTEUR : Pourquoi restes-tu donc ainsi déconcertée, femme, par mon message ?

CLYTEMNESTRE : Chose étrange que d'être mère ! Quelque mal qu'ils vous fassent, on ne peut haïr ses enfants.

LE PRÉCEPTEUR : C'est sans doute pour rien alors que j'aurai, moi, fait ce voyage.

CLYTEMNESTRE : Pour rien ? certes non. Comment peux-tu dire pour rien ? quand tu m'as apporté des preuves certaines de la mort d'un enfant né de ma propre vie, d'un enfant oublieux de mon lait, de mes soins, qui m'a fuie, m'a traitée tout comme une étrangère, puis, du jour où il a quitté ce pays, jamais plus ne m'a revue, mais, bien au contraire, me faisant un grief de la mort de son père, ne cessait de me menacer d'une épouvantable vengeance, si bien que le doux sommeil ne pouvait plus, ni jour ni nuit, envelopper mes paupières et que chaque heure nouvelle me maintenait sans arrêt dans les angoisses de la mort. C'est fini maintenant. Ce jour me délivre de la peur que j'avais et de lui *(montrant Électre)* et d'elle ; car celle-ci, à mon foyer, était un fléau pire encore : elle buvait sans trêve le pur sang de ma vie. Voilà qui est fini ! pour ce qui est de ses menaces, je vais pouvoir enfin vivre des jours tranquilles.

ÉLECTRE : Las ! malheureuse que je suis ! Ah ! c'est bien maintenant que je puis gémir sur ton malheur, Oreste, alors que tu subis, jusque dans la mort, les outrages d'une telle mère. Est-ce pas complet ?

CLYTEMNESTRE : Pour toi, non ; pour lui, oui, tout est bien ainsi.

ÉLECTRE : Entends, ô Némésis, vengeresse du mort qui vient de succomber.

CLYTEMNESTRE : Elle a entendu tout ce qu'il fallait, et elle a décidé au mieux.

ÉLECTRE : Persévère dans tes outrages : aujourd'hui la chance est pour toi.

CLYTEMNESTRE : Ce n'est donc ni toi ni Oreste qui pourrez en venir à bout.

ÉLECTRE : Ah ! c'est nous qui sommes à bout, loin de venir à bout de toi.

CLYTEMNESTRE : Tu mérites de grandes grâces, étranger, si par ta venue tu as enfin mis un terme à ses interminables cris.

LE PRÉCEPTEUR : Je puis me retirer alors si tout va bien.

CLYTEMNESTRE : Non, certes : ce serait te traiter d'une façon indigne et de moi et de l'hôte qui t'a dépêché. Entre au contraire, et laisse cette fille hurler sur ses malheurs et sur tous ceux des siens.

(Elle rentre avec le Précepteur dans le palais.)

ÉLECTRE : Eh bien ! qu'en dites-vous ? Souffre-t-elle ? se désole-t-elle ? Quelle étrange manière elle a, la misérable, de pleurer, de se lamenter sur un fils ainsi mort ! Elle s'en va, le sarcasme à la bouche. Malheureuse que je suis ! O mon Oreste, ta mort me tue. Tu

m'abandonnes et m'arraches du cœur le seul espoir
qui me restait encore : te voir un jour revenir bien
vivant pour venger et ton père et moi, l'infortunée !
Tandis que maintenant où dois-je donc aller ? Je suis
là, seule, privée de toi, tout comme de mon père ; et me
voici encore condamnée à être une esclave chez ceux
mêmes que j'abhorre, chez les assassins de mon père !
Mon sort n'est-il pas rempli ? Non, non, je me refuse
désormais à rentrer pour vivre avec eux. C'est à cette
porte, isolée des miens, que j'entends me laisser choir
et consommer dès lors ma vie. Après quoi, si ma
présence pèse à quelqu'un dans ce palais, eh bien !
qu'il me tue ! On me rendra service en me tuant, tandis
que l'existence ne serait pour moi que chagrin. De
vivre je n'ai nulle envie.

Large.

LE CHŒUR : *Que font donc les carreaux de Zeus, que fait le
soleil flamboyant, si, quand ils voient de pareils crimes, ils les
laissent dans l'ombre, sans s'en émouvoir ?*

ÉLECTRE : *Ah ! ah ! hélas !*

LE CHŒUR : *Pourquoi pleurer, mon enfant ?*

ÉLECTRE : *Ah ! malheur !*

LE CHŒUR : *Ne pousse aucun cri de révolte.*

ÉLECTRE : *Tu veux ma mort !*

LE CHŒUR : *Comment cela ?*

ÉLECTRE : *Quand il s'agit d'humains qui manifestement
sont partis aux enfers, me suggérer une espérance, c'est venir
insulter encore la moribonde que je suis.*

LE CHŒUR : *C'est que je me souviens de sire Amphiaraos*[1],
*qui fut pris aux rets d'or d'un collier de femme, et qui cependant
aujourd'hui sous terre...*

ÉLECTRE : *Ah ! ah ! hélas !*

LE CHŒUR : *... règne là, l'âme intacte.*

ÉLECTRE : *Ah ! malheur !*

LE CHŒUR : *Oui, malheur ! car la maudite...*

ÉLECTRE : *... a succombé.*

LE CHŒUR : *Oui.*

ÉLECTRE : *Je me souviens, je me souviens. Mais c'est qu'un champion s'était révélé au héros en peine. Moi, je n'en ai plus. Celui que j'avais vient de disparaître, arraché au monde.*

Lent et triste.

LE CHŒUR : *Infortunée, tu es vouée à l'infortune.*

ÉLECTRE : *Je le sais comme toi, je ne le sais que trop, quand je pense au torrent qui tous les jours sur moi roule son flot innombrable d'horribles, cruels, écrasants malheurs.*

LE CHŒUR : *Ce que tu dis, nos yeux l'ont vu.*

ÉLECTRE : *Ne viens donc pas m'entraîner aujourd'hui sur un chemin où je ne trouve plus...*

LE CHŒUR : *Quoi donc ?*

ÉLECTRE : *... le secours espéré d'un frère issu du même sang que moi d'un vrai fils de ses pères.*

LE CHŒUR : *La mort est le lot de tous les mortels.*

ÉLECTRE : *Mais est-ce bien leur lot, d'aller, comme ce malheureux, au milieu d'un concours de sabots agiles, s'embarrasser dans des rênes de cuir ?*

LE CHŒUR : *Oui, la disgrâce est incroyable.*

ÉLECTRE : *Peut-on dire autrement, quand comme un étranger, privé du secours de mes mains...*

LE CHŒUR : *Hélas ! hélas !*

ÉLECTRE : *... il gît maintenant sous la terre, sans avoir obtenu de moi ni tombeau ni larmes de deuil ?*

(Chrysothémis revient en courant, la figure radieuse.)

CHRYSOTHÉMIS : O ma chérie, la joie me presse de courir à toi sans tarder, au mépris de toute tenue. Je t'apporte en même temps, avec une foule de joies, la fin des maux que tu as dû subir jusqu'ici en gémissant.

ÉLECTRE : Où aurais-tu donc pu trouver un secours contre mes maux ? Ils ne comportent nul remède.

CHRYSOTHÉMIS : Oreste est près de nous, sache-le de ma bouche, aussi vrai que je te vois.

ÉLECTRE : Es-tu folle, ma pauvre amie ? Ou te ris-tu à la fois et de tes malheurs et des miens ?

CHRYSOTHÉMIS : Non, je le jure par le foyer de mes pères, ce n'est pas là dérision, si je te parle de la sorte, mais bien parce qu'il est près de nous, en personne.

ÉLECTRE : Ah ! pauvre enfant ! Mais de qui tiens-tu la nouvelle, que tu y croies si fermement ?

CHRYSOTHÉMIS : De moi, et de nulle autre. Mes yeux en ont vu d'authentiques preuves, et je crois ce qu'elles me disent.

ÉLECTRE : Et quelle assurance t'ont fournie tes yeux, ma pauvre petite ? Qu'as-tu donc vu qui t'enflamme d'une fièvre si tenace ?

CHRYSOTHÉMIS : Au nom des dieux, écoute-moi. Commence par savoir, avant de me dire ou sotte ou sensée.

ÉLECTRE : Eh bien, soit ! parle, si tu trouves quelque plaisir à parler.

CHRYSOTHÉMIS : Je vais donc te dire tout ce que j'ai vu. J'avais pris le chemin du vieux sépulcre paternel quand je m'aperçois que, du haut du tertre, coule un filet de lait frais et que la tombe de mon père se trouve couronnée des fleurs les plus diverses. Le spectacle m'étonne. Je jette les yeux tout autour de moi, anxieuse : quelqu'un serait-il là, tout près, me touchant presque ? Mais un regard m'assure qu'en ces lieux tout est calme. Je m'approche alors du tombeau et, au sommet du tertre, je reconnais une boucle coupée dans de jeunes cheveux. A peine l'ai-je vue que, brusquement, s'offre à moi l'image familière à mon pauvre cœur qui vient témoigner à mes yeux pour le plus cher de tous les hommes, Oreste ! Je prends la boucle en main et, sans rompre un pieux silence, je sens soudain mes yeux s'emplir de pleurs de joie. Oui, je le sais maintenant, comme je l'ai su tout à l'heure :

une telle offrande ne saurait venir d'un autre que lui. A quel autre pourrait-elle être attribuée, si ce n'est à toi ou à moi ? Or, moi, je n'y suis pour rien, cela, j'en suis sûre, et toi pas davantage, c'est clair, puisque tu ne peux même pas, sans le payer cher, t'éloigner de ce palais pour aller prier les dieux. Et quant à notre mère, son humeur la dispose peu d'habitude à de pareils gestes ; et, si même elle en usait, ce ne serait pas sans qu'on s'en aperçût. Non, c'est bien là un hommage d'Oreste. Allons ! ma chérie, prends courage ; ce n'est pas le même sort qui accompagne à toute heure les mêmes hommes. Pour nous deux jusqu'ici, le sort était revêche ; mais ce jour-là va nous ouvrir sans doute une ère décisive d'innombrables joies.

ÉLECTRE : Hélas ! quelle démence ! comme je te plains depuis un moment...

CHRYSOTHÉMIS : Eh quoi ! je parle là très sérieusement.

ÉLECTRE : Tu ne sais vraiment où te mènent ni tes pas ni ton esprit !

CHRYSOTHÉMIS : Comment ? je ne sais pas ce que mes yeux ont vu ?

ÉLECTRE : Il est mort, ma pauvre enfant. Le salut que tu attendais de lui te fuit. Ne regarde plus vers Oreste.

CHRYSOTHÉMIS : Hélas ! malheur à moi ! De qui sais-tu cela ?

ÉLECTRE : D'un témoin qui était là au moment même où il mourait.

CHRYSOTHÉMIS : Et où est ce témoin ? La stupeur m'envahit.

ÉLECTRE : Il est dans le palais, pour la joie de ma mère, et non pour son chagrin.

CHRYSOTHÉMIS : Las ! malheur à moi ! Mais de qui viennent alors toutes ces offrandes sur la tombe de notre père ?

ÉLECTRE : Le plus vraisemblable, je pense, c'est

qu'on les a déposées là comme des souvenirs d'Oreste disparu.

CHRYSOTHÉMIS : Malheureuse ! Et moi qui me hâtais, pleine d'allégresse, de te porter ces nouvelles ! Ah ! je ne savais pas à quel point de misère nous étions parvenues. J'arrive, et c'est pour trouver des malheurs nouveaux à joindre aux anciens !

ÉLECTRE : Oui, voilà ton lot ! Mais si tu m'écoutes, tu te libéreras de ce faix de misères qui pèse sur toi à cette heure.

CHRYSOTHÉMIS : Puis-je donc espérer ressusciter les morts ?

ÉLECTRE : Ce n'est pas là ce que je dis ; je ne suis pas folle à ce point.

CHRYSOTHÉMIS : Que me conseilles-tu que je sois apte à faire ?

ÉLECTRE : D'accomplir hardiment ce à quoi je t'invite.

CHRYSOTHÉMIS : S'il s'agit d'un avis utile, je ne le repousserai pas.

ÉLECTRE : Prends garde, aucun succès qui s'obtienne sans peine !

CHRYSOTHÉMIS : Je le vois ; mais je t'aiderai dans la mesure de mes forces.

ÉLECTRE : Apprends donc comment j'ai dessein d'agir. Tu le sais comme moi, nous n'avons près de nous nul parent : l'enfer nous les a pris et enlevés tous ; nous demeurons toutes seules. Pour moi, tant qu'on me rapportait que mon frère restait toujours en pleine force, j'avais cent raisons d'espérer qu'il viendrait en personne venger ici le meurtre paternel. Aujourd'hui il n'est plus, et c'est vers toi que je tourne les yeux. J'en suis sûre, tu n'hésiteras pas à t'unir à ta sœur pour tuer l'auteur du meurtre de ton père, Égisthe — je n'ai plus besoin de te rien cacher. Pourquoi demeurer là, paresseusement, les yeux fixés sur quel espoir ? il n'en est plus pour toi. Il ne te reste plus qu'à gémir sur la

perte des trésors paternels, à souffrir interminable-
ment, à vieillir sans époux, sans hymen. Tu ne vas pas
pourtant t'imaginer que ces biens-là seront un jour à
toi? Égisthe n'est point assez sot pour permettre
jamais que de toi ou de moi sorte une descendance qui
serait sa perte assurée. Au contraire, si tu suis mes
avis, tu y gagneras d'abord le mérite de la piété auprès
des morts que tu comptes sous terre, ton père et ton
frère à la fois. Ensuite tu seras appelée désormais une
fille libre, comme tu l'étais en naissant, et tu auras
l'époux que tu mérites : il n'est pas d'homme qui ne
regarde avant tout à la qualité. Puis, quand on parlera
de nous, vois-tu pas quelle pure gloire tu nous
acquerras, à toi comme à moi, si tu te ranges à mes
conseils? Quel est alors le citoyen ou l'étranger qui, à
notre vue, ne nous saluera pas de mots louangeurs?
« Voyez, amis, voyez donc ces deux sœurs qui ont
sauvé la maison de leur père, qui ont vengé sa mort sur
ses ennemis, en bravant leur puissance, sans souci de
leur propre vie. Voilà celles qu'il faut que tous aiment
et révèrent, voilà celles à qui, dans nos fêtes et nos
assemblées, tous sont obligés de rendre l'hommage dû
à leur bravoure! » C'est là ce que partout on dira de
nous, sans que, vivantes ou mortes, notre gloire
défaille jamais. Allons! ma chérie, écoute ma voix,
viens aider ton père, viens secourir ton frère, mets un
terme à mes maux, mets un terme aux tiens; comprends enfin que vivre sans honneur est déshonorant
pour les cœurs bien nés.

LE CORYPHÉE : C'est à la prudence qu'en de pareils
cas doivent faire appel et le conseilleur et le conseillé à
la fois.

CHRYSOTHÉMIS : Oui, et c'est même avant de parler,
femmes, que, si elle avait eu un esprit plus sensé, elle
eût observé la prudence — ce qu'elle n'a pas fait. Sur
quoi comptes-tu donc pour t'armer d'une telle audace
et m'inviter à te servir? Ne vois-tu pas que tu n'es pas

un homme, mais une simple femme? Tes bras n'ont pas la force qu'ont tes adversaires. Ceux-ci de plus sont pour l'heure favorisés du destin, tandis que notre sort décline et bientôt ne sera plus rien. Qui peut songer à vaincre un pareil ennemi et à s'en tirer sans un lourd désastre? Nous sommes malheureuses; mais prends garde que nous n'éprouvions de plus grands malheurs encore, si l'on surprend nos propos. Nous n'aurons ni profit ni soulagement, si, ayant conquis un renom glorieux, nous devons ensuite mourir dans l'ignominie. Et le pire des sorts n'est pas de mourir, c'est lorsqu'on veut mourir, de ne pouvoir y arriver... Allons! je t'en supplie, à moins que tu ne veuilles que nous périssions tout entières et exterminions ainsi notre race, contiens ta colère. Pour ma part, je veillerai à ce que les mots ici prononcés n'aient pas été dits et n'aient point de suite; et toi, aujourd'hui au moins, sache avoir enfin assez de raison pour céder, lorsque tu es dans l'impuissance, à ceux qui sont plus forts que toi.

LE CORYPHÉE : Laisse-toi convaincre. Rien de plus utile aux mortels que la prévoyance, et aussi la sage raison.

ÉLECTRE : Tu ne me dis rien que je n'aie prévu. Je savais que tu rejetterais le plan que je t'apportais. Eh bien! c'est moi qui, de ma main et toute seule, achèverai l'entreprise. Je n'entends pas qu'elle reste en suspens.

CHRYSOTHÉMIS : Eh! que n'as-tu montré cette résolution à l'heure où mourait notre père! Tu aurais tout réglé d'un coup.

ÉLECTRE : J'avais alors le même cœur, mais un jugement bien moins sûr.

CHRYSOTHÉMIS : Eh bien! travaille à le garder en cet état toute ta vie.

ÉLECTRE : La leçon signifie, je pense, que tu me refuses ton aide?

CHRYSOTHÉMIS : Toute entreprise mal conçue risque de se terminer mal.

ÉLECTRE : Je te loue de ton jugement, mais déteste ta couardise.

CHRYSOTHÉMIS : J'accepterai sans plus d'émoi tes compliments un autre jour [1].

ÉLECTRE : Ah ! c'est bien là ce que jamais tu n'as à attendre de moi.

CHRYSOTHÉMIS : Nous avons pour en décider tout le temps voulu devant nous.

ÉLECTRE : Va-t'en donc ! tu n'es pas capable de m'aider.

CHRYSOTHÉMIS : Si ! c'est toi qui n'es pas capable de comprendre.

ÉLECTRE : Va donc trouver ta mère, et raconte-lui tout.

CHRYSOTHÉMIS : Une fois de plus tu te trompes : je ne te hais pas à ce point.

ÉLECTRE : Alors sache du moins combien tu m'humilies.

CHRYSOTHÉMIS : Je ne veux pas t'humilier, mais seulement prévoir pour toi.

ÉLECTRE : Faudra-t-il donc que je me plie à ta conception du droit !

CHRYSOTHÉMIS : Raisonne d'abord sensément : tu nous dirigeras ensuite.

ÉLECTRE : J'admire qu'on parle si bien pour se tromper si pleinement.

CHRYSOTHÉMIS : Tu définis exactement le mal dont tu souffres toi-même.

ÉLECTRE : Comment cela ? me vois-tu donc parler ici contre le droit ?

CHRYSOTHÉMIS : En bien des cas le droit comporte de grands risques.

ÉLECTRE : Ce ne sont pas là des principes qui régleront jamais ma vie.

CHRYSOTHÉMIS : Eh bien donc ! va, suis ton dessein : tu me rendras justice un jour.

ÉLECTRE : J'entends l'achever en effet ; ce n'est pas toi qui m'effraieras.

CHRYSOTHÉMIS : Bien vrai ? Tu ne veux pas alors changer d'avis ?

ÉLECTRE : Rien qui me fasse horreur comme un avis honteux

CHRYSOTHÉMIS : Il me semble bien que tu n'entres dans aucune de mes raisons.

ÉLECTRE : Ma décision n'est pas d'hier, elle date de bien plus loin.

CHRYSOTHÉMIS : Je m'en vais, tu ne peux te résoudre à déclarer mes avis sages, pas plus que moi tes façons d'être.

ÉLECTRE : Rentre donc ; je ne courrai pas après toi, même si c'est là ton plus cher désir. La pire des sottises est bien de se lancer dans une quête vaine.

CHRYSOTHÉMIS : Si tu crois avoir de bonnes raisons, va, garde tes raisons. Mais tu ne seras pas plus tôt dans le malheur que tu déclareras que mes vues étaient sages.

(Elle rentre dans le palais.)

Modéré.

LE CHŒUR : *Pourquoi, lorsque nous voyons, parmi les oiseaux de l'air, les plus doués de raison[1] se montrer si soucieux de nourrir ceux dont ils sont nés, ceux à qui ils doivent tout, pourquoi nous refuser, nous, à payer le même tribut ?*

Non, par la foudre de Zeus, par Thémis qui règne au ciel, qui se conduit ainsi ne reste pas longtemps sans en porter la peine.

O Renommée, toi par qui la voix des hommes pénètre jusque sous la terre, va, je t'en prie, porter dans l'Enfer aux Atrides l'appel de ma voix douloureuse, un appel chargé de sinistres hontes.

Dis-leur que leur maison, hélas ! est au plus bas, et que, pour leurs enfants, il en est deux qui se livrent un combat que la plus douce intimité ne suffit plus à apaiser. Seule, abandonnée et jouet des flots,

Électre reste là à redire en sanglotant, la malheureuse, le thrène sans fin de son père, pareille au rossignol gémissant,

insouciante de la mort, et prête au contraire à fermer pour jamais les yeux, du jour où elle aura enfin triomphé de ces deux furies. Fut-il fille jamais plus fille de son père ?

Plus animé.

Il n'est pas d'âme généreuse qui consente, en menant une vie de lâche, à souiller sa gloire, à laisser son nom périr. Oui, ma fille, ma fille !

Et c'est là ce que tu as fait, tu as choisi pour ton lot une longue vie de deuil, tu as, en armant ton bras, surmonté le déshonneur et, d'un seul coup, conquis un double succès : le renom d'une fille sage et brave à la fois.

Ah ! puisses-tu donc désormais par la puissance et la richesse dominer tes ennemis, tout de même qu'à cette heure tu vis ici soumise à eux !

Ce sera bien justice, puisque je t'aurai vue subir le sort le plus affreux, et néanmoins, au regard des grandes lois de ce monde, conquérir le premier rang par ton pieux respect de Zeus.

> *(Entrent Oreste et Pylade, suivis d'esclaves qui portent leurs bagages. L'un est chargé d'une urne funéraire.)*

ORESTE : Nous a-t-on dit vrai, ô femmes ? Sommes-nous vraiment sur la route des lieux où nous nous rendons ?

LE CORYPHÉE : Que cherches-tu donc ? que veux-tu ici ?

ORESTE : C'est la maison d'Égisthe dont partout je m'enquiers depuis un moment.

LE CORYPHÉE : La voici : tu n'es pas en droit de te plaindre de celui qui t'a renseigné.

ORESTE : Quelle est celle de vous qui voudrait bien alors en informer les maîtres d'une double arrivée qui doit combler leurs vœux ?

LE CORYPHÉE, *montrant Électre :* Celle-là, si la plus proche par le sang est la plus désignée aussi pour leur porter ton message.

ORESTE, *à Électre :* En ce cas, entre, femme, et fais-leur savoir que des gens de Phocide sont là, qui demandent Égisthe.

ÉLECTRE : Ah ! malheureuse ! Ils ne nous apportent pas, j'espère, des preuves trop certaines de la rumeur qui nous est parvenue ?

ORESTE : J'ignore le bruit dont tu parles. Pour moi, c'est le vieux Strophios qui m'a chargé de nouvelles d'Oreste.

ÉLECTRE : Que dis-tu, étranger ? Ah ! l'effroi me pénètre.

ORESTE : Nous portons là, tu vois, dans une petite urne, le peu qui reste de son corps.

ÉLECTRE : Las ! misérable ! c'est bien cela : je vois devant moi, sous ma main, et désormais certaine, semble-t-il, la douleur que je redoutais.

ORESTE : Si tu pleures ici le malheur d'Oreste, sache que ce vase enferme son corps.

ÉLECTRE : O étranger, au nom des dieux, si Oreste est là dans cette urne, laisse-moi la prendre en mes bras, pour qu'en même temps que sur cette cendre je pleure et sanglote sur moi et ma race entière.

ORESTE, *à ses esclaves :* Approchez et donnez-la-lui. Je ne sais qui elle est, mais du moins sa prière ne marque pas d'intention malveillante. C'est une amie sans doute, ou une femme de son sang.

(Électre prend l'urne et la serre passionnément.)

ÉLECTRE : O dernier souvenir du plus aimé des hommes, de celui que, vivant, on appelait Oreste. Ah! qu'ils sont différents, les espoirs que j'ai mis en toi, le jour où je t'ai fait partir de ces lieux, et ceux avec lesquels je te reçois ici! Je te tiens là aujourd'hui dans mes bras réduit à rien, alors que tu étais parti de ce palais éclatant de santé! Ah! pourquoi n'ai-je pas quitté la vie moi-même, au lieu de t'envoyer dans un autre pays, après t'avoir furtivement dérobé à la mort? Tu aurais en mourant ce jour-là trouvé ta place au tombeau de ton père, tandis qu'aujourd'hui, loin de ta maison, exilé sur un sol étranger, tu es mort misérablement très loin de ta sœur; et je n'ai pu, infortunée, te laver, te parer de mes mains aimantes, ni tirer du feu dévorant, ainsi qu'il eût convenu, le triste fardeau que j'ai là. Tu n'auras donc, pauvre ami, reçu de soins que de mains étrangères, et tu reviens à nous chétif amas de cendres dans une urne chétive! Ils n'auront donc servi à rien, tous ces soins dont ta pauvre sœur t'entourait constamment au prix de si douces fatigues! Jamais tu n'as été aussi cher à ta mère que tu le fus à moi. Ce n'étaient pas nos gens qui t'élevaient, mais moi, et sans cesse tu m'appelais : « Sœur! » Et maintenant, toi mort, en un seul jour tout s'effondre pour moi. Tu disparais, ayant tout emporté comme un grand coup de vent. Notre père n'est plus; je suis morte pour toi; tu t'es évanoui toi-même dans la mort... Et nos ennemis rient, et on la voit délirante de joie, cette mère, indigne d'être mère, dont tu me faisais dire si souvent en cachette que tu viendrais ici la punir en personne! Mais cela, le triste sort qui est notre sort à tous deux me l'a, je le vois, refusé, puisqu'il te renvoie à moi maintenant sous cette forme : au lieu de tes traits chéris, de la cendre et une ombre vaine! — Ah! pitié! Ah! triste cadavre! hélas! hélas! — Ah!

pitié! comme avec cet affreux retour, mon chéri, tu
m'auras tuée! Oui, tu m'as tuée, frère bien-aimé! A toi
donc de me recevoir dans cet abri où tu reposes : nos
deux néants s'y rejoindront. J'habiterai sous terre avec
toi désormais. Aussi bien sur cette terre je partageais
tout avec toi : aujourd'hui encore, je brûle de ne pas
rester hors de ton tombeau. Je ne vois pas les morts,
eux, s'affliger de rien.

LE CORYPHÉE : Tu es née d'un mortel, Électre,
songes-y. Oreste était mortel aussi. Ne gémis donc pas
trop : nous sommes tous voués au même sort.

ORESTE : Ah! que dois-je dire? quels mots employer
dans mon désarroi? Je n'ai plus la force de tenir ma
langue.

ÉLECTRE : Quel chagrin as-tu donc? A quoi tend ce
propos?

ORESTE : Faut-il donc que je voie en toi la noble
figure d'Électre?

ÉLECTRE : Elle-même — en bien triste état.

ORESTE : Je m'en rends compte. Ah! pitoyable sort!

ÉLECTRE : Ce n'est pas sur moi, étranger, que tu
gémis de telle sorte?

ORESTE : O beauté outrageusement, sacrilègement
ravagée!

ÉLECTRE : Oui, c'est bien de moi, étranger, non
d'une autre, que tu parles en si tristes termes.

ORESTE : Quelle existence misérable et privée d'hymen à jamais!

ÉLECTRE : Pourquoi me contempler ainsi, étranger,
en te lamentant?

ORESTE : Que de maux j'ignorais, qui sont pourtant
des miens!

ÉLECTRE : Lequel de mes propos te l'aura fait
comprendre?

ORESTE : Je te vois en proie à tant de souffrances!

ÉLECTRE : Et tu ne vois pourtant que bien peu de
mes maux.

ORESTE : Comment en pourrait-il être de plus affreux ?

ÉLECTRE : Il en est, car je vis avec des assassins.

ORESTE : De qui ? qui fit le crime que tu laisses entrevoir ?

ÉLECTRE : Les assassins d'un père, et je leur sers d'esclave.

ORESTE : Et qui donc te soumet à pareille contrainte ?

ÉLECTRE : Celle qu'on dit ma mère — qui n'a rien d'une mère.

ORESTE : Te brutalise-t-elle ? te plaint-elle ton pain ?

ÉLECTRE : Brutalités, refus de pain, tout à la fois !

ORESTE : Et tu n'as personne pour la contenir et te protéger ?

ÉLECTRE : Celui qui l'aurait pu, tu m'apportes sa cendre.

ORESTE : Malheureuse ! que de pitié je ressens déjà devant toi !

ÉLECTRE : Tu es seul, sois-en sûr, à avoir jamais eu quelque pitié pour moi.

ORESTE : C'est que je suis là seul à souffrir de tes maux.

ÉLECTRE : Tu n'es pas là pourtant à titre de parent ?

ORESTE : Je m'expliquerais, si ces femmes étaient bien pour nous des amies.

ÉLECTRE : Elles le sont ; tu parles devant des amies sûres.

ORESTE : Alors lâche cette urne, si tu veux tout savoir.

ÉLECTRE : Non, ne fais pas cela, étranger, par les dieux !

ORESTE : Tu n'auras pas, crois-moi, à t'en repentir.

ÉLECTRE : Non, je t'en conjure, non, ne m'arrache pas ce que j'ai de plus cher.

ORESTE : Non, non, te dis-je, je ne l'admettrai pas.

ÉLECTRE : Ah ! quel malheur pour moi, si je dois, Oreste, renoncer à t'ensevelir !

ORESTE : Parle mieux, et crois-moi : tu as tort de gémir.

ÉLECTRE : Quoi ! j'ai tort de gémir, lorsque mon frère est mort ?

ORESTE : Oui, tu n'as pas le droit d'employer de tels mots.

ÉLECTRE : Ainsi l'on me refuse un mort qui est à moi !

ORESTE : Non, l'on ne te refuse rien : ce qui est là n'est pas à toi.

ÉLECTRE : Si ! puisque c'est Oreste que je porte en mes bras.

ORESTE : Oreste n'est ici qu'un nom, une illusion...

ÉLECTRE : Où est la tombe alors du malheureux Oreste ?

ORESTE : Nulle part : un vivant n'a pas besoin de tombe.

ÉLECTRE : Que dis-tu, mon enfant ?

ORESTE : Mais rien qui ne soit vrai.

ÉLECTRE : Alors Oreste vit ?

ORESTE : Oui, puisque je respire.

ÉLECTRE : Alors tu es Oreste ?

ORESTE : Regarde seulement ce cachet de mon père, et sache alors si je dis vrai.

(Électre se jette dans les bras d'Oreste.)

ÉLECTRE : O le plus doux des jours !

ORESTE : Le plus doux, j'en témoigne aussi.

ÉLECTRE : O voix aimée, tu es venue à moi !

ORESTE : Ne le demande pas ailleurs.

ÉLECTRE : Je te tiens dans mes bras.

ORESTE : Et puisses-tu m'y garder à jamais !

ÉLECTRE : O femmes chéries, femmes de ma ville, voyez cet Oreste que la fourbe avait fait mourir, que la fourbe sauve aujourd'hui.

LE CORYPHÉE : Nous voyons, ma fille, et, devant le fait, des larmes de joie montent à nos yeux.

ÉLECTRE : *Ah ! rejeton, rejeton des êtres qui me sont le plus chers* [1], *te voilà donc enfin, tu es venu, tu as trouvé, tu as vu ceux mêmes que tu désirais.*

ORESTE : Oui, je suis là. Mais tais-toi et attends.

ÉLECTRE : *Que veux-tu dire ?*

ORESTE : Mieux vaut nous taire, afin que derrière ces murs personne ne nous entende.

ÉLECTRE : *Non, par Artémis, toujours vierge, non, jamais je ne daignerai avoir peur de ces femmes, « vain fardeau de la terre* [2] *», toujours enfermées dans ces murs.*

ORESTE : Prends garde : même chez les femmes il y a place pour Arès ; tu l'as éprouvé, tu le sais.

ÉLECTRE : *Las ! hélas ! voilà que tu évoques notre éclatant malheur : rien ne peut l'abolir, rien ne peut faire oublier ce qu'il fut.*

ORESTE : Cela aussi, je le sais ; mais, que l'occasion nous vienne faire signe, et c'est alors qu'il y aura lieu de rappeler ces forfaits-là.

ÉLECTRE : *Mais, pour moi, c'est la vie, c'est la vie entière qui saurait à bon droit me fournir l'occasion constante de les publier. J'ai peine à retenir une langue désormais libre.*

ORESTE : Je suis de ton avis, et c'est bien pourquoi je te dis : Sauvegarde cette liberté.

ÉLECTRE : *Et comment ?*

ORESTE : Tant que l'occasion n'est pas venue encore, renonce à parler longuement.

ÉLECTRE : *Qui pourrait donc, pour saluer ton retour, remplacer les mots par le seul silence, quand je te vois là, contre tout espoir, contre toute prévision ?*

ORESTE : Le jour où tu me vois est celui où les dieux... m'ont mis sur la voie du retour.

ÉLECTRE : *Tu parles là d'une faveur plus grande encore que la première, si vraiment c'est un dieu qui t'a mis sur la route menant à ma demeure ! Je tiens cela pour un bienfait du Ciel.*

ORESTE : J'hésite à mettre des bornes à ta joie. Mais j'ai grand-peur que l'allégresse ne triomphe un peu trop de toi.

Plus vif et mieux marqué.

ÉLECTRE : *Ah! puisque, après un bien long temps, tu as daigné ainsi paraître, au terme d'un voyage si doux à mon cœur, ne va pas maintenant, alors que tu me vois si cruellement éprouvée...*

ORESTE : *Que crains-tu de ma part?*

ÉLECTRE : *Que tu me prives de la joie où ton visage me plonge et me forces à y renoncer.*

ORESTE : *Non, je m'indignerais plutôt, si j'en voyais d'autres le faire.*

ÉLECTRE : *Alors tu promets?...*

ORESTE : *Puis-je faire autrement?*

ÉLECTRE : *O mon ami, j'entends là un mot que jamais je n'eusse espéré; et, à l'entendre, la malheureuse que je suis impose silence à sa fièvre. La voici désormais muette, retenant le moindre cri.*

Maintenant je t'ai, tu m'es apparu comme une vision plus chère que tout et que le malheur même ne saurait me faire oublier.

ORESTE : Laissons là maintenant les discours superflus. Ne viens donc pas m'apprendre que ma mère est indigne ni qu'Égisthe est en train de vider les trésors constitués par nos pères dans cette maison, en les dissipant, en les gaspillant au hasard. Trop parler nous ferait manquer l'heure propice. Indique-moi plutôt ce qui doit s'accorder le mieux aux circonstances. Dis-moi où nous devrons paraître ou nous cacher, pour que notre venue mette enfin un terme au triomphe de nos ennemis. Prends garde aussi que notre mère ne saisisse la vérité sur ton visage radieux, quand nous entrerons au palais. Lamente-toi donc bien plutôt sur ce désastre imaginaire. C'est après le succès seulement que nous aurons le droit de triompher et rire en toute liberté.

ÉLECTRE : Ce qui est ton plaisir, frère, sera le mien. C'est de toi que je tiens ma joie, je n'ai point de droits sur elle. Et je n'admettrais pas, même pour mon plus grand profit, de te causer le plus petit chagrin. Ce serait là mal seconder la chance qui nous accompagne aujourd'hui. Ce qu'il en est d'ici, tu le sais ; sans nul doute on t'a dit qu'Égisthe n'est pas au palais, mais que notre mère est chez elle. Ne crains pas qu'elle ne me trouve avec un visage radieux d'allégresse : j'ai pour cela une haine trop invétérée au cœur ; et d'autre part, depuis que je t'ai vu, je ne pourrai jamais mettre un terme à la joie qui m'arrache ces pleurs. Et comment le pourrais-je, quand le même voyage t'aura fait paraître à mes yeux à la fois mort et vivant ? Tu m'as fait voir des choses incroyables ; au point que, si mon père revenait aujourd'hui vivant, je ne croirais pas qu'il s'agît d'un miracle, je serais sûre de l'avoir devant moi. Puisque tu nous viens sous de tels auspices, va, conduis-nous comme tu l'entendras. Déjà, toute seule, j'aurais su atteindre un de mes deux buts : me sauver glorieusement, ou glorieusement périr.

ORESTE : Le mieux, je crois, est de se taire. J'entends quelqu'un au-dedans qui approche comme pour sortir.

ÉLECTRE, *changeant de ton :* Entrez donc, étrangers. Vous nous apportez des nouvelles que personne dans cette maison ne saurait ni écarter ni accueillir avec joie.

> (*Elle se dirige vers le palais. Mais à ce moment le Précepteur en ouvre brusquement la porte.*)

LE PRÉCEPTEUR : O grands fous, vous avez donc perdu le sens ! N'avez-vous plus aucun souci de votre vie ? Ou bien n'avez-vous jamais eu le moindre bon sens dans la tête, que vous ne vous rendiez pas compte que vous êtes ici, non en face, mais au milieu même des pires dangers ? Si je ne m'étais pas trouvé là depuis un moment pour veiller à cette porte, vos plans étaient déjà entrés dans le palais avant vous. Heureusement j'ai pris les précautions voulues. Ainsi finissez, terminez-en avec ces longs discours et avec ces clameurs de joie inassouvies, et passez céans. Traîner est un mal en pareille affaire, et l'heure est venue d'en finir.

ORESTE : Comment trouverai-je les choses au palais quand j'y entrerai ?

LE PRÉCEPTEUR : Comme il faut. Tu as pour toi que personne ne te connaît.

ORESTE : Tu as annoncé, je pense, ma mort ?

LE PRÉCEPTEUR : Sache que tu es pour eux un habitant des Enfers.

ORESTE : Ils triomphent alors ? Sinon, que disent-ils ?

LE PRÉCEPTEUR : Je te répondrai, quand nous serons au but. Pour le moment, leur cas est bon, même sans l'être.

ÉLECTRE : Quel est cet homme, frère ? dis-le-moi, je t'en prie.

ORESTE : Tu ne saisis pas ?

ÉLECTRE : Mais non, aucune idée ne me vient à l'esprit.

ORESTE : Ne sais-tu plus à qui tu m'as remis jadis ?

ÉLECTRE : A qui ? Que dis-tu là ?

ORESTE : Je parle de celui aux bras de qui je fus, grâce à ta prudence, emporté en secret au pays de Phocide.

ÉLECTRE : Quoi ! ce serait l'homme que, seul entre mille, j'ai trouvé fidèle autrefois, à l'heure où l'on tuait mon père ?

ORESTE : C'est lui. Ne m'interroge donc pas plus longuement.

ÉLECTRE : O le plus doux des jours ! O l'unique

sauveur de la maison d'Agamemnon, comment es-tu ici ? Es-tu vraiment celui qui m'a sauvée en même temps qu'Oreste d'innombrables malheurs ? O mains chéries ! ô ami dont les pieds m'auront rendu le plus doux des services ! comment, toi que j'avais fréquenté si longtemps, as-tu trompé mes yeux ? comment ne t'es-tu pas fait connaître de moi, au lieu de me tuer par tes propos menteurs, alors que tu savais des vérités si douces ! Salut ! Père — car c'est un père que je crois voir en toi — salut ! Sache que tu es de tous les humains celui que j'aurai au cours d'un même jour le plus haï et aimé tout ensemble.

LE PRÉCEPTEUR : Assez parlé, je crois. Pour ce qui s'est passé dans l'intervalle, bien des jours et autant de nuits viendront tour à tour, Électre, te permettre d'en entendre un récit vrai. Quant à vous deux ici, je vous le déclare, voici le moment d'agir. Pour l'heure, Clytemnestre est seule ; pour l'heure, aucun homme n'est dans le palais. Si vous tardez, prenez garde d'avoir à vous battre, non seulement contre ces adversaires, mais aussi contre d'autres, plus nombreux, et plus avisés.

ORESTE : Pylade, notre affaire n'exige plus de longs discours. Il nous faut entrer sans retard — pas avant toutefois de nous être inclinés devant les images des dieux de nos pères qui résident dans ce vestibule.

(Les trois hommes pénètrent dans le palais.)

ÉLECTRE : Sire Apollon, prête-leur une oreille favorable — et à moi aussi, qui me suis bien souvent présentée devant toi, portant dans mes mains suppliantes le peu que je pouvais t'offrir. Cette fois, Apollon Lycien, sans autres offrandes, je te prie, te supplie et t'implore de prêter à nos desseins ton plus généreux concours et de faire voir aux mortels quels châtiments les dieux réservent à l'impiété.

(Elle rentre à son tour dans le palais.)

Agité.

LE CHŒUR : *Voyez où il en est déjà, l'Arès qui s'avance,
respirant le meurtre implacable.*

*Elles viennent à l'instant même de pénétrer sous le toit de ce
palais ; elles sont sur la piste des traîtrises méchantes, les
chiennes [1], à qui l'on n'échappe pas.*

*Ah ! il n'a plus longtemps à rester en suspens dans l'air, le
songe entrevu par mon cœur.*

*Le voilà introduit dans cette demeure, le champion des morts
à la marche perfide !*

*Il rentre au foyer de son père et dans son antique opulence. Il
tient en main un fer de mort frais aiguisé. C'est le fils de Maïa,
c'est Hermès, qui le mène au but, qui cache sa fourbe dans
l'ombre, qui se refuse à plus attendre.*

(*Électre ressort du palais.*)

ÉLECTRE : O chères amies, nos hommes vont avoir
achevé leur ouvrage. Restez muettes en attendant.

LE CORYPHÉE : Mais comment vont les choses ? Que
font-ils pour l'instant ?

ÉLECTRE : Elle pare l'urne pour les funérailles. Les
deux autres sont à ses côtés.

LE CORYPHÉE : Et toi, pourquoi es-tu soudainement
sortie ?

ÉLECTRE : Pour veiller à ce qu'Égisthe ne nous
surprenne pas à son tour en rentrant.

CLYTEMNESTRE, *à l'intérieur :* Ah ! maison vide
d'amis et toute pleine de tueurs !...

ÉLECTRE : On crie là-dedans, mes amies, n'entendez-vous pas ?

Vif.

LE CHŒUR : *Malheureuse, j'entends des cris que je ne
voudrais pas entendre et qui me donnent le frisson.*

CLYTEMNESTRE : Las ! misérable ! Égisthe, où donc
es-tu ?

ÉLECTRE : Entends, encore un cri !

CLYTEMNESTRE : Mon fils, mon fils, aie pitié de ta mère !

ÉLECTRE : As-tu eu pitié de lui, toi, et du père de qui tu l'avais conçu ?

LE CHŒUR : *O cité ! ô race infortunée, voici l'heure où le destin qui suit tes jours commence à faiblir, à faiblir.*

CLYTEMNESTRE : Hélas ! je suis frappée !

ÉLECTRE : Va donc, encore un coup, si tu t'en sens la force !

CLYTEMNESTRE : Hélas ! une fois encore !

ÉLECTRE : Ah ! pourquoi pas Égisthe en même temps ?

LE CHŒUR : *Les imprécations s'accomplissent : ils sont vivants, les morts couchés sous terre. Les victimes d'autrefois prennent en représailles le sang de leurs assassins.*

(Oreste et Pylade reparaissent sur le seuil du palais.)

LE CORYPHÉE[1] : Mais les voici. Leur main rouge dégoutte du sang répandu sur l'autel d'Arès. Je n'ai nul reproche à leur adresser.

ÉLECTRE : Oreste, où en êtes-vous ?

ORESTE : Dans le palais tout est bien comme il faut, si, de son côté, Apollon a prophétisé comme il le fallait.

ÉLECTRE : La misérable est morte ?

ORESTE : Sois tranquille : l'orgueil d'une mère ne t'humiliera jamais plus.

ÉLECTRE : . . . .

ORESTE : . . . .

LE CORYPHÉE : *Arrêtez. Je vois Égisthe. C'est bien lui.*

ORESTE : . . . .

ÉLECTRE : Rentrez vite, enfants !

ORESTE : Voyez-vous l'homme ? Est-il entre nos mains ?

ÉLECTRE : Il vient du faubourg, figure joyeuse...

LE CHŒUR : *Retournez dans le vestibule au plus tôt, pour*

régler la seconde affaire, ainsi que vous avez fait déjà la première.

ORESTE : Ne crains rien, nous saurons en finir.

ÉLECTRE : Fais donc vite — comme tu l'entends.

ORESTE : Voilà, je suis parti.

ÉLECTRE : Pour ce qui est d'ici, la chose me regarde.

LE CHŒUR : *Il serait bon de dire des mots qui flattent son oreille, afin qu'il vînt s'engager de lui-même dans la lutte traîtresse où le châtiment l'attend.*

> *(Oreste et Pylade sont rentrés dans le palais. Arrive Égisthe.)*

ÉGISTHE : Une de vous sait-elle où se trouvent ces gens de Phocide qui nous annoncent, me dit-on, qu'Oreste aurait expiré sous les débris de son char ? *(A Électre.)* C'est toi, oui, toi, que j'interroge, toi, qui étais jadis si arrogante. J'imagine que la chose t'intéresse. Plus qu'une autre, par conséquent, tu sais, et tu peux parler.

ÉLECTRE : Eh oui ! je sais tout, cela va de soi : puis-je rester en dehors du malheur de ceux qui me sont les plus chers ?

ÉGISTHE : Où sont donc ces gens ? dis-le-moi.

ÉLECTRE : Dans le palais. Ils sont tombés sur une hôtesse amie.

ÉGISTHE : Et ont-ils vraiment annoncé sa mort ?

ÉLECTRE : Non, ils l'ont prouvée, et par plus que des mots.

ÉGISTHE : Je puis alors tenir l'événement pour sûr ?

ÉLECTRE : Tu peux même en avoir le peu plaisant spectacle.

ÉGISTHE : Tu me ravis en me parlant ainsi, et ce n'est pas ton habitude.

ÉLECTRE : A ta guise ! réjouis-toi, si tu vois là matière à te réjouir.

ÉGISTHE : J'ordonne qu'on se taise et que nos portes s'ouvrent, pour que les habitants de Mycènes et d'Argos puissent tous bien voir, et que ceux qui se sont jadis laissé exalter par les vains espoirs placés en cet homme, aujourd'hui, devant son cadavre, acceptent mon frein, et ne me forcent pas à les corriger et à leur apprendre comment on atteint l'âge de raison.

ÉLECTRE : Voilà qui est fait, pour ma part. J'ai enfin acquis assez de bon sens pour m'accommoder à mes maîtres.

> *(La porte s'ouvre. On aperçoit un cadavre étendu à terre et couvert d'un voile. Oreste et Pylade sont debout à ses côtés.)*

ÉGISTHE : O Zeus ! j'ai là sous les yeux le spectacle d'une mort heureuse. Je le dis sans vouloir scandaliser personne, et si le mot paraît choquant, je le retire. Écartez-moi tout voile de ses traits, afin que le parent qu'il est reçoive de moi-même la part de plaintes que je lui dois.

ORESTE : Soulève le voile toi-même. Ce n'est pas à moi, c'est à toi de voir ce qui se trouve là et de saluer un parent.

ÉGISTHE : Ton avis est juste et je le suivrai. *(A Électre.)* Toi, fais venir Clytemnestre, si elle est dans le palais.

ORESTE : Elle est devant toi, ne cherche pas ailleurs.

ÉGISTHE, *soulevant le voile :* Ah ! que vois-je ?

ORESTE : De qui as-tu peur ! Qui crois-tu ne pas reconnaître ?

ÉGISTHE : Dans les filets de qui suis-je donc tombé, malheureux ?

ORESTE : Ne te rends-tu pas compte que depuis un moment tu converses avec des vivants comme s'ils étaient des morts ?

ÉGISTHE : Ah ! je comprends l'énigme. Celui qui parle là ne peut être qu'Oreste.

ORESTE : Comment, si bon devin, as-tu donc pu te tromper si longtemps ?

ÉGISTHE : C'en est fait de moi, malheureux ! Pourtant, laisse-moi ajouter un mot.

ÉLECTRE : Ne lui permets pas d'en dire davantage, frère, par les dieux ! Ne le laisse pas prolonger ses discours. Quand il s'agit d'hommes habitués au crime, un délai est-il du moindre profit pour qui doit mourir ? Tue-le au plus vite, puis expose son corps : il aura de la sorte les fossoyeurs qui lui reviennent [1]. Tout cela loin de nos yeux. Il n'est pour moi aucun autre moyen d'être délivrée de mes longues peines.

ORESTE : Entre donc, et vite. Il ne s'agit pas de débat en forme, mais bien de ta vie.

ÉGHISTE : Mais pourquoi donc me faire entrer dans ce palais ? Pourquoi, si l'acte est beau, a-t-il besoin de l'ombre ? Pourquoi n'es-tu pas prêt à me frapper ?

ORESTE : Ne me donne pas d'ordre. Marche, et va où tu tuas mon père ; tu mourras à la même place.

ÉGISTHE : Est-il indispensable que ce palais voie les malheurs nouveaux des neveux de Pélops, ainsi qu'il a vu leurs malheurs passés ?

ORESTE : Oui, les tiens, en tout cas ; je suis pour toi le meilleur des devins.

ÉGISTHE : Ce n'est pourtant pas de ton père que tu tiens l'art dont tu te vantes là.

ORESTE : Tu parles trop et nous retardes. Allons ! en route !

ÉGISTHE : Montre-moi le chemin.

ORESTE : C'est à toi à passer d'abord.

ÉGISTHE : As-tu donc peur que je ne t'échappe ?

ORESTE : Non, j'ai peur que tu n'aies une mort qui te plaise. Mais je prendrai soin, moi, qu'elle te soit amère. Il faudrait que le châtiment intervînt toujours sur l'heure, pour quiconque prétend passer outre aux lois : la mort ! La canaille ainsi serait moins nombreuse.

(Il pousse Égisthe dans le palais.)

Mélodrame.

LE CORYPHÉE : O race d'Atrée, à travers combien d'épreuves es-tu enfin à grand-peine parvenue à
la liberté! L'effort de ce jour couronne ton histoire.

Philoctète

PERSONNAGES

ULYSSE, *fils de Laërte, roi d'Ithaque.*

NÉOPTOLÈME, *fils d'Achille, chef des Myrmidons.*

PHILOCTÈTE, *fils de Péas, chef des Magnètes.*

CHŒUR DE MARINS ACHÉENS.

UN MESSAGER.

UN MARCHAND.

HÉRACLÈS, *fils de Zeus et d'Alcmène.*

A l'extrémité d'un cap rocheux. A mi-hauteur de la falaise s'ouvre une grotte. Paysage désertique. Entrent Ulysse et Néoptolème, suivi d'un de ses marins.

ULYSSE : Voici donc, sur ce sol de Lemnos qu'enveloppent les flots, voici le cap désert, vierge de pas humains, où j'ai jadis, enfant du plus vaillant des Grecs, Néoptolème, fils d'Achille, déposé l'homme du pays maliaque [1], le fils de Péas. J'en avais reçu l'ordre de nos chefs. Son pied suppurait sous un mal rongeur ; nous ne pouvions plus procéder en paix à une libation ni à un sacrifice : il emplissait l'armée entière sans trêve de clameurs sinistres, criant, gémissant... Mais à quoi bon rappeler cette histoire ? L'heure n'est pas aux longs discours. Il ne faut pas qu'il sache que je suis ici. Ce serait détruire d'un coup tout le plan grâce auquel je compte me saisir de lui par surprise. Pour le reste, à toi, et sans retard, de faire ton service ; et d'abord de chercher en ces lieux une caverne à deux entrées, telle qu'elle offre dans les jours froids un double siège au soleil, telle aussi qu'en été la brise qui circule à travers ce gîte doublement ouvert y fait pénétrer le sommeil. Un peu en dessous, à ta gauche, tu dois voir l'eau d'une source, si elle n'a pas disparu. Avance et fais-moi savoir, mais sans élever la voix, si ces indications valent encore — ou non — pour l'endroit où nous sommes. La suite alors, tu pourras, toi, l'entendre, et je pourrai, moi, te la dire, de façon que tout marche d'accord entre nous deux.

NÉOPTOLÈME : La tâche, sire Ulysse, sera vite remplie. Je crois voir la caverne que tu me dépeins.

ULYSSE : En haut ? ou bien en bas ? je ne me rends pas compte.

NÉOPTOLÈME : Ici même, en haut. Et nul bruit de pas.

ULYSSE : Vois s'il ne serait pas dans son gîte à dormir.

NÉOPTOLÈME : Je vois la maison vide. Pas un humain n'est là.

ULYSSE : Rien qui marque qu'un homme ait fait là son logis ?

NÉOPTOLÈME : Si, un lit de feuillage. Quelqu'un réside ici.

ULYSSE : Sauf cela, tout est vide ? rien d'autre sous ce toit ?

NÉOPTOLÈME : Si, une coupe en bois massif — œuvre d'un bien piètre ouvrier. Et, là aussi, de quoi faire du feu.

ULYSSE : C'est lui ! c'est sa réserve que tu nous décris là !

NÉOPTOLÈME : Oh ! Oh ! et, là encore, des hardes qui sèchent toutes pleines d'un pus répugnant.

ULYSSE : Celui que nous cherchons loge ici, c'est certain. Et sans doute aussi n'est-il pas bien loin. Comment malade, avec un pied souffrant d'un très vieux mal, pourrait-il s'éloigner beaucoup ? Il est parti chercher sa subsistance, ou quelque simple qui calme ses douleurs et qu'il sait où trouver. Envoie faire le guet l'homme que tu as là. Évitons qu'il ne tombe sur moi à l'improviste. Il aimerait bien mieux s'emparer de moi que de tous les Grecs.

(Sur un signe de Néoptolème, son marin s'éloigne.)

NÉOPTOLÈME : L'homme y va : le chemin sera surveillé. A toi de m'expliquer un peu plus en détail ce que tu désires.

ULYSSE : Ta mission, fils d'Achille, exige du courage, et non pas du courage physique seulement. Il se peut que tu entendes un propos tout nouveau pour toi. Tu dois t'y conformer : tu es en service.

NÉOPTOLÈME : Eh bien ! quels sont tes ordres ?

ULYSSE : Tu dois par ton langage capter l'âme de Philoctète. Lorsqu'il te demandera qui tu es, d'où tu viens, réponds : « Je suis fils d'Achille » — tu n'as pas à le celer — mais ajoute que tu rentres chez toi, que tu quittes la flotte et l'armée des Grecs, parce que tu as contre eux un sérieux motif de haine : ils t'ont fait partir de chez toi en te suppliant, en te donnant ce départ pour le seul moyen de conquérir Troie, et, quand tu as été une fois parti, ils t'ont refusé les armes d'Achille, que tu réclamais à fort juste titre et qu'ils ont livrées à Ulysse. Et là-dessus, va, entasse toutes les horreurs que tu voudras contre moi : je ne m'en froisserai en aucune façon ; tandis qu'au contraire, si tu ne le fais pas, c'est à tous les Grecs que tu infligeras alors un chagrin, puisque, si son arc nous échappe, nul moyen ne te restera de conquérir le sol de Dardanos. — Mais pourquoi est-ce avec toi, pas avec moi, qu'il peut avoir un contact confiant et sûr ? Je vais te le dire. Tu as pris la mer sans y être tenu, toi, par aucun serment [1], sans avoir subi non plus de contrainte ; enfin tu n'étais pas de la première de nos expéditions, tandis qu'aucun de ces faits-là, je ne puis, moi, le démentir. Dès lors, s'il m'aperçoit, ayant encore son arc en main, je suis perdu et je t'entraînerai toi-même dans la mort, du fait que tu es avec moi. Eh bien ! voilà justement à quoi il faut t'ingénier : à lui dérober ses traits infailli-

bles. Je sais, et fort bien, que ton sang ne te dispose
guère à parler ce langage, pas plus qu'à tendre des
pièges. La victoire pourtant est douce à obtenir. Sache
prendre sur toi. Nous ferons montre d'honnêteté plus
tard. Cette fois, prête-toi à moi pour un court instant
— un jour au plus — d'effronterie. Après quoi, tout le
reste de la vie, tu pourras te faire appeler le plus
scrupuleux des mortels.

NÉOPTOLÈME : Pour moi, fils de Laërte, les mots
qu'il me coûte d'entendre, je répugne à les mettre en
actes. Je ne suis pas fait, moi, pour agir en usant de
vilains artifices ; et mon père, dit-on, ne l'était pas non
plus. Je suis prêt en revanche à emmener notre homme
en employant la force, non la ruse. Ce n'est pas un
homme qui ne dispose que d'un pied qui pourrait
triompher par force de nous tous. Comme ma mission
pourtant est de t'aider, j'ai peur de me faire traiter de
félon. Mais malgré tout, prince, j'aimerais mieux
encore échouer pour avoir agi loyalement que triompher par une vilenie.

ULYSSE : Ah ! fils d'un noble père, moi aussi, quand
j'étais jeune, j'avais la langue paresseuse, le bras
toujours prêt à agir. Aujourd'hui, expérience faite, je
vois que ce qui mène tout, c'est la langue, et non les
actes.

NÉOPTOLÈME : Que m'enjoins-tu donc là, si ce n'est
pas mentir ?

ULYSSE : Je t'invite à te saisir de Philoctète par
ruse.

NÉOPTOLÈME : Pourquoi user de ruse, au lieu de le
convaincre ?

ULYSSE : Il ne t'entendra pas, et par la violence tu
n'obtiendras rien.

NÉOPTOLÈME : A-t-il de si bonnes raisons d'avoir
confiance dans sa force ?

ULYSSE : Oui, des traits infaillibles et qui portent la
mort.

NÉOPTOLÈME : Il n'est pas sans danger alors d'entrer en contact avec lui ?

ULYSSE : A moins de le prendre par ruse, ainsi que je te le dis.

NÉOPTOLÈME : Et tu ne vois rien de honteux à user ainsi de mensonges ?

ULYSSE : Certes non, quand mentir doit te sauver la vie.

NÉOPTOLÈME : De quel front cependant oser parler ainsi ?

ULYSSE : Quand on cherche un profit, on ne peut hésiter.

NÉOPTOLÈME : Quel profit ai-je donc à ce qu'il vienne à Troie ?

ULYSSE : C'est son arc seul qui peut être vainqueur de Troie.

NÉOPTOLÈME : Alors ce n'est plus moi qui dois la conquérir, comme vous le disiez ?

ULYSSE : Tu ne le peux sans l'arc, l'arc ne le peut sans toi.

NÉOPTOLÈME : Si c'est cela, il faut nous emparer de lui.

ULYSSE : Tu auras ainsi deux profits d'un coup.

NÉOPTOLÈME : Si je savais lesquels, je n'hésiterais plus.

ULYSSE : On te dira aussi adroit que brave.

NÉOPTOLÈME : C'est bien ; j'agirai donc en laissant tout scrupule.

ULYSSE : Te rappelles-tu bien mes recommandations ?

NÉOPTOLÈME : Ne crains rien, tu as ma promesse.

ULYSSE : Reste donc, toi, pour accueillir notre homme. Moi, je pars. J'entends ne pas être surpris près de toi. Pour le guetteur, je l'envoie au vaisseau et, si vous me semblez perdre trop de temps, je vous le dépêche ici de nouveau. Ce sera le même homme, mais que j'aurai déguisé en patron, afin qu'il soit méconnaissable. Écoute-le, enfant. Il te tiendra des propos ambigus : retiens de chacun d'eux ce qui doit t'être utile. Je rejoins le vaisseau et m'en remets à toi. Qu'Hermès, dieu de la ruse, qui est à nos côtés, nous serve de guide à tous deux, avec Athéna la Victoire, protectrice de ma cité, qui partout est ma sauvegarde.

(Ulysse se retire. Entre le Chœur. Il est composé de marins qui viennent du vaisseau de Néoptolème.)

Modéré.

LE CHŒUR : *Que dois-je donc, que dois-je, maître, étranger en terre étrangère, dire ou dissimuler en présence d'un homme que remplit le soupçon ?*

Dis-le-moi. Savoir et jugement supérieurs à tous autres sont le lot de l'homme qui, au nom de Zeus, tient le sceptre saint en ses mains royales.

Or, c'est dans les tiennes, mon fils, que du fond des âges est venu le pouvoir suprême. A toi donc de me dire le service que tu m'attribues.

Mélodrame.

✗ NÉOPTOLÈME : Pour l'instant, tu veux voir sans doute l'endroit où il habite, là, tout au bout du cap. Regarde, n'aie pas peur. Mais, quand apparaîtra l'effrayant chemineau, sois hors de son logis, et, réglant tes démarches sur chacune des miennes, tâche à répondre aux besoins du moment.   ✗

Modéré.

LE CHŒUR : *C'est déjà mon souci depuis longtemps seigneur : garder sans cesse l'œil ouvert sur ton intérêt avant tout.*

Mais, en attendant, dis-moi quelle demeure il s'est donnée, en quels lieux il se tient. Savoir cela n'est pas sans intérêt pour moi :

il ne faut pas qu'il tombe sur nous à l'improviste. Comment

est l'endroit ? comment son séjour ? où le mènent ses pas ? dedans
ou dehors ?

Mélodrame.

✕ NÉOPTOLÈME : Tu vois là sa demeure, avec
double ouverture sur sa chambre de roc.

LE CORYPHÉE : Mais où le malheureux lui-même est-
il allé[1] ?

NÉOPTOLÈME : Pour moi, il est bien clair qu'il se
fraie son chemin lentement quelque part près d'ici,
cherchant sa subsistance. Ainsi fatalement doit se
passer sa vie, à tirer le gibier avec ses traits ailés,
misérable, misérablement, sans qu'aucun guérisseur
de ses maux vienne à lui.   ✕

Plus vif et mieux marqué.

LE CHŒUR : *J'ai pitié de lui, quand je vois comment, sans
que personne ait souci de son sort, sans qu'aucun regard familier
le suive, misérable, toujours seul,*

*il souffre là d'un mal atroce, en même temps qu'il s'effare
devant chaque besoin nouveau. Comment, comment l'infortuné y
tient-il ?*

*Ah ! énergie humaine ! Ah ! misère des mortels dont la vie
échappe à l'ordre commun !*

*Il n'était sans doute au-dessous d'aucune de nos plus nobles
maisons, et le voilà qui gît ici, privé de tout bien de la vie, seul,
loin de ses semblables,*

*n'ayant pour compagnons que des bêtes à peau tachetée ou
bien vêtues de fourrures, en proie à la souffrance, à une faim
cruelle, dévoré d'incurables soucis,*

*cependant que l'Écho dont rien ne clôt la bouche, l'Écho qui
sonne au loin, répond à son tour en accompagnant sa douloureuse
plainte.*

Mélodrame.

✕ NÈOPTOLÈME : Rien dans tout cela qui
m'étonne. C'est par la volonté des dieux, si j'ai

quelques lumières, que lui sont venues et les douleurs qu'il doit à Chrysé la cruelle[1], et celles qu'il subit aujourd'hui en ces lieux, sans personne qui s'intéresse à lui. Il n'y a pas à en douter, elles répondent à quelque intention des dieux : ils ne veulent pas qu'il tende contre Troie son arme divine, son arme invincible, avant l'heure où il est prédit à cette ville qu'elle doit tomber sous ses traits.

Un peu plus libre.

LE CHŒUR : *Tais-toi enfant.*

NÉOPTOLÈME : *Qu'y a-t-il ?*

LE CHŒUR : *Un bruit monte. Il ressemble à celui qui partout accompagne un homme qui peine.*

Est-ce ici ? est-ce là ? Oui, c'est bien l'accent, l'accent authentique, de quelqu'un qui n'avance que très péniblement.

Je ne puis méconnaître, malgré la distance, le ton douloureux d'un homme épuisé. Sa plainte parle assez clair. En ce cas, mon enfant...

NÉOPTOLÈME : *Dis ce que tu veux dire.*

LE CHŒUR : *... prépare-toi à du nouveau. L'homme n'est pas loin de son gîte, il est en ces lieux mêmes.*

Il ne fait pas chanter une flûte de Pan, comme un berger aux champs. Trébuche-t-il brutalement ?

Il crie un appel au loin. Contemple-t-il ce mouillage inhospitalier, sans vaisseau ? Sa clameur a d'étranges accents.

(Entre Philoctète.)

PHILOCTÈTE : Oh ! étrangers, qui êtes-vous ? Comment, à la rame, êtes-vous venus toucher ici à une terre sans mouillage, sans habitants ? Quels sont donc le pays, la race dont je dois prononcer le nom, si je veux rencontrer juste ? Votre vêtement, au premier aspect, m'a bien l'air de celui qui m'est cher entre tous, celui de la Grèce. Mais c'est votre voix que je veux entendre. Ne vous laissez pas troubler par la crainte ; n'ayez pas peur d'un homme transformé en sauvage. Ayez pitié plutôt d'un malheureux, seul, abandonné, sans amis. Il s'adresse à vous : parlez-lui, si vous venez bien en amis. — Allons, répondez-moi. Il ne vous sied pas plus de me le refuser qu'à moi de le faire à vous.

NÉOPTOLÈME : Eh bien! sache-le tout d'abord, étranger : oui, nous sommes des Grecs, puisque c'est là ce que tu veux savoir.

PHILOCTÈTE : O parler chéri! Ah! rien que de s'entendre adresser la parole après si longtemps par un Grec!... Mais quel besoin, enfant, t'a fait toucher ici, t'a conduit sur ces bords? Quel désir te poursuit? Quel vent cher entre tous? Dis-moi tout, que je sache qui tu es.

NÉOPTOLÈME : Je suis né dans Scyros qu'enveloppent les flots et m'en reviens chez moi. On me nomme Néoptolème, fils d'Achille. Voilà, tu sais tout.

PHILOCTÈTE : O enfant d'un père entre tous chéri, enfant d'un pays chéri, rejeton du vieux Lycomède[1], quelle mission t'a conduit ici? d'où viens-tu?

NÉOPTOLÈME : C'est d'Ilion que j'arrive à l'instant.

PHILOCTÈTE : Que dis-tu? Tu n'étais pourtant pas de la flotte qui partit avec nous pour Troie au début?

NÉOPTOLÈME : Aurais-tu donc pris part, toi, à cette aventure?

PHILOCTÈTE : Oh! enfant, ignores-tu qui tu as devant les yeux?

NÉOPTOLÈME : Et comment connaîtrais-je qui je n'ai jamais vu?

PHILOCTÈTE : Ainsi donc, ni mon nom, ni le bruit des malheurs sous lesquels je succombais, rien de cela n'est venu jusqu'à toi?

NÉOPTOLÈME : Crois-moi, j'ignore tout de ce dont tu me parles.

PHILOCTÈTE : Ah! faut-il que je sois misérable et haï des dieux, si le bruit même de l'état où je suis n'est pas arrivé jusqu'à mon pays, ni nulle part ailleurs en Grèce, et si ceux qui m'ont rejeté de si criminelle façon

se rient en silence de moi, tandis que mon malheur ne
cesse de croître et de s'épanouir. O mon enfant, ô fils
sorti d'Achille, je suis celui-là même dont tu as peut-
être déjà entendu dire qu'il est le possesseur des armes
d'Héraclès : je suis le fils de Péas, ce Philoctète que les
deux chefs de notre armée, ainsi que le roi des
Céphaloniens [1], ont jeté ici ignominieusement, abandonné de tous, alors qu'il se mourait de ce mal féroce
qu'avait férocement imprimé dans sa chair une vipère
tueuse d'hommes. C'est en compagnie de ce mal, mon
fils, qu'ils m'ont, en partant, laissé là, à l'abandon.
J'avais touché ici au moment où ma nef revenait d'une
expédition à Chrysé-en-mer [2]. Ils furent trop heureux
alors de me voir, sortant d'une grosse mer, m'endormir
sur la rive à l'abri d'un rocher, et, sans me laisser rien
que de pauvres hardes et quelque nourriture, ils
partirent en m'abandonnant. Pour un malheureux,
c'était un piètre secours. Puissent-ils en avoir un jour
tout juste autant !... Te figures-tu mon réveil, enfant,
quand après leur départ je sortis du sommeil, mes
torrents de larmes, mes affreuses plaintes ? Je trouvais
les vaisseaux avec lesquels je naviguais partis, tous
partis ! Et pas un homme ici qui pût me secourir, qui
pût, quand je souffrais, prendre part à ma peine ! Je
regardais partout, et je ne voyais rien que matière à
souffrir, mais, pour cela, mon fils, matière en abondance. Et le temps passait, instant après instant, et il
me fallait songer seul à tout, sous cet humble toit. Pour
ma faim, cet arc me fournissait le nécessaire : il
frappait les ramiers en plein vol. Après quoi, vers le
gibier qu'avait atteint le trait jailli de la corde tendue,
je me traînais moi-même, misérable, en tirant ma
pauvre jambe, jusqu'à lui. Et s'il me fallait trouver de
quoi boire, ou encore, dans les jours d'hiver, quand
partout s'épand le givre, s'il me fallait casser un peu de
bois, je m'évertuais, malheureux, à me traîner pour en
chercher. Après quoi, le feu me manquant, j'avais à

frotter alors une pierre contre une pierre, pour en faire
à grand-peine jaillir la flamme cachée, qui demeure
ma sauvegarde. Dès que j'ai du feu, le gîte où je loge
m'assure le reste — moins la guérison ! Et maintenant,
mon fils, apprends quelle est cette île. Il n'est pas de
marin qui l'approche de son plein gré. Elle n'a pas de
bon mouillage. Elle n'offre aucun point où un étranger
qui aborde puisse trouver à commercer ni à être reçu
en hôte. Ce n'est pas là un but pour marin avisé. Tel
ou tel y peut toucher malgré lui — ce sont là des choses
fréquentes au long cours d'une vie humaine — mais
ceux qui y viennent ainsi, en parole, mon fils, me
plaignent, parfois même, par pitié, m'offrent un peu de
nourriture, quelque vêtement ; il est en revanche une
chose qu'aucun ne m'accorde, quand je leur en parle :
me ramener dans mon pays. Et je me meurs ainsi
depuis dix ans, malheureux, dans la faim, dans les
souffrances, à entretenir un mal dévorant. Voilà, voilà,
enfant, ce que m'ont fait les Atrides avec le puissant
Ulysse. Ah ! que les dieux de l'Olympe leur fassent
donc un jour endurer des tourments qui me vengent
des miens !

LE CORYPHÉE : Je crois bien qu'à mon tour j'ai la
même pitié pour toi, fils de Péas, que tous les étrangers
qui sont venus ici.

NÉOPTOLÈME : Et je témoigne à mon tour en faveur
de ton récit. Je le sais véridique, pour avoir moi-même
trouvé des méchants dans les Atrides et le puissant
Ulysse.

PHILOCTÈTE : Tu as donc aussi à te plaindre de ces
Atrides maudits ! Tu es en fureur de ce qu'ils t'ont
fait ?

NÉOPTOLÈME : Et cette fureur-là, puisse donc quelque jour mon bras la satisfaire ! Mycènes et Sparte[1]
apprendront de la sorte que Scyros, elle aussi, est mère
de vaillants.

PHILOCTÈTE : Bravo ! mon fils. Et quel est donc

l'objet de la grande colère que tu viens les accuser
d'avoir provoquée chez toi ?

NÉOPTOLÈME : O fils de Péas, je veux bien te dire —
et pourtant il m'en coûte — quels affronts ils m'ont
faits, quand je les ai rejoints. Lorsque le Parque eut
pris Achille pour la mort...

PHILOCTÈTE : Ah ! ne vas pas plus loin. Qu'avant
tout je sache cela : le fils de Pélée est mort ?

NÉOPTOLÈME : Il est mort, non sous le bras d'un
homme, mais sous celui d'un dieu. Une flèche lancée,
dit-on, par Apollon a triomphé de lui.

PHILOCTÈTE : Victime et meurtrier étaient de noble
sang. Mais je me sens gêné : dois-je, mon enfant,
t'interroger d'abord sur tes propres épreuves, ou
pleurer ce héros ?

NÉOPTOLÈME : Je pense, malheureux, que tes maux
te suffisent. Tu n'as pas à pleurer sur les douleurs
d'autrui.

PHILOCTÈTE : Tu dis vrai. Reprends donc ton histoire, celle de l'affront qu'ils t'ont fait subir.

NÉOPTOLÈME : Un jour, sur un vaisseau aux vives
couleurs, viennent me chercher à la fois le divin Ulysse
et le nourricier de mon père. Ils me déclarent —
vérités ? ou propos en l'air ? — que, mon père étant
mort, il n'est pas permis à autre que moi d'enlever la
place. Et moi, étranger, à peine les ai-je entendus que
je les empêche de me retenir un instant de plus ; je
m'embarque au plus vite, voulant avant tout satisfaire
à mon affection pour le mort — il fallait que je le visse
avant qu'il fût enseveli : jamais je ne l'avais vu encore !
— mais aussi pour le noble motif que ma venue devait
marquer la prise des remparts de Troie. Deux jours de
navigation suffirent pour qu'un bon vent menât mon
vaisseau à Sigée, ce Sigée qui devait m'être si amer[1] ;
et je n'avais pas plus tôt débarqué que l'armée entière
m'entourait, me faisait fête, tous jurant qu'en moi ils
revoyaient Achille encore vivant. Achille pourtant

n'était plus ; son cadavre était là, gisant. Je commen-
çai, malheureux, par le pleurer ; puis j'allai sans
retard, comme il était normal, trouver nos amis les
Atrides et leur demandai les armes de mon père, ainsi
que tout ce qui restait de lui. Ils me firent, ah !
vraiment, la plus cynique des réponses : « Tout ce qui
fut à ton père est à toi, fils d'Achille, prends-le ; mais,
pour ces armes-là, un autre en est le maître. Désormais
c'est le fils de Laërte. » J'éclate en pleurs ; brusquement, je me lève, empli d'une lourde colère, et, le cœur
ulcéré, je dis : « Eh quoi ! impudents ! Vous avez donc
osé faire don à un autre d'armes qui m'appartiennent,
sans en avoir reçu aucun avis de moi ? » Sur quoi
Ulysse de répondre, car il était tout près de moi :
« Mais oui, enfant, ils me les ont données, et à fort
juste titre : c'est moi qui étais là et qui les ai sauvées,
tout comme son corps. » Dépité, je l'accable aussitôt
de toutes les injures ; je ne ménage rien, à l'idée de me
voir dépouillé par cet homme d'armes qui sont à moi.
Sur quoi, poussé à bout, quoique peu irritable, piqué
pourtant de tout ce qu'il a dû entendre, il me réplique,
lui : « Tu n'étais pas où nous étions ; tu étais loin de là,
où il n'eût pas fallu ; et, puisque tu vas jusqu'à parler si
haut, jamais, je t'en réponds, tu ne retourneras à
Scyros avec elles ! » Voilà les mots qu'il m'a fallu
entendre, l'affront que j'ai subi et avec lequel je rentre
maintenant chez moi, dépouillé de mon héritage par ce
méchant, fils de méchants, Ulysse[1]. Et je le tiens
encore pour moins coupable que les hommes au
pouvoir. Tout un État est dans ses chefs, et toute une
armée de même. Les gens qui se conduisent mal
doivent aux leçons de leurs maîtres d'être devenus des
méchants. Je t'ai tout dit. Que quiconque a l'horreur
des Atrides soit aussi cher aux dieux qu'il me l'est, à
moi.

Animé.

LE CHŒUR : *Terre montueuse ! Terre nourricière, mère de Zeus même, toi qui comptes dans ton domaine le grand Pactole chargé d'or,*

c'est toi, auguste Mère[1]*, que j'invoquais déjà là-bas, quand la démesure des enfants d'Atrée se déchaînait toute contre ce héros,*

alors qu'en livrant au fils de Laërte les armes de son père, ô déesse qui chevauches les lions tueurs de taureaux, ils lui faisaient un honneur sans pareil.

PHILOCTÈTE : Ma foi ! vous débarquez sur nos bords, étrangers, porteurs d'un signe décisif : une rancœur dont je garde ma part ; et votre ton s'accorde assez au mien pour que je reconnaisse dans toute cette histoire la main des Atrides et d'Ulysse. Il n'est pas de mauvais dessein, je ne le sais que trop, il n'est pas de fourberie qu'Ulysse avec sa langue ne soit prêt à tenter et dont rien d'honnête doive jamais sortir. Mais ici ce n'est pas ce qui, pour moi, m'étonne ; c'est plutôt que le grand Ajax ait supporté un tel spectacle, s'il en a été le témoin.

NÉOPTOLÈME : Il n'était plus de ce monde, étranger. Je n'eusse jamais, lui vivant, été dépouillé de la sorte[2].

PHILOCTÈTE : Comment ? il aurait donc, lui aussi, disparu ?

NÉOPTOLÈME : Oui, sache qu'Ajax a quitté le jour.

PHILOCTÈTE : Ah ! l'infortuné !... Le fils de Tydée en revanche ou le fils de Sisyphe vendu à Laërte[3], ceux-là, aucun risque qu'ils meurent, alors que ce sont eux qui ne devraient plus vivre.

NÉOPTOLÈME : Aucun risque, sois-en sûr. Ils sont florissants au contraire entre tous les guerriers d'Argos.

PHILOCTÈTE : Et le vieux brave, mon ami Nestor de Pylos, vit-il encore ? Il cherchait toujours, lui, par de sages conseils, à arrêter le mal que faisaient les autres.

NÉOPTOLÈME : Il est en assez triste état : Antiloque est mort, le fils qu'il avait n'est plus [1].

PHILOCTÈTE : Hélas ! voilà bien les deux hommes que j'eusse le moins voulu savoir morts. Ah ! que doit-on penser, si de tels héros ont péri, tandis qu'Ulysse est là encore, à l'heure où, au lieu d'eux, c'est lui qui devrait être mort.

NÉOPTOLÈME : C'est un fin lutteur certes ; mais les plus fins esprits, Philoctète, crois-moi, s'empêtrent bien souvent aussi dans leurs finesses.

PHILOCTÈTE : Mais, par les dieux ! dis-moi : où était donc Patrocle, les amours de ton père ?

NÉOPTOLÈME : Il était mort aussi. Un mot te dira tout : la guerre ne détruit nul méchant de bon cœur — les meilleurs, en revanche, à tout coup.

PHILOCTÈTE : J'en puis témoigner comme toi ; et c'est bien justement pourquoi je veux te questionner sur un être infâme, mais à la langue habile et fine. Où est-il, celui-là ?

NÉOPTOLÈME : De qui veux-tu parler, si ce n'est pas d'Ulysse ?

PHILOCTÈTE : Non, ce n'est pas de lui ; mais il y avait un certain Thersite [2], qui ne se fût jamais contenté d'un mot bref, même là où personne n'eût accepté seulement qu'il parlât. Sais-tu s'il est toujours en vie ?

NÉOPTOLÈME : Je ne l'ai pas vu, mais j'ai entendu dire qu'il vivait encore.

PHILOCTÈTE : Naturellement : de la canaille rien qui ait péri encore. C'est à elle au contraire que les dieux réservent leurs soins. Tout ce qu'il y a de coquins, de roués, ils se plaisent à le faire remonter des enfers, tandis qu'ils y dépêchent tout ce qui est honnête et droit. Comment donc concevoir ces choses ? et comment y applaudir, si, quand je veux louer l'action divine, j'y trouve les dieux malfaisants ?

NÉOPTOLÈME : Pour ma part, noble fils du pays de

l'Œta [1], à l'avenir je serai sur mes gardes, et je ne veux plus regarder que de loin et Troie et les Atrides. Les gens chez qui le coquin l'emporte sur l'honnête homme, chez qui le mérite est en baisse, tandis que le lâche triomphe, ces gens-là, jamais je ne me fierai à eux. La rocheuse Scyros suffira désormais à me fournir le foyer qui m'agrée. L'heure est venue de regagner mon bord, et toi, fils de Péas, adieu! de tout cœur adieu! Et veuillent les dieux, comme tu le souhaites, te tirer enfin de ton mal! Partons, nous, pour être en mesure, dès que le dieu nous laissera mettre à la voile, de prendre la mer aussitôt.

PHILOCTÈTE : Quoi! vous embarquez déjà, mon enfant?

NÉOPTOLÈME : L'occasion nous invite à envisager le départ, non comme lointain, mais comme tout proche.

(Brusquement Philoctète tend vers lui des mains suppliantes et cherche à toucher son menton.)

PHILOCTÈTE : Au nom de ton père, de ta mère, enfant, de tout ce que tu comptes de plus aimé chez toi, je suis ton suppliant, et je te supplie de ne pas me laisser ainsi seul, sans secours, en proie à pareilles misères, lorsque tu les vois de tes yeux et lorsque tu les as ouïes de tes oreilles. Ah! songe aussi un peu à moi. La répugnance est grande, je le sais, que doit provoquer un tel chargement. Surmonte-la pourtant. Aux âmes généreuses l'infamie fait horreur, la vertu seule est leur gloire. Néglige-la ici : ce sera pour toi un opprobre affreux. Fais ce qu'elle exige, et l'honneur le plus précieux, ce sera pour toi, mon enfant, que je sois revenu vivant dans mon pays de l'Œta. Va, la corvée n'aura pas même la durée d'une journée pleine : accepte-la. Pourvu que tu m'emmènes, jette-moi donc où tu voudras, dans la sentine, à la proue, à la poupe, où je doive le moins gêner tes camarades... Fais-moi oui, par Zeus Suppliant; enfant, laisse-toi fléchir. Je tombe à tes genoux, tout impotent, hélas ! tout boiteux que je suis. Ne me laisse pas ici, seul, loin de tout pas humain, mène-moi chez toi ; ou encore au pays de Chalcodôn d'Eubée [1] : le trajet n'est pas long jusqu'à l'Œta, aux hauteurs de Trachis, ou bien aux eaux du Sperchios, et ainsi tu me remettras en face d'un père chéri, dont depuis si longtemps je crains qu'il n'ait disparu. J'ai bien souvent chargé des voyageurs de lui porter mes appels suppliants, afin qu'il vînt lui-même me chercher, me ramener chez nous. Mais ou il est mort, ou, comme souvent les intermédiaires, ils ont, je pense, très vraisemblablement considéré mon cas comme bien secondaire et pressé d'abord leur propre retour. Cette fois, en revanche, je m'en remets à toi de mon passage comme de mon message : toi du moins, sauve-moi, toi, prends pitié de moi. Vois comme, pour les hommes, tout n'est que périls, et comme ils courent autant de risques dans le bonheur que dans le malheur. Il leur faut, hors des peines, envisager le pire, et s'ils ont la fortune, plus que jamais veiller qu'elle ne tourne en ruine, sans même qu'ils s'en aperçoivent.

Animé.

LE CHŒUR : *Aie pitié, seigneur. Il nous révèle assez de pénibles épreuves qu'il a dû traverser. Qu'aucun des miens jamais n'en rencontre autant !*

A ta place, seigneur, si tu as horreur des cruels Atrides, je porterais, moi, le mal qu'ils lui ont fait au crédit de cet homme,

et l'emmènerais au plus tôt, sur un fin navire, où il brûle d'aller, chez lui, dans sa maison, pour échapper ainsi moi-même à la vengeance des dieux.

NÉOPTOLÈME : Prends garde ! tu n'es que complaisance à l'heure qu'il est ; mais, à peine auras-tu ton compte du voisinage de son mal, que tu cesseras d'être l'homme des propos que tu me tiens là.

LE CORYPHÉE : Non, ce reproche-là, jamais, je t'en réponds, tu n'auras le droit de me l'adresser.

NÉOPTOLÈME : J'aurais honte malgré tout de me montrer moins disposé que toi à faire quelque chose pour cet étranger, quand l'occasion s'en offre. Allons ! vous le voulez, mettez donc à la voile, et qu'il vienne au plus vite : on ne verra pas mon vaisseau se refuser à l'emmener. Veuillent seulement les dieux nous permettre de revenir sains et saufs de cette terre et nous mener aux bords où nous voulons aller !

PHILOCTÈTE : Ah ! le plus beau des jours ! le plus délicieux des hommes ! Ah ! marins chéris, que je voudrais vous montrer par des actes quel ami vous vous êtes acquis ! Partons, mon fils, mais pas avant d'avoir tous deux salué la demeure — si l'on peut parler de demeure — que je me suis faite céans. Tu sauras ainsi de quoi j'ai vécu, quelle constance j'ai montrée. Je ne crois pas qu'un autre, à voir seulement ce spectacle, eût supporté telle existence. Mais j'ai appris, moi, de bonne heure, à me résigner à mes maux.

LE CORYPHÉE : Arrêtez, écoutons d'abord. Deux hommes approchent. L'un est un marin de ton bord, l'autre un étranger. Entendez-les avant qu'ils n'entrent.

(Le Marchand apparaît, guidé par un marin.)

LE MARCHAND : O fils d'Achille, tu vois ce camarade. Avec deux autres il gardait ton vaisseau, et c'est moi qui l'ai invité à me dire où tu étais. Je suis tombé sur lui sans y songer ; le seul hasard m'a fait mouiller au même point. J'étais en mer, à titre de patron et sans grand chargement, puisque je revenais d'Ilion chez moi, à Péparéthos, pays du raisin [1], lorsque j'ai su que c'était avec toi que tous ces marins naviguaient. J'ai cru bon alors, au lieu de me taire, de ne suivre ma route qu'après t'avoir parlé — à charge de revanche !

Tu ne sais rien, je pense, de ce qui te concerne, des mesures nouvelles que les Argiens ont prises à ton égard, et qui ne sont pas de simples mesures, mais des actes, qui s'exécutent et qu'on ne laisse plus traîner.

NÉOPTOLÈME : Certes le service que je dois à ta prévoyance me restera cher, étranger, si je ne suis pas un méchant. Mais explique mieux ce que tu m'as dit, que j'apprenne ce qu'est la mesure nouvelle que tu sais avoir été prise par les Argiens à mon endroit.

LE MARCHAND : A ta poursuite est parti un vaisseau avec le vieux Phénix et les fils de Thésée[1].

NÉOPTOLÈME : Pour me convaincre de rentrer ? ou pour me ramener de force ?

LE MARCHAND : Je l'ignore ; je ne suis là que pour te rapporter un bruit.

NÉOPTOLÈME : Et ce rôle, Phénix et ses camarades s'en chargent ainsi avec entrain, pour faire plaisir aux Atrides ?

LE MARCHAND : La chose s'exécute, sois-en bien certain, et on n'en est plus à tergiverser.

NÉOPTOLÈME : Mais comment se fait-il qu'Ulysse ne se soit pas chargé du message en personne et n'ait pas été tout prêt à partir ? Une crainte le retenait-elle ?

LE MARCHAND : C'est qu'il partait, lui, avec le fils de Tydée, à la recherche d'un autre, au moment même où je prenais la mer.

NÉOPTOLÈME : Et quel est donc cet autre encore pour qui s'embarquait Ulysse en personne ?

LE MARCHAND : C'était, prétendait-on... Mais d'abord dis-moi toi-même quel est celui qui est là — et ne clame pas trop haut ta réponse.

NÉOPTOLÈME : C'est l'illustre Philoctète, étranger, qui est devant toi.

LE MARCHAND : Ne m'en demande alors pas davantage, et pars au plus vite d'ici, sans ramasser d'autres que toi.

PHILOCTÈTE : Que dit-il donc, mon fils ? et pourquoi

ce marin, avec tous ses discours, trafique-t-il ainsi de
moi dans l'ombre ?

NÉOPTOLÈME : Je ne sais pas très bien encore ce qu'il
veut dire. S'il doit parler, qu'il parle ouvertement,
devant moi, devant toi, devant tous ceux-ci.

LE MARCHAND : Ah ! fils d'Achille, ne me brouille
pas avec toute l'armée grecque, en me faisant dire ce
qu'il ne faut pas. D'elle à moi, c'est un échange de
multiples petits services, tels qu'un pauvre homme en
peut rendre.

NÉOPTOLÈME : Moi, je hais les Atrides, et l'homme
qui est là est mon plus grand ami, parce qu'il a les
Atrides en horreur. Il te faut donc, si tu viens en ami,
ne nous cacher quoi que ce soit de ce que tu as pu
entendre.

LE MARCHAND : Réfléchis bien, mon fils, à ce que tu
veux faire.

NÉOPTOLÈME : Depuis longtemps j'y pense.

LE MARCHAND : Je t'en tiendrai pour responsable.

NÉOPTOLÈME : Si tu veux, mais parle.

LE MARCHAND : Je parle donc. C'est pour rejoindre
celui même qui est ici que les deux rois que je te dis, le
fils de Tydée [1] et le puissant Ulysse, sont à cette heure
en mer. Ils ont fait serment de le ramener, soit en usant
de persuasion, soit en s'emparant de lui par la force. Et
cela, tous les Grecs ont entendu Ulysse l'assurer
nettement ; car c'est lui, plus que l'autre, qui se faisait
fort de mener l'entreprise à bout.

NÉOPTOLÈME : Et pourquoi les Atrides ont-ils si
longtemps attendu pour s'occuper de cette histoire,
quand ils avaient rejeté l'homme depuis tant d'années
déjà ? Quelle envie leur est brusquement venue ? Ou
bien est-ce là contrainte divine, colère des dieux qui
vengent le crime ?

LE MARCHAND : Je vais tout te dire, puisque sans
doute tu l'ignores. Il était un devin de noble race, un
fils de Priam, du nom d'Hélénos. Au cours d'une sortie

qu'il fît seul dans la nuit, l'homme dont le renom n'est que de honte et d'infamie, le perfide Ulysse, s'empare de lui et l'amène prisonnier en pleine assemblée des Grecs, comme une magnifique prise. Or, c'est Hélénos qui, parmi d'autres prophéties, déclare alors que, pour les murailles de Troie, jamais les Grecs ne les renverseront, avant d'avoir convaincu Philoctète et avant de l'avoir ramené de l'île où il est encore. A peine le fils de Laërte a-t-il entendu le devin qu'il s'engage sur l'heure à l'amener lui-même, à le produire aux yeux de tous les Grecs. Il pensait avant tout l'avoir de bon gré ; mais, si l'autre s'y refusait, aussi bien malgré lui ; et il en offrait sa tête à couper à qui le voudrait, s'il n'y réussissait pas. Je t'ai tout dit, mon fils, et je t'engage à faire diligence, pour toi et pour tous ceux à qui tu t'intéresses.

PHILOCTÈTE : Ah! malheur! Ainsi ce serait cet homme, le mal incarné, qui aurait fait serment de me convaincre et de me ramener parmi les Achéens. Je me laisserais convaincre aussi aisément de remonter des enfers au soleil, une fois que je serai mort, comme fit son père[1].

LE MARCHAND : Je ne sais rien de cette affaire et m'en retourne à mon bateau. Veuille le Ciel vous aider à la régler pour le mieux !

(Il sort.)

PHILOCTÈTE : O mon fils, n'est-ce pas effroyable ? Penser que le fils de Laërte ose espérer à force de mots doucereux me débarquer un jour de son vaisseau et me produire aux yeux de tous les Grecs ! Non, non, j'écouterais plutôt la vipère entre toute exécrée qui de moi a fait un infirme. Mais celui-là, il peut tout dire, tout oser ! C'est pourquoi, j'en suis sûr, il va être là, à l'instant. Ah! partons, mon fils, de façon à mettre une vaste mer entre nous et la nef d'Ulysse. Allons!

Chacun sait qu'une hâte opportune nous procure
seule, la peine passée, sommeil et repos.

NÉOPTOLÈME : Eh bien ! dès que le vent qui souffle à
notre proue aura un peu molli, nous nous mettrons en
route. A cette heure il nous vient frapper en pleine
face.

PHILOCTÈTE : Pour naviguer le temps est toujours
bon, quand on fuit devant le malheur.

NÉOPTOLÈME : Mais non, le vent leur est contraire, à
eux tout comme à nous.

PHILOCTÈTE : Le vent n'est jamais contraire aux
pirates, lorsqu'il y a pour eux à voler ou piller.

NÉOPTOLÈME : Tu le veux ? partons donc, sitôt que
là-dedans tu auras enlevé ce dont tu as le plus de
besoin ou d'envie.

PHILOCTÈTE : Oui, sans avoir beaucoup, j'ai là le
nécessaire.

NÉOPTOLÈME : Mais quoi, que tu ne puisses trouver
aussi à bord ?

PHILOCTÈTE : J'ai ici une plante qui, mieux que tout,
toujours endort si bien ma blessure qu'elle l'apaise
entièrement.

NÉOPTOLÈME : Emporte-la donc. Que veux-tu prendre encore ?

PHILOCTÈTE : Si quelque flèche à mon insu avait
glissé sur le sol, je n'entends pas laisser personne s'en
saisir.

NÉOPTOLÈME : C'est donc là l'arc illustre qui est tien
maintenant ?

PHILOCTÈTE : C'est lui, c'est l'arc même que je tiens
dans ma main.

NÉOPTOLÈME : M'est-il permis de le contempler de
près, de le soulever et de l'adorer comme un dieu ?

PHILOCTÈTE : A toi, oui certes, enfant, et la réponse
vaut pour tout objet à moi que tu voudras.

NÉOPTOLÈME : C'est mon envie, sans doute, mais
sous cette réserve : si c'est envie permise, j'aimerais à

la contenter; si elle ne l'est pas, n'en tiens aucun compte.

PHILOCTÈTE : Ton langage est pieux, mon fils, et ton envie permise. Toi seul m'auras donné de contempler le jour, de revoir le pays de l'Œta, mon vieux père et mes proches. Tu m'as relevé de terre, tu m'as mis au-dessus de mes ennemis. Sois donc tranquille : cet arc, tu pourras le toucher, le rendre à qui te le prêta et te vanter ensuite d'avoir été le seul mortel à qui sa vertu aura mérité d'y porter la main. C'est pour un service rendu que j'en suis moi-même devenu le maître un jour.

NÉOPTOLÈME : Je n'ai vraiment pas à me plaindre de t'avoir rencontré et gagné pour ami. L'homme qui sait rendre bienfait pour bienfait est un genre d'ami qui vaut tous les trésors. Veux-tu entrer?

PHILOCTÈTE : Oui, et je te ferai même entrer avec moi : mon infirmité réclame ton appui.

(Ils pénètrent tous deux dans la grotte.)

Soutenu.

LE CHŒUR : *On m'a conté l'histoire — je n'en fus pas témoin — de celui qui osa naguère attenter au lit de Zeus et que le fils tout-puissant de Cronos saisit et attacha à une roue toujours en mouvement* [1].

Mais, à part lui, je ne sais nul mortel que j'ai vu de mes yeux ou dont j'ai ouïe dire qu'il ait jamais trouvé un sort aussi contraire que l'homme qui est là. Il n'a fait aucun mal, il n'a lésé personne, il a été avec les autres ce qu'eux-mêmes étaient avec lui. Et néanmoins il se mourait de la plus indigne des morts.

Et voici encore qui m'étonne : comment, quand dans sa solitude il n'entendait de tous côtés que le fracas des brisants, comment a-t-il pu conserver pareille vie, toute de larmes?

Il n'avait de voisin que lui-même, puisqu'il ne pouvait se mouvoir. Nul indigène n'approchait sa misère, près de qui il pût trouver un écho, alors qu'il poussait en pleurant la plainte sanglante qui le dévorait.

Nul qui pût, quand un sang brûlant venait à suinter de ses plaies sur son pied grouillant de vermine, nul qui pût, au moyen de plantes apaisantes, calmer ses crises, lorsqu'elles survenaient, en arrachant des simples à la terre féconde. Et c'était lui seul aussi qui devait, tantôt ici, tantôt là,

se traîner, comme un enfant abandonné de sa nourrice, jusqu'aux lieux où il aurait des ressources à sa portée, sitôt que s'était relâché le mal qui mordait son cœur.

Il ne récoltait pour sa nourriture ni le grain qui nous vient de la terre sacrée, ni aucun de ces autres fruits que nous cultivons, nous, les mortels mangeurs de pain.

Seul, son arc aux flèches rapides lui fournissait parfois grâce à ses traits ailés, de quoi satisfaire sa faim. Ah! la pitoyable existence

que celle d'un homme qui, depuis dix ans, n'a pas eu la joie de se voir verser de vin et qui, tout au contraire, dès qu'il apercevait par chance une eau stagnante[1], ne manquait pas d'aller à elle.

Mais il a aujourd'hui rencontré sur sa route le descendant d'une race de braves, qui, au sortir de ses misères, doit le faire heureux et grand,

et, sur sa nef marine, le ramener enfin, après tant de longs mois, au pays de ses pères, séjour des nymphes maliaques,

et aux rives du Sperchios, où le guerrier au bouclier de bronze[2] monte vers tous les dieux, dans la clarté du feu céleste, par-dessus les pics de l'Œta.

> *(Philoctète sort de la grotte soutenu par Néoptolème. Il marche avec peine et soudain s'arrête, comme saisi d'une douleur aiguë.)*

NÉOPTOLÈME : Avance, s'il te plaît. Pourquoi te tais-tu ainsi sans raison et restes-tu là saisi de stupeur?

PHILOCTÈTE : Oh! Oh!

NÉOPTOLÈME : Qu'as-tu?

PHILOCTÈTE : Rien de grave. Va, marche, mon enfant.

NÉOPTOLÈME : Serait-ce un accès du mal qui te tient ?

PHILOCTÈTE : Non, non. Déjà il se calme, je crois — Ah ! dieux !

NÉOPTOLÈME : Pourquoi invoques-tu ainsi les dieux en gémissant ?

PHILOCTÈTE : Pour qu'ils viennent à nous, secourables et cléments ! — Aïe ! aïe !

NÉOPTOLÈME : Que ressens-tu donc ? Vas-tu pas le dire, au lieu de demeurer muet comme tu fais ? On voit bien que tu es la proie de quelque mal.

PHILOCTÈTE : Je suis mort, mon enfant. Non, je ne pourrai pas dissimuler mon mal au milieu de vous. Oh ! oh ! il me transperce, il me transperce... Ah ! malheureux, pitié pour moi ! Je suis mort, mon enfant. Je suis dévoré, mon enfant. Aïe ! aïe ! Oh, oh, oh ! Au nom des dieux, mon fils, si tu as une épée à ta portée, frappe, coupe-moi le pied au plus vite. N'épargne pas ma vie. Va, mon fils !

NÉOPTOLÈME : Que t'arrive-t-il donc brusquement de si terrible que tu pousses sur toi-même de tels cris, de tels sanglots ?

PHILOCTÈTE : Tu sais, mon enfant...

NÉOPTOLÈME : Quoi donc ?

PHILOCTÈTE : Tu sais bien, mon fils...

NÉOPTOLÈME : Mais quoi ? je t'en prie. Vraiment je ne sais pas.

PHILOCTÈTE : Est-il possible que tu ne saches pas ? — Oh ! aïe ! aïe !

NÉOPTOLÈME : La pression du mal croît de façon effrayante.

PHILOCTÈTE : Effrayante, indicible. Aie pitié de moi !

NÉOPTOLÈME : Que dois-je donc faire ?

PHILOCTÈTE : Ne prends pas peur, ne m'abandonne

pas. Le mal ne revient qu'après de longs jours, quand il est las sans doute d'avoir couru ailleurs.

NÉOPTOLÈME : Ah! pauvre malheureux! pauvre malheureux, tu connais toute la gamme des douleurs. Veux-tu que je te prenne et que je te tienne?

PHILOCTÈTE : Non, non, pas cela! non, mais prends cet arc, comme tout à l'heure tu le demandais, et, tant que l'affreux mal qui me tient à cette heure ne se sera pas relâché, garde-le bien, veille sur lui. Le sommeil s'empare de moi, sitôt que le mal est passé : le mal ne peut cesser avant. Mais il faut alors me laisser dormir en paix. Si ceux que tu sais [1] arrivent à ce moment-là, au nom des dieux, à aucun prix, je te l'enjoins, ni de plein gré, ni malgré toi, ne leur cède cet arc! Ce serait tuer ensemble et toi et ton suppliant.

NÉOPTOLÈME : S'il n'est que d'être prudent, ne crains rien. Il ne sera remis qu'à toi ou à moi. Donne-le-moi, et qu'il me porte chance!

PHILOCTÈTE : Le voilà, prends-le, mon fils, et rends hommage aux dieux jaloux, afin que pour toi ils n'en fassent pas une source de malheurs comme il l'a été pour moi et pour celui qui l'a eu avant moi.

NÉOPTOLÈME : O Ciel, que le souhait vaille pour nous deux! et qu'une traversée heureuse et facile nous mène où il plaira aux dieux et où notre but est fixé.

Agité.

PHILOCTÈTE : O mon fils, j'ai grand-peur que ton vœu ne soit vain.

Voici de nouveau le sang, dont le suintement me tue, qui sourd du fond de ma plaie. Je m'attends à quelque chose d'effroyable. Oh! oh! oh! las! hélas! ô mon pied, quel mal me vas-tu faire? Il vient, il approche, il est là tout près... Ah! pitié pour moi! Vous savez ce que c'est maintenant, ne me fuyez pas, je vous en supplie. Oh! oh! oh! — Ah! l'homme de

Céphalonie [1], que n'est-ce ta poitrine à toi que transperce pareille douleur! Ah! hélas! hélas! encore! Et
vous autres, les deux chefs, Agamemnon, Ménélas,
que je voudrais donc vous voir nourrir pareil mal à ma
place, et aussi longtemps que moi. Ah! ah! ah! Mort,
Mort, que j'appelle sans cesse ainsi jour après jour, tu
ne peux donc pas te montrer enfin! O enfant, noble
cœur, va, prends-moi, brûle-moi dans ce feu de
Lemnos [2] que tu évoqueras pour cela, noble enfant.
C'est ce que j'ai cru devoir faire moi-même pour le fils
de Zeus autrefois, en échange de l'arme dont tu as la
garde aujourd'hui. Que dis-tu, mon fils? que dis-tu?
Pourquoi te tais-tu?... Mais où es-tu donc, mon
enfant?

NÉOPTOLÈME : Je souffre depuis longtemps d'avoir à
gémir sur tes maux.

PHILOCTÈTE : Va, mon enfant, garde confiance. Ce
mal vient brusquement et s'en va très vite. Mais, je
t'en supplie, ne me laisse pas seul.

NÉOPTOLÈME : N'aie crainte, nous resterons.

PHILOCTÈTE : Vraiment, tu resteras?

NÉOPTOLÈME : Tiens la chose pour sûre.

PHILOCTÈTE : Je ne veux pas, mon fils, te lier par
serment.

NÉOPTOLÈME : Aussi bien n'ai-je pas le droit de m'en
aller d'ici sans toi.

PHILOCTÈTE : Donne-moi donc ta main et ta foi tout
ensemble.

NÉOPTOLÈME : Voici ma main, je resterai.

PHILOCTÈTE : Ah! là-bas, là-bas, maintenant...

NÉOPTOLÈME : Que veux-tu dire?

PHILOCTÈTE : Là-haut

NÉOPTOLÈME : Quel nouveau délire te prend? Pourquoi tourner les yeux vers le soleil, là-haut?

PHILOCTÈTE : Lâche-moi, lâche-moi.

NÉOPTOLÈME : Où iras-tu, si je te lâche?

PHILOCTÈTE : Lâche-moi donc enfin.

NÉOPTOLÈME : Non, je ne te laisserai pas faire.

PHILOCTÈTE : Tu me tues, si tu me retiens.

NÉOPTOLÈME : Eh bien soit ! je te lâche : es-tu plus raisonnable ?

PHILOCTÈTE : O Terre, accueille-moi mourant, tel que je suis là. Le mal qui m'accable ne me permet plus de me redresser.

(Il s'écroule à terre.)

NÉOPTOLÈME : On dirait que le sommeil ne va pas tarder à le prendre. Sa tête tombe en arrière. La sueur inonde son corps, et, sur le bout de son pied, voici qu'une veine noire éclate en un flot de sang. Laissons-le tranquille, amis, afin qu'il tombe en sommeil.

Lent et sourdement agité.

LE CHŒUR : *Toi qui ignores la souffrance, toi qui ignores les chagrins, Sommeil, viens à ma prière répandre ici ta douce haleine, porteur de paix, de paix, seigneur ! Maintiens devant ses yeux cette lueur sereine qui vient de s'étendre sur eux. Viens, je t'en prie, viens, Guérisseur.*

Et toi, vois, mon enfant, ce que tu as à faire — rester ou partir ? — et ce que tu augures de ce qui s'ensuivra. Mais tu le vois déjà. Pourquoi tardons-nous à agir ?

L'occasion, qui décide de tout, obtient en un instant pleine, pleine victoire.

Mélodrame.

NÉOPTOLÈME : Il n'entend rien, soit ! mais ce que je vois, moi, c'est que nous aurons conquis cet arc pour rien, si nous partons sans l'homme. C'est à l'homme qu'appartient la couronne, c'est l'homme que le dieu a dit de ramener. Se vanter d'un échec, qui s'est accompagné en outre de mensonges, ne mérite qu'opprobre et honte.

Même mouvement.

LE CHŒUR : *A cela, mon fils, le Ciel pourvoira. Mais si tu as à me répondre encore, dis-moi tout bas, tout bas, enfant, les mots que tu voudras porter à mes oreilles. Le sommeil d'un malade n'est pas un vrai sommeil : il perçoit tout sans peine.*

Du mieux que tu pourras, ce que tu entends faire, je t'en prie, je t'en prie, veille donc à le faire, sans qu'il s'en aperçoive, sans qu'il s'en aperçoive. Tu sais de qui je parle.

Si ton dessein à son égard demeure celui que tu dis, ce ne sont plus que des maux sans issue que doivent prévoir les gens avisés.

Plus calme.

Le vent est pour nous, mon enfant, pour nous. L'homme est là sans regard, sans défense,

étendu dans sa nuit : dormir au soleil est si bon ! Il ne commande plus à ses bras, à ses jambes, à aucun de ses membres. Il semble une victime vouée au dieu des morts.

Prends garde, et vois si ton propos répond à ce que l'heure exige. La seule chose, enfant, que ma raison saisisse, c'est que le meilleur des partis, c'est celui qui n'offre rien à redouter.

(*Philoctète se réveille et se soulève peu à peu.*)

NÉOPTOLÈME : Je te prie de te taire, au lieu de divaguer. Il remue les yeux, il relève la tête.

PHILOCTÈTE : Ah ! cette lumière au sortir du sommeil ! Et cette garde inespérée, incroyable, montée autour de moi par ces étrangers !... Jamais je n'eusse osé espérer, mon enfant, que tu aurais le cœur d'accepter mes misères si charitablement, en demeurant à mes côtés et en me prêtant ton secours. Les Atrides n'ont pas eu le cœur de les supporter aussi aisément, eux, les preux capitaines ! Toi, au contraire, mon enfant, toi, noble cœur issu de noble race, tu as sans peine pris ton parti d'être infesté de cris et de mauvaise odeur. Mais, puisque maintenant mon mal paraît vouloir me laisser un moment d'oubli et de trêve, soulève-moi, toi seul, mon enfant. Oui, mets-moi debout, mon enfant pour que, quand la fatigue m'aura enfin quitté, nous gagnions notre vaisseau et ne tardions pas à prendre la mer.

NÉOPTOLÈME : J'ai plaisir à te voir contre toute attente délivré de tes souffrances, vivant et respirant encore, alors que tu semblais mort, à en juger aux signes que tu manifestais dans cette occurrence. Lève-toi maintenant. Ou bien, si tu préfères, ces gens te porteront. Il n'y a plus lieu de plaindre sa peine, du moment que la décision a bien été prise en ce sens, de mon côté comme du tien.

PHILOCTÈTE : Merci, mon fils. Soulève-moi donc, comme tu y penses ; mais ces gens-là, va, laisse-les tranquilles. Il ne faut pas qu'ils souffrent de la mauvaise odeur, avant que ce soit nécessaire. L'ennui pour eux sera bien assez grand d'être avec moi sur le bateau.

NÉOPTOLÈME : C'est entendu. Mets-toi donc debout et affermis-toi bien, tout seul, sur tes pieds.

PHILOCTÈTE : N'aie pas peur : une longue accoutumance saura me maintenir debout.

> *(Ils font quelques pas. Mais Néoptolème brusquement s'arrête.)*

NÉOPTOLÈME : Hélas ! et maintenant que dois-je faire, moi ?

PHILOCTÈTE : Qu'y a-t-il mon enfant ? Où s'égarent tes discours ?

NÉOPTOLÈME : Je ne sais en quel sens tourner un propos qui m'embarrasse.

PHILOCTÈTE : Quelque chose t'embarrasse ? Ah ! ne dis pas cela mon fils.

NÉOPTOLÈME : C'est cependant l'état d'esprit dans lequel je suis à cette heure.

PHILOCTÈTE : J'espère bien que ce n'est pas la

répugnance que t'inspire mon mal qui te dissuade brusquement de me conduire à ton bord.

NÉOPTOLÈME : Tout est objet de répugnance à qui, oubliant sa propre nature, adopte une conduite qui ne lui convient pas.

PHILOCTÈTE : Tu ne fais ni ne dis rien qui soit indigne de ton père en prêtant ton aide à un brave.

NÉOPTOLÈME : Je vais me révéler infâme, et l'idée m'en tourmente depuis assez longtemps déjà.

PHILOCTÈTE : Dans ta conduite ? certes non. Dans tes paroles ? j'en ai peur.

NÉOPTOLÈME : O Zeus, que dois-je faire ? Dois-je être pris en faute une seconde fois, en sachant ce qu'il ne faut pas et en tenant un langage d'infâme ?

PHILOCTÈTE : L'homme qui est là — si je ne suis pas un simple d'esprit — m'a l'air tout prêt à reprendre la mer après m'avoir trahi et abandonné.

NÉOPTOLÈME : T'abandonner ? non ; mais bien plutôt te faire faire un voyage qui t'affligera — et c'est bien ce qui me tourmente depuis assez longtemps déjà.

PHILOCTÈTE : Que dis-tu, mon fils ? Je ne comprends pas.

NÉOPTOLÈME : Je ne te cacherai rien. Il faut que tu partes pour Troie et rejoignes les Achéens et la flotte des Atrides.

PHILOCTÈTE : Ah ! que dis-tu là ?

NÉOPTOLÈME : Ne te lamente pas avant de savoir.

PHILOCTÈTE : Savoir ! savoir quoi ? Qu'entends-tu donc faire de moi ?

NÉOPTOLÈME : J'entends te délivrer de ton mal d'abord, et avec toi ensuite aller ravager les plaines de Troie.

PHILOCTÈTE : Vraiment ? c'est là ce que tu entends faire ?

NÉOPTOLÈME : Une nécessité absolue le veut. Ne te fâche pas, si je te le dis.

PHILOCTÈTE : Je suis mort, malheureux ! me voilà

trahi ! Qu'as-tu fait de moi, étranger ? Rends-moi mon arc bien vite.

NÉOPTOLÈME : Impossible. Il me faut obéir aux pouvoirs établis. Justice et intérêt ensemble le demandent.

PHILOCTÈTE : Ah ! fléau pire que le feu, toi qui as tout d'un monstre ! exécrable modèle d'horrible perfidie ! quel mal tu m'as donc fait ! comme tu m'as joué ! Et tu n'as pas de honte à regarder en face celui qui recourut à toi, ton suppliant ! Ah ! misérable, tu m'as ôté la vie en m'enlevant mon arc. Rends-le-moi, je t'en conjure ; va, rends-le-moi enfant, je t'en supplie. Par les dieux de tes pères, ne me prends pas la vie... Ah ! misère ! il n'ouvre plus la bouche ; mais il ne rendra rien : ses regards qui me fuient me le disent assez. O rades, ô promontoires, ô bêtes des montagnes, ma seule compagnie, ô falaises à pic, c'est vers vous — à quel autre pourrais-je m'adresser ? — c'est vers vous, mes témoins de toute heure, que j'élève ma plainte sur le mal que m'a fait le fils sorti d'Achille. Après m'avoir juré de m'emmener chez moi, le voilà qui m'emporte à Troie ! Il m'avait donné sa droite, et le voilà qui retient dans ses mains l'arc sacré d'Héraclès, le propre fils de Zeus, dont il s'est emparé et qu'il entend produire devant les Argiens ! Et moi-même, il m'enlève, tout comme s'il avait triomphé par la force d'un homme vigoureux, et sans se rendre compte qu'il tue un cadavre, l'ombre d'une fumée, un fantôme vain ! Jamais, si j'eusse été valide, jamais il ne m'eût pris, puisque, même en l'état où je suis il n'y serait pas arrivé, s'il n'avait employé la ruse. Mais j'ai été joué, malheureux. Las ! que faire ?... Va, rends-le-moi. Maintenant du moins redeviens toi-même... Réponds. Tu te tais ? Malheur ! c'en est fait de moi. O forme horrible de cette double porte ouverte dans le roc, je reviens donc vers toi, désarmé, affamé, je reviens dépérir tout seul dans ce gîte. Mon arc n'abattra plus ni oiseau ailé ni fauve des montagnes, et c'est moi, malheureux, qui irai en mourant fournir une pâture au gibier qui me nourrissait. Les bêtes que je chassais me chasseront à leur tour. Je paierai de mon sang le prix de leur sang, misérable que je suis! Et cela, du fait d'un enfant qui semble ignorer tout du mal. Va, puisses-tu périr!... Mais, non, non, pas encore, pas avant que je sache si tu ne prendras pas d'autres sentiments. Sinon, va, péris misérablement.

LE CORYPHÉE, *à Néoptolème* : Que devons-nous faire? C'est de toi, seigneur, qu'il dépend maintenant ou bien que nous partions ou bien que nous cédions aux prières de l'homme.

NÉOPTOLÈME : Une étrange pitié à son égard m'a pris, non pas à l'instant même, mais depuis bien longtemps.

PHILOCTÈTE : Sois pitoyable, enfant, au nom des dieux. Ne laisse pas les gens t'infliger la honte de te désigner comme mon voleur.

NÉOPTOLÈME : Las! que faire? Ah! que j'eusse voulu n'avoir jamais quitté Scyros, tant j'ai de peine de tout ce qui se passe.

PHILOCTÈTE : Tu n'es pas un méchant, toi; mais des méchants sans doute t'auront enseigné l'infamie. Passe cette infamie à d'autres, à ceux à qui elle revient, et pars en me laissant mes armes.

NÉOPTOLÈME : Que faire?... Dites-le-moi, vous autres.

> *(Ulysse apparaît soudain. Deux marins le sui-*
> *vent.)*

ULYSSE, *à Néoptolème* : O le dernier des misérables, que fais-tu? Laisse-moi cet arc, et va-t'en.

PHILOCTÈTE : Oh! oh! quel est cet homme? Est-ce Ulysse que j'entends?

ULYSSE : Ulysse en personne. C'est moi que tu as devant toi.

PHILOCTÈTE : Oh! je suis vendu, perdu. Voilà donc mon ravisseur, voilà le voleur de mes armes!

ULYSSE : Oui, c'est moi, et pas un autre, sois-en sûr; je le reconnais.

PHILOCTÈTE : Ah! rends-moi cet arc; passe-le-moi, enfant.

ULYSSE : C'est ce qu'il ne fera pas, même s'il en a envie. Il faut que tu partes avec l'arc, ou ces gens te feront partir de force¹.

PHILOCTÈTE : Quoi! méchant entre les méchants, cynique entre les cyniques, ces gens m'enlèveraient de force?

ULYSSE : Si tu ne veux pas venir de bon gré.

PHILOCTÈTE : O terre de Lemnos, ô puissante lueur, œuvre d'Héphæstos, jugez-vous tolérable que cet homme m'arrache à vous de force?

ULYSSE : C'est Zeus, il faut que tu le saches, c'est Zeus, maître de ce sol, c'est Zeus qui en a décidé ainsi. Je ne suis que son serviteur.

PHILOCTÈTE : Ah! être abominable, que ne sais-tu pas inventer? En te couvrant des dieux, tu fais d'eux des menteurs.

ULYSSE : Non, des prophètes véridiques. Voilà ta route, il faut la suivre.

PHILOCTÈTE : Non.

ULYSSE : Si! tu dois obéir.

PHILOCTÈTE : Ah! misère! Notre père alors nous aurait engendrés pour être des esclaves et non des hommes libres?

ULYSSE : Dis mieux : pour être les égaux des plus vaillants guerriers, avec qui il te faut conquérir et ravager Troie.

PHILOCTÈTE : Jamais! dussé-je en souffrir tout ce qu'on voudra, jamais, tant que mes pieds fouleront le sol profond de ce pays.

ULYSSE : Alors que comptes-tu faire?

PHILOCTÈTE : Ensanglanter mon front à l'instant

même en me précipitant du haut de ce roc sur le roc en
bas.

ULYSSE, *à ses marins :* Saisissez-vous de lui, qu'il n'en
puisse rien faire.

PHILOCTÈTE : O mes mains [1], comme on vous traite !
Vous voilà privées de votre arc aimé, vous voilà le
gibier de cet homme ! Ton cœur ne sent donc rien ni de
sain ni de libre, que tu m'aies de la sorte joué une fois
de plus et pris dans tes rets, en te dissimulant derrière
cet enfant, qui m'était inconnu, qui me ressemble tant
et si peu à toi, qui ne savait rien, lui, que suivre sa
consigne, et qui, encore à cette heure, montre assez
qu'il s'afflige et des fautes qu'il a commises et des torts
qu'il m'a causés ? Mais ta pensée méchante, toujours à
l'affût dans les coins pleins d'ombre, bien qu'il fût peu
fait pour le mal et y répugnât, lui a vite fait faire son
apprentissage. Et aujourd'hui, misérable, après
m'avoir chargé de liens, tu prétends m'éloigner de ce
promontoire, où tu m'as jeté jadis, sans amis, sans
patrie, dans la solitude — un mort chez les vivants !
Ah !

Puisses-tu périr ! C'est un vœu que j'ai fait plus
d'une fois déjà ; mais, comme les dieux ne m'accordent
jamais de joie, c'est toi qui jouis aujourd'hui du plaisir
de vivre, alors que moi, je me désole à l'idée justement
de vivre, de vivre, hélas ! au milieu d'innombrables
maux, objet de risée pour toi et pour les deux chefs fils
d'Atrée, dont tu suis ici les ordres. Et pourtant il avait
fallu contrainte et ruse à la fois pour te mettre sous le
harnais, pour te faire prendre la mer avec eux [2]. Tandis
que moi, l'infortuné, moi qui étais parti de mon plein
gré, à la tête de sept vaisseaux, je me suis vu rejeter
ignominieusement par eux — à ce que tu prétends du
moins, car ils disent, eux, que c'est par toi. Dès lors
pourquoi m'emmener, pourquoi m'entraîner avec
vous ? Quelles sont vos raisons ? Je ne suis plus rien. Je
suis mort depuis longtemps pour vous. Comment se

fait-il donc, être abhorré des dieux, que je ne sois plus
pour toi aujourd'hui un infirme qui sent mauvais ?
Comment, du jour où je m'embarque, est-il encore
possible que l'on fasse flamber des offrandes aux dieux,
qu'on leur offre des libations ? N'était-ce pas là le motif
qu'on avait jadis pour me rejeter ?... Oui, puissiez-vous
périr ! Et vous périrez pour le mal que vous m'avez
fait, si les dieux ont vraiment souci de la justice. Or, ce
souci, je sais fort bien qu'ils l'ont ; sans quoi, vous
n'eussiez jamais entrepris cette traversée pour le
malheureux que je suis : il a bien fallu l'aiguillon d'un
dieu pour vous mener à moi. Eh bien donc ! terre de
mes pères, dieux à l'œil vigilant, frappez-les, frappez-
les enfin, tous d'un même coup, si vous avez pitié de
moi. Mon existence est certes pitoyable ; mais que je
les voie morts, et je m'estimerai délivré de mon mal.

LE CORYPHÉE : L'homme est rude, Ulysse, et il parle
un rude langage, inflexible au milieu de la pire
souffrance.

ULYSSE : J'aurais beaucoup de choses à répondre à
cet homme, si l'heure s'y prêtait. Mais, pour l'instant,
je n'ai qu'un mot à dire. Chaque fois que l'on a besoin
de telle ou telle espèce d'hommes, je suis de l'espèce
qu'il faut ; et si l'on a quelque jour à choisir parmi des
justes et des probes, tu ne découvriras personne de
plus scrupuleux que moi. Néanmoins je suis ainsi fait
que j'entends l'emporter toujours. Pas sur toi cependant ; à toi aujourd'hui je veux céder la place volontairement. Lâchez-le, ne le retenez plus ; laissez-le
demeurer ici. Nous n'avons plus besoin de toi, puisque
nous avons tes armes. Nous disposons parmi nous de
Teucros, qui est expert dans le métier [1] ; pour ne pas
parler de moi-même, qui te vaux bien, je crois, pour
manier cette arme en maître et pour la diriger de ma
main vers son but [2]. Quel besoin ai-je donc de toi ?
Adieu, foule à loisir la terre de Lemnos. Nous autres,
nous partons, et il se pourrait bien que l'arme dont tu

fus si fier me valût, à moi, la gloire qui aurait dû te revenir.

PHILOCTÈTE : Ah ! malheureux, que faire ? *(A Ulysse.)* Ainsi tu paraîtrais paré de mes armes devant les Argiens ?

ULYSSE : Ne me réplique rien. Je suis déjà en route.

PHILOCTÈTE : Et de toi, fils d'Achille, de toi non plus je n'aurais pas un mot ? tu partirais ainsi ?

ULYSSE, *à Néoptolème* : Viens donc, ne le regarde pas. Prends garde : ne va pas, par générosité, ruiner maintenant notre chance.

PHILOCTÈTE, *au Chœur* : Quoi ? vous me laisseriez ainsi, seul, tout de suite, étrangers [1] ? Vous n'auriez pas pitié de moi ?

LE CORYPHÉE : C'est cet enfant qui est notre seul chef à bord. Ce qu'il te dira, nous te le disons.

NÉOPTOLÈME, *au Chœur* : On va me faire entendre de ce côté-ci *(montrant Ulysse)* que j'ai trop de pitié. Demeurez toutefois, demeurez tout le temps qu'il faudra à nos marins pour préparer notre départ, à nous-mêmes pour prier les dieux. Il se peut que cependant l'homme conçoive à notre égard quelques meilleurs sentiments. Pour nous deux, nous partons ; et, quand nous vous appellerons, partez vous-mêmes au plus tôt.

(Néoptolème s'éloigne derrière Ulysse.)

Modéré.

PHILOCTÈTE : *Creuse retraite au cœur du roc, brûlante et glacée tour à tour, je devais, je le vois, ne jamais te quitter, malheureux que je suis, et tu seras, seule, témoin de ma mort.*

Hélas ! hélas, sur moi ! O pauvre gîte tout rempli du chagrin que j'y exhale, que sera pour moi désormais l'existence de chaque jour ? De qui et d'où tirerai-je,

misérable que je suis, quelque espoir de me nourrir ? Allez

*là-haut dans l'éther, ramiers fendant l'air strident ; je n'ai plus
la force de vous prendre.*

LE CHŒUR : *C'est toi, c'est toi, infortuné, qui l'as voulu.
Ce sort ne te vient pas d'un autre, d'une puissance supérieure.
Tu pouvais être raisonnable ; mais tu as toi-même, au lieu du
meilleur parti, préféré adopter le pire.*

PHILOCTÈTE : *Ah ! malheureux, malheureux, déjà brisé par
la misère, je vais périr encore, je le vois, et sur l'heure, si plus
jamais à l'avenir, misérable fixé ici, je n'y dois voir nul être
humain.*

— *Hélas ! hélas !* — *puisque je ne pourrai m'offrir de
nourriture pas même avec les traits ailés que maniaient mes
mains vigoureuses* [1]. *Le langage inouï,*

*le langage ténébreux, d'un perfide m'a sournoisement séduit.
Ah ! que je voudrais donc le voir, celui qui a machiné cette
intrigue, trouver à son tour, et pour aussi longtemps, la douleur
qui fut la mienne.*

LE CHŒUR : *Ce sort-là, ce sort-là, ce sont les dieux qui te
l'ont fait, ce n'est pas une fourberie dont j'aurais été
l'instrument. Ton affreuse, ta sinistre imprécation, dirige-la
donc vers d'autres. Pour moi, j'ai à cœur de ne pas te voir
repousser mon amitié.*

PHILOCTÈTE : *Hélas ! hélas ! assis sur quelque dune au
bord du flot blanchissant, il se rit de moi ; il brandit dans sa
main ce qui était ma vie* [2], *à moi malheureux, l'arme que nul
autre n'a jamais portée. O mon arc, toi qu'on a arraché à ma
main,*

*si tu sens quelque chose, n'as-tu pas pitié à penser que le
pauvre héritier d'Héraclès ne pourra plus dans la suite user de
toi, qu'un autre te maniera, un fourbe aux mille tours,*

*et que, témoin de ses ruses traîtresses, tu devras voir l'ennemi
que j'exècre faire naître de ses infamies plus de maux que jamais
personne n'en a machiné contre moi ?*

LE CHŒUR : *Chacun doit défendre son droit pour le mieux,
mais aussi s'abstenir, quand il l'a défendu, de pousser la pointe
blessante que comporte un haineux langage. L'homme dont tu
parles a été choisi entre beaucoup d'autres, dont il n'a fait que*

suivre l'ordre, pour seconder une cause qui est celle de tous les nôtres.

PHILOCTÈTE : *O rapaces ailés, fauves à l'œil ardent maîtres de ces montagnes, vous n'approcherez plus désormais de mon antre, pour le fuir, effarouchés, aussitôt. Mes mains n'ont plus comme avant des traits qui puissent le défendre. Ah! quel malheur est donc le mien!*

La garde de ces lieux s'est beaucoup relâchée. Ils n'ont plus rien qui vous doive effrayer. Accourez! l'heure est venue des représailles. Allez! tout à loisir, satisfaites vos becs de mes chairs décomposées. Dans un moment j'aurai quitté la vie.

Comment trouverais-je maintenant à vivre? Qui peut se nourrir des souffles de l'air, quand il n'a plus la jouissance d'aucun des fruits que fait croître la terre?

LE CHŒUR : *Par les dieux, je t'en prie, si tu gardes quelque respect de l'étranger, va à lui, lorsqu'il vient à toi avec un cœur qui n'a que bon vouloir. Mais comprends, comprends bien qu'il n'appartient qu'à toi de fuir cette misère. C'est pitié que d'avoir à l'entretenir : elle n'a pas été instruite à porter l'immense souffrance qui se trouve liée à elle.*

PHILOCTÈTE : *Te voilà encore, à réveiller mon vieux chagrin, ô le meilleur de ceux qui jamais ont touché ces bords. Quelle mort tu m'infliges! Oh! quel mal tu me fais!...*

LE CHŒUR : *Quoi! que veux-tu dire?*

PHILOCTÈTE : *lorsque tu comptes me conduire vers ce sol troyen que j'abhorre.*

LE CHŒUR : *Oui, parce qu'à mes yeux c'est là le bon parti.*

PHILOCTÈTE : *Alors laissez-moi tout de suite.*

LE CHŒUR : *L'ordre me va, me va fort bien. Je suis prêt à le suivre. Allons, allons chacun vers son poste à bord.*

PHILOCTÈTE : *Non, au nom de Zeus, de Zeus garant de mes imprécations, non, ne t'en va pas : je suis ton suppliant.*

LE CHŒUR : *Calme-toi.*

PHILOCTÈTE : *Au nom des dieux, étrangers, demeurez.*

LE CHŒUR : *Que clames-tu là?*

PHILOCTÈTE : *Las! hélas! quel sort, quel sort est le mien! je suis mort, misérable! O mon pied, mon pied, que faudra-t-il*

que je fasse de toi dans les jours qui me restent à vivre ? Revenez,
étrangers, vers moi[1].

LE CHŒUR : *Pourquoi ? Pour un dessein qui cette fois*
diffère de ceux que tu publiais tout à l'heure ?

PHILOCTÈTE : *On ne peut en vouloir à celui qui, égaré par*
un orage de douleur, en vient à parler contre sa raison.

Plus large.

LE CHŒUR : *Pars donc, malheureux, comme je t'y invite.*

PHILOCTÈTE : *Non jamais, jamais je ne changerai. Non,*
quand le grand Zeus Tonnant qui porte la flamme viendrait me
consumer aux éclats de sa foudre ! Périssent et Ilion et tous ceux
qui l'assiègent et tous ceux qui ont eu le cœur de me rejeter pour
un pied malade. Accordez-moi en revanche, étrangers, la seule
chose que je vous demande.

LE CHŒUR : *Que veux-tu dire ?*

PHILOCTÈTE : *Tendez-moi, si vous en avez, une épée, une*
hache, une arme quelconque.

LE CHŒUR : *Afin que tu te livres à quelle violence ?*

PHILOCTÈTE : *Afin que ma main d'un seul coup me tranche*
et tête et vertèbres. Mon cœur veut la mort, la mort tout de suite.

LE CHŒUR : *Et pourquoi ?*

PHILOCTÈTE : *Pour retrouver mon père.*

LE CHŒUR : *En quels lieux ?*

PHILOCTÈTE : *Aux enfers : il ne voit plus le jour.*

O ma ville, ville de mes pères, que ne puis-je te contempler,
malheureux, moi qui ai quitté ton fleuve sacré pour aller au
secours de ces Grecs abhorrés ! Et me voilà mort désormais.

(Il rentre dans sa grotte.)

LE CORYPHÉE : Depuis longtemps déjà je serais parti
et presque arrivé à mon bord, si je ne voyais là tout
près Ulysse et le fils d'Achille qui viennent ici vers
nous.

(Ulysse et Néoptolème reviennent se querellant.)

ULYSSE : Me diras-tu pourquoi tu as fait demi-tour
et où tu vas si vite à pareille allure ?

NÉOPTOLÈME : Je m'en vais réparer la faute que j'ai faite.

ULYSSE : Oh! l'étrange propos. Et quelle est cette faute?

NÉOPTOLÈME : De t'avoir obéi, à toi et à l'armée.

ULYSSE : Et qu'as-tu donc fait là que tu ne dusses faire?

NÉOPTOLÈME : J'ai triomphé par ruse et fourberie infâmes.

ULYSSE : De qui?... Oh! voudrais-tu devenir un rebelle?

NÉOPTOLÈME : Un rebelle? non pas. Mais au fils de Péas...

ULYSSE : Que comptes-tu faire? La crainte me prend.

NÉOPTOLÈME : ... de qui je tiens cet arc, eh bien! à mon tour...

ULYSSE : O Zeus, que veux-tu dire? Songes-tu à le rendre?

NÉOPTOLÈME : Oui, car je l'ai sans droit, grâce à une infamie.

ULYSSE : Par les dieux, railles-tu en me parlant ainsi?

NÉOPTOLÈME : Si, pour toi, c'est railler que proclamer le vrai.

ULYSSE : Que dis-tu, fils d'Achille? quels mots emploies-tu là?

NÉOPTOLÈME : Dois-je les ressasser jusqu'à deux ou trois fois?

ULYSSE : J'eusse voulu ne pas les entendre une seule.

NÉOPTOLÈME : Sache maintenant que je t'ai tout dit.

ULYSSE : Il est, il est quelqu'un qui t'en empêchera.

NÉOPTOLÈME : Quoi? qui serait capable de m'en empêcher?

ULYSSE : Toute l'armée des Grecs, et moi tout le premier.

NÉOPTOLÈME : Pour un esprit adroit, tes mots manquent d'adresse.

ULYSSE : Tu n'as d'adresse, toi, ni en mots ni en actes.

NÉOPTOLÈME : L'honnêteté ici vaut bien mieux que l'adresse.

ULYSSE : Est-il honnête de céder ce que tu dois à mes conseils ?

NÉOPTOLÈME : J'ai commis une faute infâme : j'essaierai de la réparer.

ULYSSE : Et tu n'as pas peur, en faisant ainsi, de l'armée des Grecs ?

NÉOPTOLÈME : Avec le droit pour moi, je n'ai pas peur de ton armée.

ULYSSE : La crainte [1] . . . .

NÉOPTOLÈME : Emploie même la force, j'entends ne pas y obéir.

ULYSSE : Ce n'est plus avec les Troyens, c'est avec toi qu'alors nous nous battrons.

NÉOPTOLÈME : Advienne donc ce qui doit advenir !

ULYSSE : Tu vois ma main : elle se porte à la garde de mon épée.

NÉOPTOLÈME : Tu vas me voir agir de même, et sans délai.

ULYSSE : Eh bien ! non ; malgré tout, je préfère te laisser là. C'est à l'armée entière que j'irai faire mon rapport, et c'est elle qui te châtiera.

NÉOPTOLÈME : Te voilà raisonnable. Reste dans ces sentiments, tu t'épargneras sans doute des larmes. *(Se tournant vers la falaise.)* O fils de Péas, Philoctète, sors, franchis ce seuil de roc.

(Philoctète reparaît à l'entrée de sa grotte.)

PHILOCTÈTE : Quel cri d'appel s'élève donc encore près de mon antre ? Pourquoi me réclamez-vous ? Que désirez-vous, étrangers ? *(Il aperçoit Néoptolème).* Oh ! oh ! mauvaise affaire !... M'apportez-vous donc quelque affreux malheur, après tous les malheurs que j'ai subis déjà?

NÉOPTOLÈME : Ne crains rien, et écoute ce que je vais te dire.

PHILOCTÈTE : Eh! si je crains. Je me suis mal trouvé, moi, de tes beaux discours : je m'y suis laissé prendre.

NÉOPTOLÈME : Est-il donc impossible que l'on change d'idée?

PHILOCTÈTE : Les propos étaient tout pareils lorsque tu me volais mon arc : c'étaient ceux d'un ami — d'un ami qui voulait ma perte!

NÉOPTOLÈME : Ce n'est pas le cas cette fois, crois-moi. Je veux que tu me dises lequel tu as pris de ces deux partis : rester et endurer ton sort? ou bien aller avec nous?

PHILOCTÈTE : Assez, n'en dis pas plus : tout ce que tu dirais ne servirait à rien.

NÉOPTOLÈME : Ton parti est donc pris?

PHILOCTÈTE : Plus fermement encore que je ne puis le dire.

NÉOPTOLÈME : J'aurais préféré te voir convaincu par mes raisons. Mais, si mon propos n'est pas opportun, je l'arrête là.

PHILOCTÈTE : Tout ce que tu dirais serait dit pour rien. Comment trouverais-tu en moi un cœur complaisant pour toi, alors que par ta fourbe tu m'as ôté la vie et que tu viens ensuite me faire la leçon, toi, le fils odieux du plus noble des pères? Tous, puissiez-vous périr, les Atrides d'abord, puis le fils de Laërte, et toi-même enfin!

NÉOPTOLÈME : Cesse donc de maudire, et reçois cet arc de ma main.

PHILOCTÈTE : Que dis-tu? Une fois encore se joue-t-on de moi?

NÉOPTOLÈME : Non, j'en jure par Zeus Suprême, et par sa majesté sainte.

PHILOCTÈTE : Ah ! mots délicieux, s'ils sont véridiques !

NÉOPTOLÈME : L'acte vient qui le montrera. Étends le bras et prends possession de tes armes.

(Ulysse reparaît soudain.)

ULYSSE : Et moi, je m'y oppose, les dieux m'en sont témoins, au nom des fils d'Atrée et de toute l'armée.

PHILOCTÈTE : Enfant, quelle est cette voix ? Est-ce Ulysse que j'entends ?

ULYSSE : Sois-en sûr. Et tu as en lui sous tes yeux celui qui va, de force, t'emmener aux champs troyens, que le fils d'Achille le permette ou non.

PHILOCTÈTE : Pas impunément en tout cas, si ce trait part vers son but.

NÉOPTOLÈME : Ah ! non, par tous les dieux, ne lâche pas ce trait.

PHILOCTÈTE : Lâche-moi le bras, toi, par les dieux, cher enfant.

NÉOPTOLÈME : Non, je ne te lâcherai pas.

PHILOCTÈTE : C'est mon adversaire et mon ennemi. Ne m'empêche pas de l'abattre sous mes flèches.

NÉOPTOLÈME : Le coup serait sans gloire pour toi comme pour moi.

PHILOCTÈTE : Eh bien ! du moins sache ceci, c'est que les chefs de cette armée, hérauts mensongers des Grecs, s'ils sont hardis en paroles, ne sont que des lâches au combat.

(Ulysse s'éloigne sans répondre.)

NÉOPTOLÈME : Soit ! mais tu as ton arc en main, et tu n'as plus désormais de raison pour m'en vouloir ou te plaindre de moi.

PHILOCTÈTE : J'en conviens, enfant, tu nous as prouvé le sang dont tu sors. Ton père, à toi, n'est pas Sisyphe[1], c'est Achille, celui qui chez les vivants eut la plus noble des gloires, tout comme il l'a maintenant chez les morts.

NÉOPTOLÈME : J'aime à t'entendre louer mon père en même temps que moi. Écoute néanmoins ce que j'attends de toi. Tout homme est bien forcé de supporter le sort que lui font les dieux. Mais, quand ses maux lui viennent de lui-même, s'il s'y complaît, comme tu fais, il est bien naturel qu'on n'ait à son égard ni indulgence ni pitié. Tu t'effarouches, tu n'admets pas de conseiller, et, si, par amitié, tel te fait la leçon, tu le prends en haine, tu vois en lui un adversaire, un ennemi. Je parlerai pourtant, et j'en prends à témoin Zeus, garant des serments. Apprends ceci et inscris-le bien au fond de ton cœur. Le mal dont tu souffres t'est venu des dieux, pour avoir approché le gardien de Chrysé, le serpent qui, dans l'ombre, veille à demeure sur son pourpris sans toit [1] ; et sache que jamais, aussi longtemps que ce même soleil se lèvera ici et se couchera là [2], jamais ce mal cruel n'aura de fin pour toi, tant que tu n'auras pas, cela de ton plein gré, abordé aux champs troyens et rencontré chez nous les fils d'Asclépios [3], qui t'en soulageront, pour qu'à la fin, avec cet arc et avec moi, tu enlèves la place. — Et comment sais-je, moi, qu'il en est bien ainsi ? Je vais te le dire. Aux Troyens nous avons fait un prisonnier, Hélénos, parfait devin, qui nous déclare nettement que tel doit être l'avenir ; et il ajoute que c'est cet été même que Troie sera fatalement conquise. Il en offre sa tête en gage, au cas où il aurait menti. Tu sais tout maintenant, cède donc de bon cœur. N'est-ce pas là un bien sans prix que d'être reconnu le plus vaillant des Grecs, et, après avoir passé par des mains qui te guériront, de conquérir, en prenant cette Troie source de tant de larmes, la plus haute de toutes les gloires ?

PHILOCTÈTE : Ah ! odieuse existence, pourquoi me retiens-tu vivant sur cette terre, au lieu de me laisser descendre aux enfers ? Las ! que puis-je faire ? Comment me refuser à en croire cet homme, alors qu'il me donne un conseil d'ami? Et, d'autre part, puis-je céder? Comment pourrais-je, malheureux, paraître ensuite à la lumière, si je me suis conduit ainsi? A qui m'adresserai-je alors? Comment, ô mes yeux, vous qui avez vu ce que j'ai subi, pourrez-vous donc supporter ce spectacle: Philoctète aux côtés des Atrides, de ceux qui firent sa perte, aux côtés du fils exécré de Laërte? Ce n'est pas le chagrin du passé qui me mord le cœur, mais c'est d'imaginer ce que je crois devoir souffrir par eux encore? Quand la pensée a une fois donné le jour à quelque crime, de tout ce qui s'ensuit elle fait d'autres crimes. Et dans ton cas, justement, c'est là aussi ce qui m'étonne: tu ne devrais pas toi-même aller à Troie, et tu devrais m'en écarter aussi, puisqu'il s'agit d'hommes qui t'ont fait injure, qui t'ont volé les honneurs paternels. Et te voilà prêt au contraire à partir te battre pour eux, te voilà qui veux m'y forcer de même. Eh bien! non, mon enfant. Tiens plutôt ta parole: emmène-moi chez moi, puis demeure à Scyros, et laisse donc ces misérables périr misérablement. Ainsi tu obtiendras double reconnaissance, de moi et de mon père, et tu n'auras pas l'air, en aidant les méchants, d'être de leur espèce.

NÉOPTOLÈME: Ton langage est très raisonnable. Je voudrais, malgré tout, te voir assez de confiance dans les dieux et dans ma parole pour suivre l'ami que tu as en moi et t'éloigner de ces bords avec lui.

PHILOCTÈTE: Pour rejoindre les champs troyens et l'abominable Atride, avec ce malheureux pied?

NÉOPTOLÈME: Dis plutôt: pour rejoindre ceux qui peuvent, seuls, mettre fin aux douleurs de ce pied gangrené et te délivrer de ton mal.

PHILOCTÈTE: Ah! quel étrange avis tu me donnes donc là!

NÉOPTOLÈME: C'est, me semble-t-il, le plus profitable pour toi et pour moi.

PHILOCTÈTE : Et tu ne rougis pas de parler de la sorte à la face des dieux ?

NÉOPTOLÈME : Pourquoi donc rougirais-je de chercher un profit ?

PHILOCTÈTE : Profit pour les Atrides ou bien pour moi ? dis-le.

NÉOPTOLÈME : Pour toi, me semble-t-il. Je suis ton ami, je parle comme tel.

PHILOCTÈTE : « Ami » ! lorsque tu entends me livrer à mes ennemis !

NÉOPTOLÈME : Mon cher, apprends de tes malheurs à ne pas trop faire le fier.

PHILOCTÈTE : Tu vas, je te devine, faire ma perte avec ces mots.

NÉOPTOLÈME : Non, certes, je t'assure, tu ne les comprends pas.

PHILOCTÈTE : Je ne sais pas que ce sont les Atrides qui un beau jour m'ont rejeté ?

NÉOPTOLÈME : Et si ceux qui t'ont rejeté te sauvaient la vie cette fois ?

PHILOCTÈTE : A la condition que jamais je ne consente à revoir Troie.

NÉOPTOLÈME : Que puis-je faire ? Si toutes mes raisons ne peuvent te convaincre, le plus simple est pour moi de renoncer à t'en donner, pour toi de vivre comme tu vis déjà, sans songer à la guérison.

PHILOCTÈTE : Oui, laisse-moi souffrir ce que je dois souffrir, et pense à la parole que tu m'as donnée, en touchant ma main, de me ramener chez moi. Cela, fais-le, mon enfant, sans tarder, et ne me parle plus de Troie. J'ai assez pleuré et gémi.

NÉOPTOLÈME : Tu le veux, partons.

PHILOCTÈTE : Ah ! la noble parole !

NÉOPTOLÈME : Affermis ton pas.

PHILOCTÈTE : Certes, autant que je puis.

NÉOPTOLÈME : Comment vais-je échapper aux reproches des Grecs ?

PHILOCTÈTE : Ne t'en inquiète pas.

NÉOPTOLÈME : Et s'ils ravagent mon pays ?

PHILOCTÈTE : Je serai là, moi...

NÉOPTOLÈME : Et que feras-tu pour m'aider ?

PHILOCTÈTE : ... avec les flèches d'Héraclès...

NÉOPTOLÈME : Que veux-tu dire ?

PHILOCTÈTE : ... pour les empêcher d'approcher.

NÉOPTOLÈME : Salue donc cette terre, et viens.

(Héraclès apparaît soudain au-dessus de la falaise.)

Mélodrame.

HÉRACLÈS[1] : Pas encore, pas avant d'avoir, ô fils de Péas, écouté ce que j'ai à te faire savoir. Dis-toi que tes oreilles entendent la voix d'Héraclès et que tes yeux le contemplent lui-même. C'est pour toi que je suis là et que, quittant le céleste séjour, je viens te révéler les desseins de Zeus, en même temps que t'arrêter sur la route que tu veux prendre. Prête l'oreille à mes avis.

Parlé.

Et tout d'abord je te rappelle mon destin, et par quelles peines j'ai péniblement passé tour à tour, avant de conquérir cette gloire immortelle que tu peux contempler. Eh bien ! toi aussi, sache-le, c'est un sort pareil qui t'attend. Au sortir de ces peines, tu vas te faire une vie glorieuse. Pars donc avec cet homme pour la cité troyenne. Tu y verras cesser ton horrible mal ; puis, porté par ta valeur au premier rang de l'armée, tu feras tomber sous mes flèches Pâris, l'auteur de vos maux ; tu prendras Troie, et la part du butin qu'alors tu obtiendras pour prix de ta vaillance entre tous nos guerriers, tu l'enverras dans ton palais à ton père Péas, sur le plateau de l'Œta, ton pays. Pour celle, en revanche, que tu recevras de l'armée en mémoire de

mes flèches, porte-la à ma tombe. — Et à toi aussi fils
d'Achille, j'adresse les mêmes conseils. Tu ne peux
sans lui conquérir la plaine troyenne, et il ne le peut,
lui, sans toi. Comme deux lions marchant de conserve,
veillez donc tous deux, lui sur toi, toi sur lui. — Pour
moi, j'enverrai Asclépios à Troie, afin qu'il guérisse
ton mal. Il faut que mon arc une fois de plus triomphe
de Troie [1]. Mais n'oubliez pas, quand vous en ferez la
conquête, d'observer la piété due aux dieux. Pour Zeus
Père, tout passe après cela. La gloire d'un mortel pieux
ne disparaît pas avec lui ; pas plus chez les morts que
chez les vivants, jamais elle ne s'éteint.

Mélodrame.

PHILOCTÈTE : O toi qui nous apportes des
accents si doux, toi qui nous apparais après un si long
temps, va, je ne serai pas rebelle à ta voix.

NÉOPTOLÈME : Et c'est aussi l'avis où je me range.

HÉRACLÈS : Ne tardez donc pas à passer aux actes.
L'instant et le vent vous sont favorables et vous les
avez en poupe.

(Il disparaît.)

PHILOCTÈTE : Allons ! qu'à l'heure où je m'en
éloigne je salue du moins cette terre. Adieu, demeure
qui m'as gardé si longtemps ; et vous, Nymphes des
prés humides ; et toi, mâle fracas du flot ; et toi,
promontoire où mon front, même au fond de cet antre,
a été trempé bien des fois par les coups de vent du
midi, où bien des fois aussi le mont d'Hermès [2] m'a
renvoyé l'écho de mes sanglots dans la tempête du
malheur. Voici l'heure de vous quitter, fontaine et eau
d'Apollon lycien, de vous quitter tout de suite —
jamais je n'eusse été pourtant jusqu'à le croire ! Adieu,
sol de Lemnos qu'enveloppent les flots, fais qu'une
heureuse traversée me porte sans encombre où me
mènent ensemble et la Grande Parque et le conseil de

mes amis et Celui devant qui tout ploie, qui a décidé souverainement [1].

LE CORYPHÉE : Partons donc tous ensemble. Pas avant toutefois d'avoir prié les Nymphes de la mer de venir assurer notre retour

Œdipe à Colone

PERSONNAGES

ŒDIPE, *fils de Laïos et de Jocaste, ancien roi de Thèbes*

THÉSÉE, *fils d'Égée, roi d'Athènes.*

ANTIGONE, *fille d'Œdipe et de Jocaste.*

CRÉON, *frère de Jocaste, futur roi de Thèbes.*

UN ÉTRANGER.

POLYNICE, *fils d'Œdipe et de Jocaste.*

CHŒUR DE VIEILLARDS ATTIQUES.

UN MESSAGER.

ISMÈNE, *sœur d'Antigone.*

A l'orée d'un petit bois devant lequel passe un chemin. Par ce chemin arrive Œdipe, aveugle, que guide Antigone. A quelque distance on voit la statue de l'éponyme du lieu, le héros Colone.

ŒDIPE : Fille du vieil aveugle, Antigone, où sommes-nous ici ? De quel peuple est-ce le pays ? Qui accordera aujourd'hui à Œdipe le vagabond quelque misérable aumône ? Je demande peu, j'obtiens moins encore — et cependant assez pour moi : mes épreuves et les longs jours que j'ai vécus m'apprennent à ne pas être exigeant ; ma fierté fait le reste. Allons ! ma fille, si tu vois un endroit où je puisse m'asseoir, soit en terre profane, soit dans l'enclos d'un dieu, arrête-moi et installe-moi là. Nous nous informerons ensuite de l'endroit où nous nous trouvons. Nous sommes là pour consulter, étrangers, les indigènes et pour faire ce qu'ils nous diront.

ANTIGONE : Mon pauvre père, Œdipe, j'aperçois des remparts autour d'une acropole ; mais ils sont encore, si j'en crois mes yeux, à bonne distance. Ici, nous nous trouvons dans un lieu consacré. On ne peut s'y tromper : il abonde en lauriers, en oliviers, en vignes, et, sous ce feuillage, un monde ailé de rossignols fait entendre un concert de chants. Repose-toi ici sur cette pierre fruste. Tu as fait une étape longue pour un vieillard.

ŒDIPE : Fais-moi donc asseoir là, puis veille sur l'aveugle.

ANTIGONE : Je le fais depuis trop longtemps pour avoir à l'apprendre encore.

ŒDIPE : Et maintenant peux-tu me dire le nom de l'endroit où nous sommes ?

ANTIGONE : Je sais au moins le nom d'Athènes, si j'ignore celui de l'endroit.

ŒDIPE : C'est bien là ce qu'en effet nous disaient tous les passants.

ANTIGONE : Faut-il que j'aille maintenant m'enquérir du nom de l'endroit ?

ŒDIPE : Sans doute, mon enfant, si toutefois le site est habitable.

ANTIGONE : Il est même habité. Je n'ai pas à bouger : voici tout près un homme.

ŒDIPE : Est-il déjà en route, se dirigeant vers nous ?

(A pas rapides s'approche un Coloniate.)

ANTIGONE : Bien mieux, il est là. Dis-lui ce que tu crois à propos de lui dire : le voilà devant toi.

ŒDIPE : Cette fille, étranger, voit pour moi et pour elle à la fois. Puisque je l'entends dire par quelle heureuse chance tu viens ici nous éclairer sur ce dont nous sommes ignorants...

L'ÉTRANGER : Avant d'en demander plus, commence par quitter ce siège. L'endroit est interdit à tout pas humain.

ŒDIPE : Quel est-il donc ? et à quel dieu ses rites le rattachent-ils ?

L'ÉTRANGER : Nul n'y peut mettre un pied ni s'y fixer. Il appartient aux déesses d'effroi, aux filles du Sol et de l'Ombre [1].

ŒDIPE : Et sous quel auguste nom les invoquerai-je ? dis-moi.

L'ÉTRANGER : Celui des Euménides qui voient tout,

te diront les gens du pays. Mais les noms varient suivant les régions.

ŒDIPE, *vivement* : Eh bien donc! qu'elles accueillent avec ferveur leur suppliant! Je ne bougerai plus de ce coin de terre où je suis assis.

L'ÉTRANGER : Que dis-tu là?

ŒDIPE : Le mot de mon destin.

L'ÉTRANGER : Je n'ai pas, moi non plus, la prétention, crois-le, de t'expulser d'ici sans l'aveu de la ville. Je lui exposerai les faits et lui dirai : « Que dois-je faire? »

ŒDIPE : Au nom des dieux, alors, cher étranger, ne te refuse pas à dire au pauvre errant ce qu'il te supplie de lui dire.

L'ÉTRANGER : Explique-toi, et ce n'est certes pas de moi que tu essuieras un refus.

ŒDIPE : Eh bien! quel est le lieu où nous avons pris pied?

L'ÉTRANGER : Écoute-moi donc, et tu sauras tout aussi bien que moi. Ce lieu tout entier est sacré. Le maître en est l'auguste Poseidôn. Mais le dieu qui y demeure, c'est le dieu porte-torche, le Titan Prométhée. La terre que tu foules est ce que l'on appelle le « seuil d'airain » de ce pays, le « boulevard d'Athènes ». Les champs voisins se flattent d'avoir pour créateur le cavalier que tu vois là, Colone, et tous ici portent ensemble le nom qu'ils lui ont emprunté. Ce sont là choses qui n'ont pas eu l'honneur d'être mises en histoires, et qu'on apprend plutôt en fréquentant les lieux.

ŒDIPE : Il y a donc des gens qui habitent ici?

L'ÉTRANGER : Oui certes, et qui même doivent leur nom au dieu.

ŒDIPE : Possèdent-ils un chef? Ou le peuple a-t-il le droit de parler?

L'ÉTRANGER : Ils avouent pour leur chef le roi de la cité.

ŒDIPE : Et quel est-il, ce roi chez qui parole et force s'imposent tout ensemble ?

L'ÉTRANGER : On l'appelle Thésée ; son père était le vieil Égée.

ŒDIPE : L'un de vous voudrait-il l'aller trouver pour moi ?

L'ÉTRANGER : Pourquoi ? pour lui parler ou le faire venir ?

ŒDIPE : Pour qu'un mince bienfait lui vaille un grand profit.

L'ÉTRANGER : Quelle aide pourrait-il attendre d'un aveugle ?

ŒDIPE : Je ne lui dirai rien que de très clairvoyant.

L'ÉTRANGER : Sais-tu bien, étranger, ce qu'il faut faire alors pour te garder d'erreur ? Tu es noble, on le voit ; seul le sort t'est contraire. Eh bien ! demeure là où je t'ai vu d'abord et j'irai, moi, parler à mes concitoyens — ceux d'ici, pas ceux de la cité. Ce sont eux qui décideront si tu dois rester là ou rebrousser chemin.

(Il s'éloigne.)

ŒDIPE : Dis-moi, mon enfant, l'homme est-il parti ?

ANTIGONE : Il est parti, tu peux tout dire, et sans rien craindre, père : je suis seule à côté de toi.

ŒDIPE : O puissantes, ô terribles déesses, puisque vous êtes les premières chez qui je me serai assis en ce pays, ne vous montrez pas insensibles à la voix de Phœbos ni à ma propre voix. Car c'est Phœbos qui, le jour même où il me prédisait cette foule de maux que personne n'ignore, m'a dit également quelle trêve j'obtiendrais au bout de longs jours, quand, parvenu dans un dernier pays, j'y rencontrerais un abri et un séjour hospitalier chez les Déesses Redoutables. C'était là que j'arriverais au tournant de ma pauvre vie et que je deviendrais, si je m'y fixais, un bienfaiteur pour ceux qui m'y accueilleraient, un désastre pour

ceux qui m'ont mis sur les routes, pour ceux qui m'ont
chassé. Il me faisait savoir en même temps les signes
qu'alors je verrais surgir : sol qui tremble, foudre,
éclair de Zeus. Je n'hésite donc pas : il est impossible
que ce ne soit pas vous dont un sûr présage a guidé
mes pas jusqu'à ce saint bosquet. Jamais sans cela
vous n'eussiez été les premières que j'eusse trouvées ici
sur ma route, moi qui m'abstiens de vin, vous qui n'en
voulez pas ; jamais je n'eusse pris place sur cette pierre
redoutable que nul n'a jamais taillée. A vous donc,
déesses, de réaliser pour moi les prédictions d'Apollon et de donner sans retard à ma vie un terme, un
dénouement — à moins que vous n'estimiez que je n'ai
pas mon compte encore, moi qui suis cependant
asservi sans repos aux plus cruelles des souffrances
humaines... Allons ! douces enfants de l'Ombre primitive, allons ! toi qui tires ton nom de la grande Pallas, ô
Athènes, cité entre toutes honorée, ah ! prenez en pitié
le malheureux fantôme de celui qu'on nommait
Œdipe, car ce n'est plus là sûrement l'homme qu'il a
jadis été.

ANTIGONE : Tais-toi, voici des vieux qui viennent
voir où tu t'es installé.

ŒDIPE : Je me tais ; mais toi, furtivement, guide mes
pas hors de la route dans le bois. Je veux d'abord être
informé du langage qu'ils vont tenir. De l'information
dépend la prudence dans l'action.

    *(Il pénètre dans le bois avec Antigone. Entre le
Chœur. Ce sont des vieillards de Colone, qui
débouchent par petits groupes dans l'Orchestre en
s'interrogeant l'un l'autre.)*

Animé.

LE CHŒUR : *Attention ! Qui est-ce ? où se tient-il ? où s'est-
il échappé, le plus effronté de tous les humains ? Regarde bien :
il faut le lapider ; va, informe-toi de tous les côtés.*

Ce vieux n'est qu'un vagabond, rien d'autre qu'un vagabond.
Il n'est pas du pays ; sans quoi, jamais il ne serait entré dans le
bois interdit des Vierges Invincibles dont nous tremblons de
prononcer le nom,

et près desquelles nous passons sans regard, sans voix, sans
parole, en n'usant que d'un langage, celui du recueillement. Et
l'on vient nous dire aujourd'hui qu'un homme est là qui ne
respecte rien.

Mes yeux en vain le cherchent dans tout ce saint domaine ; je
ne puis arriver à voir où il se tient.

(Œdipe sort du bois.)

Mélodrame.

✕ ŒDIPE : Le voici, c'est moi. Entendre, pour moi,
c'est voir, comme on dit.

LE CORYPHÉE : Oh ! spectacle affreux ! Oh ! affreuse
voix !

ŒDIPE : Non, je vous en supplie, ne me regardez pas,
je suis un hors-la-loi.

LE CORYPHÉE : O Zeus Préservateur, qu'est-ce que
ce vieillard ?

ŒDIPE : Un vieillard qui n'est pas à mettre au
premier rang des heureux, croyez-moi, chefs de ce
pays, je vous le montre assez : je n'irais pas ainsi avec
les yeux d'un autre, je ne m'appuierais pas, moi,
grand, sur si petit.   ✕

Animé.

LE CHŒUR : *Oh ! ces yeux aveugles ! Es-tu tel de nais-*
sance ? Ta vie a été longue, ta vie a été dure, on l'entrevoit sans
peine. Mais s'il n'est que de moi, tu n'iras pas la charger ici
même d'une malédiction de plus.

Tu vas trop loin, trop loin ! Il ne faut pas qu'en avançant sur
le gazon du bois muet, tu arrives étourdiment jusqu'au cratère
rempli d'eau qui fournit sa part au mélange des libations
miellées[1]*.*

Ah ! cela, garde-t'en bien, pauvre étranger. Change de place,

*sors de là. Sans doute y a-t-il trop grande distance entre nous :
m'entends-tu, malheureux errant ? Si tu as quelque propos dont
tu veuilles m'entretenir, quitte ces lieux interdits, et, lorsque tu
seras où chacun peut parler, alors tu parleras. Jusque-là, tiens-
toi sur tes gardes.*

Mélodrame.

✕ ŒDIPE : Ma fille, à quoi me décider ?

ANTIGONE : O père, nous devons pratiquer les
usages des gens du pays, leur céder quand il faut et
leur obéir.

ŒDIPE : Alors prends ma main.

ANTIGONE : Je la tiens, c'est fait.

ŒDIPE : Que du moins, étrangers, je n'éprouve
aucun mal, pour avoir cru en vous et m'être déplacé.

LE CORYPHÉE : Non, tu n'as rien à craindre. Si tu
t'arrêtes ici, aucun homme, vieillard, ne t'emmènera
malgré toi.   ✕

Animé.

ŒDIPE : *Encore un peu ?*

LE CHŒUR : *Oui, avance encore.*

ŒDIPE : *Encore ?*

LE CHŒUR : *Fais-le avancer, jeune fille, Tu te rends
compte, toi.*

ANTIGONE : *Viens avec moi, père, viens comme cela...*

ŒDIPE : *Ah ! ah !*

ANTIGONE : *... de ton pas d'aveugle, par où je te mène* [1] ...

. . . .

ŒDIPE : . . . .

LE CHŒUR : *Résigne-toi, ô malheureux, étranger en terre
étrangère, à détester tout ce que ce pays par tradition abhorre, à
respecter ce qu'il chérit.*

Mélodrame.

✕ ŒDIPE : Mène-moi donc, ma fille, où je pourrai
parler, entendre, sans enfreindre la piété ; et ne partons
pas en guerre contre la nécessité.

LE CORYPHÉE : Halte ! ne dépasse pas le degré que forme le roc devant toi.   ✕

Animé.

ŒDIPE : *Comme cela ?*

LE CHŒUR : *Pas plus loin, je te dis.*

ŒDIPE : *Dois-je m'asseoir ?*

LE CHŒUR : *Oui, mais en obliquant, tout au bout du rocher, et en te baissant autant qu'il faudra.*

ANTIGONE : *Ceci me regarde, père. Doucement...*

ŒDIPE : *Ah ! ah !*

ANTIGONE : *... règle tes pas sur mes pas. Appuie ton vieux corps sur ce bras ami.*

ŒDIPE : *Ah ! cruel destin !*

LE CHŒUR : *O malheureux, puisque voici pour toi un moment de détente, parle maintenant. Qui donc es-tu ? Qui est l'infortuné que l'on mène ainsi ? Quel pays puis-je donc savoir être le tien ?*

Modéré.

ŒDIPE : *Je suis sans patrie, étrangers. N'allez pas...*

LE CHŒUR : *Que prétends-tu nous défendre, vieillard ?*

ŒDIPE : *N'allez pas, n'allez pas demander qui je suis. N'enquêtez pas, ne cherchez pas plus loin.*

LE CHŒUR : *Qu'est-ce là ?*

ŒDIPE : *Affreuse est ma naissance.*

LE CHŒUR : *Parle.*

ŒDIPE : *Ma fille, ah ! que dois-je dire ?*

LE CHŒUR : *De quel sang es-tu donc, étranger, par ton père ? dis-le-nous.*

ŒDIPE : *Hélas sur moi ! ma fille, que vais-je devenir ?*

ANTIGONE : *Parle, puisque aussi bien te voilà acculé.*

ŒDIPE : *Eh bien ! je parlerai : je n'ai plus de retraite.*

LE CHŒUR : *Vous cherchez des délais. Allons ! dépêche-toi.*

ŒDIPE : *Vous connaissez un fils de Laïos ?*

LE CHŒUR : *Ah ! ah !*

ŒDIPE : *Et la race des Labdacides ?*

LE CHŒUR : *O Zeus !*

ŒDIPE : *Le malheureux Œdipe ?*

LE CHŒUR : *C'est donc toi !*

ŒDIPE : *Ah ! n'ayez peur de rien de ce que je vous dis.*

Plus large.

LE CHŒUR : *Ah ! ah !*

ŒDIPE : *Malheureux que je suis !*

LE CHŒUR : *Ah ! ah !*

ŒDIPE : *Que va-t-il arriver, ma fille, dans l'instant ?*

LE CHŒUR : *Partez, sortez de ce pays.*

ŒDIPE : *Et ta promesse alors, quand donc la tiendras-tu ?*

LE CHŒUR : *Le destin ne punit personne de punir qui l'a provoqué. Une tromperie qui reçoit sa réplique en d'autres tromperies ne peut valoir à son auteur que déboires, au lieu de succès. Lève-toi, repars, prends le large, ressors au plus tôt de ma terre. Je ne veux pas que tu attaches encore une charge à ma ville.*

(*Antigone se jette entre le Chœur et Œdipe.*)

ANTIGONE : *Étrangers au cœur pitoyable, vous n'avez pas voulu entendre mon vieux père, instruits que vous étiez du bruit de ses forfaits, pourtant involontaires.*

Mais de moi, malheureuse, étrangers, je vous en supplie, de moi ayez compassion,

lorsque je vous implore pour ce même père, pour cet abandonné. Mes yeux à moi ne sont pas d'un aveugle, et, ces yeux dans vos yeux, tout comme si j'étais sortie de votre sang, pour lui je vous implore : que cet infortuné trouve votre pitié ! Misérables que nous sommes, nous voici en vos mains comme en celles d'un dieu. Allons ! n'hésitez pas, faites-nous cette grâce, pour nous inespérée.

Je vous implore au nom de ce que vous avez de plus proche et plus cher, enfant, femme, trésor ou dieu. Vous le voyez vous-même, il n'est pas de mortel qui échappe à son sort, quand un dieu l'y conduit.

(Le Chœur recule. Un silence.)

LE CORYPHÉE : Va, sache-le, fille d'Œdipe, notre compassion est égale pour lui, pour toi, quand nous voyons votre destin. Mais nous craignons les dieux et serions incapables de t'en dire plus que nous t'avons dit.

ŒDIPE : A quoi servent alors et la gloire et un beau renom ? Les voilà envolés, perdus ! Ainsi l'on nous dit Athènes une ville pieuse entre toutes, seule capable de sauver un hôte en péril, seule en mesure de le défendre [1] ; puis, quand il s'agit de moi, où tout cela a-t-il passé ? Ne m'avez-vous pas fait abandonner mon siège pour me chasser ensuite à cause de mon nom ? Mon nom seul vous fait peur. Car ce n'est certes pas ma personne ou mes actes. Mes actes, je les ai subis et non commis, s'il m'est permis d'évoquer à mon tour ceux de mes père et mère. Et c'est pour ces mêmes actes qu'aujourd'hui tu me rejettes peureusement loin de toi, cela je le sais fort bien. Suis-je cependant un criminel né ? J'ai simplement rendu le mal qu'on m'avait fait. Eussé-je même agi en pleine connaissance, je n'eusse pas été criminel pour cela. Mais au vrai, c'est sans rien savoir que j'en suis venu où j'en suis venu ; tandis qu'ils savaient, eux, ceux par qui j'ai souffert et qui voulaient ma mort ! Aussi, je vous en supplie, étrangers, au nom des dieux, puisque aussi bien c'est vous qui m'avez forcé à quitter ma place, sauvez-moi maintenant, et, puisque vous avez un tel respect des dieux, n'allez donc pas ensuite tenir ces dieux pour rien. Songez que, si leur regard s'attache au mortel pieux, il s'attache aussi aux impies, et que, jamais encore, un impie, que je sache, n'a échappé aux dieux. Q'ils t'inspirent ici. Ne voile pas l'éclat de cette illustre Athènes en te prêtant à des impiétés. Tu m'as admis pour suppliant, tu m'as donné une promesse ; défends-moi, protège-moi, surtout ne me repousse pas parce que je n'offre à tes yeux qu'un visage effroyable à voir. J'arrive ici, mortel consacré et pieux, apportant un bienfait à tous ces citoyens. Lorsqu'un chef qualifié — votre roi — sera là, alors, en m'entendant, tu sauras tout. Jusque-là ne fais pas de toi un criminel.

LE CORYPHÉE : Je suis forcé de m'incliner, vieillard, devant tes raisons ; tu as su, pour les dire, trouver des mots qui portent. Les chefs de ce pays jugeront, il suffit.

ŒDIPE : Mais où est-il, le maître de ces lieux ? étrangers, dites-moi.

LE CORYPHÉE : Il occupe comme ses pères la capitale du pays. L'homme qui t'a observé le premier [1] et qui m'a dépêché ici est déjà parti le chercher.

ŒDIPE : Et croyez-vous qu'un aveugle puisse l'intéresser ou l'intriguer assez pour qu'il décide de se rendre en personne auprès de lui ?

LE CORYPHÉE : N'en doute pas, dès qu'il saura ton nom.

ŒDIPE : Qui lui en aurait porté la nouvelle ?

LE CORYPHÉE : La route est longue [2] ; mais les propos des voyageurs vont s'égarant souvent fort loin. Quand il les entendra, n'aie pas peur, il viendra. Ton nom a pénétré si loin en tous pays que, fût-il même en train de reposer à l'aise, dès qu'il saura, il accourra ici.

ŒDIPE : Ah ! qu'il arrive donc pour le bien de sa ville, ainsi que pour le mien : il n'est pas de bienfaiteur qui ne songe un peu à lui-même.

ANTIGONE : O Zeus, que dois-je dire ? A quelle idée m'arrêter, père ?

ŒDIPE : Qu'est-ce Antigone, mon enfant ?

ANTIGONE : Je vois là une femme se dirigeant vers nous. Elle monte une pouliche de l'Etna [3]. Sur sa tête, un chapeau de Thessalie protège ses traits du soleil. Que dire ? Est-ce... ? ou n'est-ce pas... ? mon esprit s'égare. Oui ? ou non ? Je ne sais plus que dire. — Las ! misérable que je suis ! non, ce n'est pas une autre. Elle me caresse d'un joyeux regard en venant vers moi et me fait signe ; c'est sûr ; ce ne peut être qu'elle, Ismène, ma chérie !

ŒDIPE : Que dis-tu, mon enfant ?

ANTIGONE : Oui, ta fille et ma sœur. Tu peux dès maintenant reconnaître sa voix.

(Entre Ismène, suivie d'un vieil esclave.)

ISMÈNE : O double et doux nom de « père » et de « sœur ». Que de mal j'ai eu à vous retrouver et que de mal encore — tant le chagrin me trouble — j'ai ici à vous voir !

ŒDIPE : Ma fille, tu es là ?

ISMÈNE : O père infortuné.

ŒDIPE : Te voilà donc, ma fille !

ISMÈNE : Oui, et non sans peine.

ŒDIPE : Touche-moi, mon enfant.

ISMÈNE : Je vous touche tous deux.

ŒDIPE : O mes filles ! ô pauvres sœurs !

ISMÈNE : Ah ! lamentables vies !

ŒDIPE : Tu penses à elle et à moi ?

ISMÈNE : Et à moi tout autant.

ŒDIPE : Quel sujet t'amène, ma fille ?

ISMÈNE : Le souci de toi, père.

ŒDIPE : Désir de me revoir ?

ISMÈNE : Oui, mais désir aussi de t'apporter moi-même des nouvelles, avec un serviteur, le seul dont je sois sûre.

ŒDIPE : Et les garçons, tes frères, où sont-ils occupés ?

ISMÈNE : Ils sont là où ils sont, mais leur cas est terrible.

ŒDIPE : Ah ! qu'ils sont donc bien faits, ceux-là, pour les coutumes de l'Égypte, avec pareils instincts et pareille existence ! L'homme, là-bas, reste au logis tissant la toile, tandis que la femme sans cesse est dehors, lui cherchant à manger. De même pour vous, mes enfants. Alors que ceux à qui un tel soin revenait gardent la maison, tout comme des filles, c'est vous qui, à leur place, portez péniblement tout le malheur de votre pauvre père. L'une des deux, du jour où, sortant de l'enfance, elle a senti ses membres s'affermir, n'a cessé d'errer avec moi, pauvre enfant, de servir de guide au vieillard. Tantôt vagabonde, sans pain et pieds nus, elle marche au hasard par la forêt sauvage ; tantôt elle s'en va peinant sous les averses ou bien sous les traits d'un soleil ardent, sans songer davantage aux douceurs du foyer, pourvu que son père ait de quoi manger. Et toi aussi, ma fille, tu es venue déjà, à l'insu des Thébains, m'apporter naguère chacun des oracles proclamés sur moi ; tu t'es constituée ma fidèle gardienne, depuis que je suis banni de ma terre. Aujourd'hui donc, quelle nouvelle viens-tu encore, Ismène, annoncer à ton père ? Pour quelle mission es-tu cette fois partie de chez toi ? Tu n'es pas venue pour rien, j'en suis sûr, sans dessein de m'apprendre quelque raison de craindre.

ISMÈNE : Tous les ennuis que j'ai subis, tandis que je cherchais où tu pouvais bien vivre, je les passe, père, et n'en parlerai pas. Je ne veux pas souffrir deux fois, à peiner, puis à conter mes peines. Ce sont les maux qui frappent tes deux pauvres enfants que je suis venue te faire connaître. Au début ils se disputaient l'honneur de laisser le trône à Créon et d'épargner ainsi une souillure à Thèbes. La réflexion leur faisait voir la vieille tare de leur race et à quel point elle pèse sur ta malheureuse maison. Mais aujourd'hui, du fait d'un dieu et d'une pensée criminelle, c'est une dispute coupable dont l'idée entre soudain dans le cœur de tes trois fois malheureux fils : ils veulent tous deux se saisir du sceptre et du pouvoir royal ! Et voici que le cadet, celui à qui l'âge donne le moins de droits, enlève le trône à Polynice son aîné et le chasse de sa patrie. Sur quoi l'autre, s'il faut en croire la rumeur la plus répandue chez nous, gagne en banni la plaine encaissée d'Argos, où, trouvant le concours d'une alliance nouvelle et de compagnons d'armes pris parmi ses proches, il s'imagine qu'Argos va sans retard s'emparer de haute lutte de la terre cadméenne — à moins qu'il ne la fasse au contraire monter jusqu'aux cieux [1]. Et ce ne sont pas là de simples mots, père, ce sont des actes, et qui font peur. Mais quand les dieux finiront-ils par prendre en pitié tes souffrances ? cela, je ne puis le savoir.

ŒDIPE : Tu as donc l'espoir aujourd'hui que les dieux s'intéressent à moi jusqu'à vouloir mon salut ?

ISMÈNE : Oui, père, j'en crois les nouveaux oracles.

ŒDIPE : Quels sont donc ces oracles ? que disent-ils, ma fille ?

ISMÈNE : Qu'un jour viendra où les gens de là-bas te chercheront partout, vivant ou mort, pour leur propre salut.

ŒDIPE : Et quel profit pourrait-on bien attendre d'un homme tel que tu me vois ici ?

ISMÈNE : Ils disent que de toi dépend tout leur succès.

ŒDIPE : C'est donc quand je ne suis plus rien, que je deviens vraiment un homme ?

ISMÈNE : Aujourd'hui les dieux te relèvent, quand hier ils t'avaient perdu.

ŒDIPE : Ah ! le piètre bienfait ! relever un vieillard, quand il a chu jeune homme !

ISMÈNE : Et sache encore que c'est pour cela même que Créon va venir, non point dans des années, mais bien dans un instant.

ŒDIPE : Mais avec quels desseins ? ma fille, explique-toi.

ISMÈNE : Ils veulent t'établir près du sol cadméen, pour disposer de toi, sans que pourtant tu mettes, toi, le pied sur leur terre.

ŒDIPE : Et quel service attendent-ils d'un mort enterré à leur porte ?

ISMÈNE : Qu'un malheur arrive à ta tombe, ce serait eux qui le paieraient.

ŒDIPE : On n'avait pas besoin d'un dieu pour comprendre cela tout seul.

ISMÈNE : Et c'est bien là pourquoi ils entendent te mettre près de leur frontière ; il ne faut pas que tu restes en un lieu où tu sois en mesure de disposer de toi.

ŒDIPE : Répandront-ils sur moi la poussière thébaine ?

ISMÈNE : Cela, le parricide pour toi l'interdit, père.

ŒDIPE : De moi alors jamais ils ne disposeront.

ISMÈNE : Il en coûtera cher en ce cas aux Thébains.

ŒDIPE : Du fait de quel soudain concours de circonstances ?

ISMÈNE : Du fait de ta colère, s'ils se heurtent à ta tombe.

ŒDIPE : Mais ce que tu dis là, de qui le tiens-tu donc ?

ISMÈNE : D'envoyés qui reviennent du foyer delphien.

ŒDIPE : Et c'est bien là ce que Phœbos a dit de moi ?

ISMÈNE : A ce qu'affirment ceux qui sont rentrés à Thèbes.

ŒDIPE : Tel de mes fils alors a pu l'entendre aussi ?

ISMÈNE : Certes, l'un comme l'autre, ils savent tout tous deux.

ŒDIPE : Et, l'ayant entendu, les misérables ont fait ensuite passer le pouvoir royal avant aucun regret de moi ?

ISMÈNE : Je souffre à te l'entendre dire, mais ne puis que m'y résigner.

ŒDIPE : Eh bien ! que les dieux alors n'éteignent pas leur fatale querelle et me laissent décider, moi, du combat qui les met aux prises, à cette heure même,

javeline au poing! Ni celui qui tient le sceptre et le
trône en ce cas ne les gardera, ni celui qui est sorti de
sa ville n'y rentrera, puisque aucun d'eux, au moment
où leur père était ignominieusement expulsé de son
pays, n'a su le retenir ni le défendre, mais qu'ils l'ont
vu tous deux chassé de chez lui, jeté sur les routes,
proclamé banni. Tu me diras peut-être que c'était
alors mon propre désir et que Thèbes n'a fait là que
m'accorder une faveur normale. Non, non, com-
prends-moi bien; le jour même, quand mon âme
bouillait encore, quand pour moi le sort le plus doux,
c'était mourir, c'était périr lapidé : personne ne s'offrait alors à m'y aider, moi qui n'avais que cette
envie... C'est plus tard, quand ma douleur avait mûri,
quand je me rendais compte que ma fureur en éclatant
avait trop durement puni mes erreurs passées, c'est à
ce moment-là que Thèbes m'a chassé, par force, cette
fois, de son territoire — si longtemps après! — et
qu'eux alors, eux qui pouvaient, fils de leur père,
apporter leur aide à ce père, se sont refusés à agir; si
bien que, faute d'un simple petit mot, depuis lors,
grâce à eux, je n'ai cessé d'errer sur la terre étrangère,
exilé, mendiant... A celles-ci, qui ne sont que des filles,
je dois au contraire, dans toute la mesure où le permet
leur sexe, le moyen de vivre, la sécurité de ma route et
l'appui des miens, cependant que les deux autres ont
préféré à leur père la puissance attachée au sceptre et
au trône, le pouvoir absolu sur leur ville. Mais sois
tranquille, va, ils ne m'auront jamais pour allié, et nul
profit jamais ne leur viendra de cette royauté thébaine.
Cela je le sais, et quand j'écoute les oracles que me
rapporte cette fille, et quand je songe en moi-même
aux vieilles prophéties que Phœbos a enfin réalisées
pour moi[1]. Ainsi donc qu'ils m'envoient ici pour me
ramener ou Créon ou tout autre puissant personnage
de Thèbes : si vous voulez bien, étrangers, vous joindre
à ces Déesses Redoutables, souveraines de ces lieux,

pour assurer ma défense, vous ménagerez à votre pays un puissant sauveur, et, du même coup, des revers à mes ennemis.

LE CORYPHÉE : Tu mérites, certes, Œdipe, qu'on te plaigne, et tes filles comme toi. Mais puisque tu invoques ainsi dans ton propos le titre de sauveur d'Athènes, je veux te donner un conseil utile.

ŒDIPE : O très cher, guide-moi, je suis prêt à tout faire.

LE CORYPHÉE : Eh bien alors, fais une offrande lustrale aux déesses que tu te trouves avoir abordées les premières et dont tu as foulé le sol.

ŒDIPE : Et de quelle façon ? étrangers, dites-moi.

LE CORYPHÉE : Apporte-leur d'abord des libations pieuses, prises à l'eau vive d'une source et puisées avec des mains pures.

ŒDIPE : Et quand j'aurai puisé cette libation pure ?

LE CORYPHÉE : Il est ici des cratères, œuvre d'un habile artisan : couronnes-en et la tête et les anses de chaque côté.

ŒDIPE : De branches ? ou de laine ? — ou comment encore ?

LE CORYPHÉE : Prends une toison frais tondue de jeune brebis.

ŒDIPE : Bien ; mais après, par quoi dois-je terminer ?

LE CORYPHÉE : Répands tes libations, debout, face au Levant.

ŒDIPE : En usant pour cela des vases que tu dis ?

LE CORYPHÉE : Oui, trois libations par vase — en vidant toutefois le dernier d'un seul coup.

ŒDIPE : Et, avant de le mettre en place, de quoi le remplir ce dernier ? Cela aussi, dis-le-moi.

LE CORYPHÉE : De miel et d'eau. Garde-toi d'apporter du vin.

ŒDIPE : Et quand la terre au noir feuillage aura reçu ces libations... ?

LE CORYPHÉE : Alors dépose sur elle, de l'une et de

l'autre main, trois fois neuf branches d'olivier, puis
prononce cette prière...

ŒDIPE : C'est là ce que je veux entendre, car c'est là
le plus important.

LE CORYPHÉE : Puisque nous leur donnons le nom de
« Bienveillantes », qu'elles fassent donc, d'un cœur
bienveillant, un accueil sauveur à leur suppliant.
Demande-leur cela, toi-même ou quelque autre pour
toi, d'une voix qu'on n'entende pas, dont le son n'aille
pas plus loin. Puis retire-toi, sans tourner la tête. La
chose une fois faite, je pourrai t'assister sans crainte.
Sinon, j'aurais peur, étranger, pour toi.

ŒDIPE : Vous entendez, mes enfants, ce que disent
nos hôtes d'ici.

ISMÈNE : Nous entendons. Ordonne-nous ce qu'il
faut faire.

ŒDIPE : Ce n'est pas moi qui puis me mettre en
route. Je suis trop amoindri dans mes forces et ma vue
— double infirmité. Mais que l'une de vous aille et
fasse la chose. S'il n'est que de pourvoir à telle
obligation, un seul être, je crois, peut parler pour bien
d'autres, pourvu qu'il se présente avec un cœur pieux.
Allez, et faites vite. Surtout ne m'abandonnez pas :
mon corps serait bien incapable d'aller son chemin,
seul, sans guide.

ISMÈNE : Eh bien ! j'irai, moi, et je ferai tout. Mais
où est donc l'endroit que je devrai trouver ? c'est là ce
que je veux savoir.

LE CORYPHÉE : Du côté de ce bois, étrangère. Et, si
tu as besoin de quelque chose, il est quelqu'un sur
place qui pourra t'éclairer.

ISMÈNE : J'y vais donc. Pour toi, veille, Antigone, sur
notre père ici. Lorsque c'est pour un père que l'on
prend de la peine, il ne faut pas parler de « peine ».

(Ismène entre dans le bois.)

Soutenu.

LE CHŒUR : *Sans doute, étranger, est-il dangereux de réveiller un mal déjà enseveli depuis tant d'années. Et cependant je brûle de savoir...*

ŒDIPE : *Que veux-tu dire là ?*

LE CHŒUR : *... l'affreuse, l'irrémédiable souffrance avec laquelle tu t'es trouvé aux prises.*

ŒDIPE : *Ah ! par ton nom même d' « hôte », ne dévoile rien ici ; ce furent des choses horribles.*

LE CHŒUR : *Il est une rumeur multiple et tenace, dont je voudrais, étranger, savoir ce qu'elle a de vrai.*

ŒDIPE : *Ah ! pitié !*

LE CHŒUR : *Cède à mon vœu, je t'en supplie.*

ŒDIPE : *Hélas ! hélas !*

LE CHŒUR : *Tâche à me satisfaire : je fais de même, moi, pour ce que tu désires.*

ŒDIPE : *J'ai subi, étranger, j'ai subi le crime, bien contre mon gré, les dieux m'en sont témoins. Rien dans tout cela ne fut volontaire.*

LE CHŒUR : *En quel sens le dis-tu ?*

ŒDIPE : *C'est Thèbes elle-même, et sans le savoir, qui, par une union criminelle, m'a pris au filet d'un hymen qui fit mon malheur.*

LE CHŒUR : *Es-tu vraiment entré, comme je l'entends dire, dans un lit à qui ta mère a valu un sinistre nom ?*

ŒDIPE : *Ah ! c'est mourir que d'entendre cela, étranger. Ces deux filles issues de moi...*

LE CHŒUR : *Que dis-tu ?*

ŒDIPE : *Ces deux enfants, ces deux malheurs...*

LE CHŒUR : *O Zeus !*

ŒDIPE : *Sont sorties comme moi du sein de ma mère.*

Animé.

LE CHŒUR : *Ce sont donc à la fois tes filles...*

ŒDIPE : *Et les sœurs de leur père aussi.*

LE CHŒUR : *Ah !*

ŒDIPE : *Ah ! retours offensifs de souffrances sans nombre !*

LE CHŒUR : *Tu as subi...*

ŒDIPE : *J'ai subi des épreuves qui ne s'oublient pas.*

LE CHŒUR : *Tu as commis...*

ŒDIPE : *Je n'ai pas commis.*

LE CHŒUR : *Que me dis-tu là ?*

ŒDIPE : *J'ai reçu de ma ville, malheureux que je suis, un prix de mes services que je n'eusse jamais voulu obtenir d'elle.*

LE CHŒUR : *Malheureux, que dis-tu ? n'es-tu donc pas l'auteur...*

ŒDIPE : *Que dis-tu ? que veux-tu savoir ?*

LE CHŒUR : *... du meurtre de ton père ?*

ŒDIPE : *Ah ! tu me portes là encore un nouveau coup — blessure sur blessure !*

LE CHŒUR : *Tu as tué.*

ŒDIPE : *J'ai tué ; mais ce meurtre a, d'autre part...*

LE CHŒUR : *Quoi donc ?*

ŒDIPE : *... de quoi se justifier.*

LE CHŒUR : *Que nous dis-tu là ?*

ŒDIPE : *Voici. J'étais inconscient, quand j'ai tué, massacré. Innocent déjà aux yeux de la loi, c'est de plus sans savoir que j'en suis venu là.*

LE CORYPHÉE : Mais voici notre prince, Thésée, le fils d'Égée, parti à ton appel, qui est là, devant toi.

(Thésée arrive avec une escorte.)

THÉSÉE : Tant de gens m'ont dit naguère comment tu avais saccagé tes yeux, que j'ai vu aussitôt qu'il s'agissait de toi, ô fils de Laïos ; et maintenant, après tout ce que j'ai entendu en chemin, j'en suis plus sûr encore. Tes haillons, ta tête douloureuse nous montrent qui tu es, et c'est plein de pitié que je veux, malheureux Œdipe, apprendre de toi-même quelle sorte de supplique tu viens nous présenter, à Athènes et à moi, avec ta pauvre compagne. Dis-le-nous donc. Il faudrait que tes vœux fussent bien singuliers pour qu'on me vît m'y dérober. Je n'oublie pas que moi-même j'ai grandi aussi dans l'exil, étranger, comme toi, et que j'ai plus qu'un autre risqué ma vie en maints combats sur une terre étrangère [1]. Aussi n'est-il point d'étranger pareil à toi aujourd'hui à qui je puisse refuser assistance. Je sais trop que je suis un homme et que, pas plus que toi, je ne dispose de demain.

ŒDIPE : Thésée, ta générosité me donne avec ce bref discours le moyen de réduire mon propos à peu de mots. Qui je suis, qui fut mon père, de quel pays je viens, c'est toi qui l'as dit. Il ne reste donc qu'à t'apprendre ce que je souhaite. Après quoi, tout est dit.

THÉSÉE : C'est cela ; dis-le-moi : ainsi je saurai tout.

ŒDIPE : Je viens te faire don de mon malheureux corps. A le voir, il n'a certes rien de précieux. Mais le profit qu'il représente vaut plus que le plus beau des corps.

THÉSÉE : Quel profit prétends-tu nous apporter ainsi ?

ŒDIPE : Tu l'apprendras plus tard : l'heure n'est pas venue.

THÉSÉE : Quand ton bienfait alors se révélera-t-il ?

ŒDIPE : Lorsque je serai mort et lorsque tu m'auras toi-même enseveli.

THÉSÉE : Ton vœu ne touche donc que tes derniers moments. Les autres, qu'en fais-tu ? Les oublies-tu ? les comptes-tu pour rien ?

ŒDIPE : Pour moi, ce seul moment résume tous les autres.

THÉSÉE : Mais c'est là demander une faveur bien mince.

ŒDIPE : Prends garde cependant. Il ne s'agit pas d'une lutte aisée.

THÉSÉE : Parles-tu pour tes fils ou pour moi ?

ŒDIPE : Je les vois déjà donnant l'ordre que l'on me ramène là-bas.

THÉSÉE : Mais si c'est là ton propre vœu... ? Aussi bien l'exil n'est pas à ta gloire.

ŒDIPE : Mais lorsqu'en fait c'était mon vœu, ils m'en ont refusé le droit.

THÉSÉE : Pauvre sot ! la passion ne peut que nuire à qui se trouve en plein malheur.

ŒDIPE : Attends donc de savoir avant de me blâmer ; jusque-là, abstiens-toi.

THÉSÉE : Parle. Je ne veux rien dire avant de m'être formé une opinion.

ŒDIPE : J'ai subi, Thésée, un sort effroyable — désastre sur désastre.

THÉSÉE : Tu veux parler du vieux malheur de ta famille ?

ŒDIPE : Nullement ; cela, tous les Grecs en parlent.

THÉSÉE : Souffres-tu donc des maux au-delà de l'humain ?

ŒDIPE : Mon cas, le voici. J'ai été jeté hors de ma patrie par mes propres fils, et il m'est impossible d'y rentrer jamais, comme parricide.

THÉSÉE : Pourquoi te feraient-ils chercher, s'ils voulaient t'établir loin d'eux ?

ŒDIPE : C'est la voix des dieux mêmes[1] qui les y forcera.

THÉSÉE : Et que leur feront donc redouter les oracles ?

ŒDIPE : Un coup inévitable porté par ce pays.

THÉSÉE : Mais comment les choses se gâteraient-elles entre Thèbes et nous ?

ŒDIPE : O très cher fils d'Égée, les dieux sont seuls à ne connaître ni la vieillesse ni la mort. Tout le reste subit les bouleversements qu'inflige le Temps souverain. Voit-on pas dépérir la force de la terre comme dépérit la force d'un corps ? La loyauté se meurt, la félonie grandit, et ce n'est pas le même esprit qui toujours règne entre amis, pas plus que de ville à ville. Aujourd'hui pour tels, et pour tels demain, la douceur se change en aigreur, et puis redevient amitié. De même pour Thèbes : aujourd'hui, à ton égard, règne la paix la plus sereine. Mais le Temps infini enfante à l'infini et des nuits et des jours, au cours desquels, sous un léger prétexte, on verra soudain la guerre disperser à tous les vents les assurances qui vous unissent aujourd'hui. Alors mon froid cadavre, endormi sous la terre, doit boire leur sang chaud, si Zeus est toujours Zeus, et si Phœbos, son fils, est toujours véridique. Mais il est déplaisant de remuer des sujets interdits. Permets-moi donc de m'en tenir à ceux par quoi j'ai commencé. Observe seulement ta loyale promesse, et tu ne pourras jamais dire que tu as accueilli en Œdipe un habitant bon à rien de ces lieux — ou bien il faudrait que les dieux eussent dessein de me tromper.

LE CORYPHÉE : Prince, il y a un moment déjà que cet homme se montre prêt à réaliser ces vœux et beaucoup d'autres en faveur de notre cité.

THÉSÉE : Qui pourrait repousser le bon vouloir d'un homme tel que celui-ci ? D'abord, il trouve ici un foyer ouvert à nos hôtes, qu'il peut partager avec nous. Ensuite il vient ici en suppliant des dieux et ce n'est pas un médiocre tribut qu'il offre d'en payer à moi et à ma ville. Devant ces faits, je m'incline. Loin de rejeter la faveur qu'il nous propose, je l'établirai lui-même dans ce pays. S'il lui plaît donc de demeurer ici, c'est toi que je chargerai en ce cas de veiller sur lui. Si l'étranger au contraire aime mieux partir avec moi, je te laisse à choisir, Œdipe, entre les deux ; je donnerai mon accord à ton choix.

ŒDIPE : O Zeus, sois généreux à l'égard de tels hommes !

THÉSÉE : Que souhaites-tu ? Venir chez moi ?

ŒDIPE : Si j'en avais le droit. Mais ce lieu est celui...

THÉSÉE : Où tu feras quoi ? — je n'entends pas y apporter d'obstacle.

ŒDIPE : .. où je triompherai de ceux qui m'ont chassé.

THÉSÉE : Ce serait alors un don rare que ta présence en ce pays.

ŒDIPE : ... si, de ton côté, tu t'engages à réaliser tes promesses.

THÉSÉE : S'il n'est pas de moi, sois tranquille, je ne t'abandonnerai pas.

ŒDIPE : Et je ne te lierai pas, moi, comme un vilain, par un serment.

THÉSÉE : Il ne t'apporterait d'ailleurs rien de plus que ma parole.

ŒDIPE : Que comptes-tu donc faire ?

THÉSÉE : Que crains-tu, toi, exactement ?

ŒDIPE : Des gens vont bientôt être là...

THÉSÉE, *montrant le Chœur :* Ceux-ci en feront leur affaire.

ŒDIPE : Prends garde, si tu m'abandonnes...

THÉSÉE : Ne m'apprends donc pas ce que j'ai à faire.

ŒDIPE : Qui a peur doit fatalement...

THÉSÉE : Mon cœur, à moi, ne connaît pas la peur.

ŒDIPE : Tu ne sais pas quelles menaces...

THÉSÉE : Je ne sais qu'une chose, c'est que personne au monde ne t'emmènera d'ici malgré moi. Sous l'empire de la colère, la menace trop souvent se répand en trop de mots vains. Mais que l'esprit reprenne possession de lui-même, et c'en est fini des menaces. Si ces gens se croient assez forts pour chercher à nous faire peur en parlant de t'emmener, je sais, moi, qu'avant d'être ici, ils pourraient bien se trouver en présence d'une mer immense et infranchissable. Même sans ma promesse, tu n'as rien à craindre, crois-moi, si c'est Phœbos qui t'a conduit ici. Et d'autre part, même si je m'éloigne, je sais que mon nom suffira à t'épargner les violences.

(Il s'éloigne avec sa suite.)

Modéré.

LE CHŒUR : *En ce pays de bons chevaux, tu as rencontré, étranger, le plus beau séjour de la terre.*

C'est ici la blanche Colone, où l'harmonieux rossignol plus qu'ailleurs se plaît à chanter, au fond des vallons verdoyants.

Il habite le lierre sombre, l'inviolable ramée du dieu, que son épaisse frondaison protège en même temps du soleil et du vent,

du vent de toute tempête. C'est ici que fréquente Dionysos le Bacchant, ici qu'il vient rendre des soins aux déesses qui l'ont nourri.

Ici, sous la rosée du ciel, avec constance, chaque jour, fleurissent, en grappes superbes,

le narcisse, couronne antique au front des deux Grandes Déesses [1], et le safran aux reflets d'or ; pour ne rien dire du flot qui ne s'endort, ni ne baisse jamais,

du flot vagabond du Céphise, qui fidèlement, chaque jour, se hâte de venir, avec son onde pure, fertiliser les plaines

de cette terre aux vastes flancs, à laquelle les chœurs des Muses ne montrent pas non plus de haine, ni Aphrodite aux rênes d'or.

En élargissant.

Il est un plant dont je ne sache pas qu'un pareil ait surgi jamais, ni sur le sol d'Asie, ni sur celui de la grande île dorienne de Pélops, un plant indomptable, qui se refait seul [2],

un plant qui est l'effroi des armes ennemies, et qui croît en ces lieux mieux que partout ailleurs,

l'olivier au feuillage glauque, le nourricier de nos enfants, l'arbre que personne, ni jeune ni vieux,

ne peut brutalement détruire ou saccager. Le regard vigilant du Zeus des Olivaies ne le quitte pas, et pas davantage celui d'Athéna aux yeux pers.

Mais j'ai encore un autre los à dire, le plus prisé de notre cité mère. C'est le don d'un grand dieu, c'est mon suprême orgueil : nos chevaux, nos poulains, notre mer !

C'est toi, fils de Cronos, qui nous portas un jour à ce degré d'orgueil, toi, sire Poseidôn,

le jour où tu créas en ce pays pour la première fois le frein qui
calme les chevaux ;

cependant que la bonne rame, ajustée par toi à nos mains[1]*,*
bondit sur la mer, ô merveille ! à la suite des cent Néréides
dansantes[2]*.*

> *(Antigone, qui depuis la sortie de Thésée n'a cessé*
> *d'observer anxieusement la route, se tourne soudain*
> *vers le Chœur.)*

ANTIGONE : O sol célébré par tant de louanges, c'est
à toi d'illustrer toi-même maintenant ta brillante
légende.

ŒDIPE : Quel fait nouveau t'inquiète donc, ma fille ?

ANTIGONE : Voici Créon qui vient à nous, et avec
une escorte, père.

ŒDIPE : O chers vieillards, c'est de vous seuls que
désormais peut me venir le secours décisif.

LE CORYPHÉE : Ne crains rien, tu l'auras. Si je suis
un vieillard, la force de ma ville, elle, n'a pas vieilli.

> *(Entre Créon suivi d'hommes en armes*[3]*.)*

CRÉON : Nobles habitants de ce sol, je vois une
terreur subite dans vos yeux, à mon premier abord.
N'ayez pas peur de moi, ne laissez pas tomber de mots
méchants. Je ne viens vous faire aucun mal. Je suis
vieux, et je sais que j'arrive dans un État puissant, s'il
en fut jamais, dans toute la Grèce. On me délègue ici, à
raison de mon âge, pour convaincre celui qui est là de
bien vouloir me suivre en terre cadméenne. Je ne viens
pas au nom d'un homme : c'est le pays entier qui m'a
donné cet ordre. Ma naissance me désignait entre tous
ceux de notre ville pour compatir aux maux de cet
infortuné. Va, crois-moi, pauvre Œdipe, retourne-t'en
chez nous. Le peuple cadméen unanime t'appelle,
ainsi qu'il est normal, et moi avant tout autre ;
d'autant plus qu'à moins d'être le plus méchant des
hommes, je ne saurais, vieillard, être insensible à ta

détresse quand je te vois ici réduit à ne plus être qu'un
étranger misérable, un perpétuel vagabond, un mendiant n'ayant d'autre soutien qu'une unique compagne, une fille dont je n'eusse jamais pensé qu'elle
pût tomber, hélas! à ce degré d'ignominie où je la vois
en ce moment tombée, la malheureuse enfant, toujours
en souci pour toi, pour ta vie, menant l'existence d'une
mendiante, à l'âge qu'elle a, sans connaître le mariage,
proie offerte au premier venu! Est-ce pas là un
lamentable outrage que je jette ainsi, hélas! sur toi, sur
moi, sur toute notre race? Mais, puisqu'on ne peut
dérober aux regards ce qui s'étale au grand jour, à toi
donc, Œdipe, de dérober définitivement un tel spectacle à notre vue. Par les dieux de tes pères, crois-moi,
va, consens à rentrer dans ta ville, dans la maison de
tes ancêtres, et dis à ce pays un amical adieu. Il le
mérite bien. Mais ton propre pays a plus de droits
encore à tes égards; c'est lui qui t'a depuis longtemps
nourri.

ŒDIPE : Ah! bandit prêt à tout, et à qui toute raison
honnête ne saurait jamais servir qu'à monter quelque
fourberie, pourquoi m'éprouver ainsi? pourquoi chercher une seconde fois à me prendre dans le piège où il
me serait justement le plus pénible d'être pris? Jadis,
lorsque affolé par mes maux personnels, j'aurais été
content de me voir exiler, tu ne m'as pas voulu, quand,
moi, je le voulais, accorder ce bienfait, et c'est, tout au
contraire, au moment où j'avais rassasié ma fureur, où
il m'eût été doux de vivre encore chez moi, c'est alors
que tu m'as repoussé et chassé! Et ces liens du sang
dont tu parles n'avaient pas alors d'intérêt pour toi...
Mais voici qu'en revanche quand tu vois ce pays, ainsi
que tout son peuple, admettre mon séjour chez lui avec
bonté, tu cherches à me tirer dans un tout autre sens et
viens en termes doucereux me prodiguer des duretés.
Quel plaisir pourtant est-ce là, que d'aimer les gens
malgré eux? Suppose un instant ceci. Tu supplies

qu'on t'accorde une chose ; mais on ne t'octroie rien, on se refuse à t'aider, et c'est lorsque ton cœur est las de son désir, c'est alors qu'on le satisfait, au moment où ce bienfait n'est plus bienfait pour toi : serait-ce pas alors satisfaction bien vaine ? Or, c'est exactement ce que tu m'offres à moi : des bienfaits en paroles, et des souffrances en fait ! Mais je parlerai, moi, pour ceux qui sont ici ; je veux leur montrer ta méchanceté. Tu es venu pour m'emmener, et non point m'emmener chez moi, mais pour m'établir dans ton voisinage et mettre ainsi ta cité à l'abri des dangers que tu crains de ce pays-ci. Mais non, ce n'est pas là le destin qui t'attend. Ton destin, c'est de voir mon génie vengeur fixé pour jamais en ce coin du monde ; et le destin de mes enfants, c'est de n'obtenir de mes terres que ce qu'il en faut pour mourir. Eh bien ! ne suis-je pas mieux informé que toi des intérêts de Thèbes ? Certes, et de beaucoup — d'autant que tout cela, je le tiens de bouches plus vraies, celle de Phœbos, voire celle de Zeus, son père. Et te voilà qui arrives maintenant avec ta langue menteuse et soigneusement affilée ! Les discours qu'elle tient te vaudront cependant plus de peines que de profits. Mais puisque, je le sais, tu ne m'en croiras pas, va, laisse-moi vivre ici : même en l'état où je suis, je ne trouverai pas l'existence pénible, si j'ai ce contentement.

CRÉON : Crois-tu, en me parlant ainsi, que tu m'atteignes, moi, dans mes projets sur toi, et non pas plutôt toi, toi dans ta propre cause ?

ŒDIPE : Pour moi, le plus doux serait que tu fusses impuissant à me convaincre, non plus que tous les autres ici.

CRÉON : Malheureux ! même l'âge où tu es, pour toi, n'est pas encore celui de la raison. Cela se voit : tu déshonores ta vieillesse.

ŒDIPE : Ta langue est habile, mais je ne sais pas

d'honnête homme qui soit apte à bien parler pour n'importe quelle cause.

CRÉON : Ce sont deux choses très distinctes, parler longtemps et parler à propos.

ŒDIPE : Dois-je entendre qu'ici tu parles peu, mais à propos ?

CRÉON : Oui, mais pas pour des gens qui sont de ton humeur.

ŒDIPE : Va-t'en ! *(montrant le Chœur)* et j'entends te le dire en leur nom, à eux aussi. Ne reste pas en faction à surveiller les lieux où j'habiterai désormais.

CRÉON : Ce n'est pas toi, mais eux, que je prends à témoins ; et, devant la manière dont tu réponds aux tiens, si jamais je te prends...

ŒDIPE : Et qui pourrait me prendre contre le gré des alliés que j'ai là ?

CRÉON : Tu n'en auras pas moins à pâtir, je te jure.

ŒDIPE : Et de quel acte appuies-tu ta menace ?

CRÉON : Tu as deux filles : l'une, je viens à l'instant même de la saisir et de l'expédier ; et l'autre, je la vais emmener sur l'heure.

ŒDIPE : Ah ! dieux !

CRÉON : Oui, tu auras bientôt à gémir plus encore.

ŒDIPE : Ma fille est dans tes mains ?

CRÉON, *montrant Antigone* : Et celle-là aussi, avant qu'il soit longtemps.

ŒDIPE, *au Chœur* : Ah ! étrangers, qu'allez-vous faire ? Allez-vous nous abandonner ? Ne chasserez-vous pas cet impie de votre pays ?

LE CORYPHÉE, *à Créon* : Pars d'ici, étranger, et vite. Tu n'as pas plus le droit d'agir de la sorte que de faire ce que tu as fait déjà.

CRÉON, *à ses gardes* : A vous ! C'est le moment de l'emmener de force, si elle se refuse à marcher de plein gré.

ANTIGONE : Ah ! malheureuse, où fuir ? où trouver le secours d'un homme ou d'un dieu ?

LE CORYPHÉE : Que fais-tu, étranger ?

CRÉON : Je ne toucherai pas à l'homme ; mais la fille, elle, m'appartient.

ŒDIPE : O chefs de ce pays !

LE CORYPHÉE : Étranger, tu n'es pas dans ton droit.

CRÉON : Si ! je suis dans mon droit.

LE CORYPHÉE : Comment donc, dans ton droit ?

CRÉON : J'emmène ceux qui m'appartiennent.

Agité.

ŒDIPE : *O Athènes !...*

LE CHŒUR : *Ah ! que fais-tu là, étranger ? veux-tu bien la lâcher ? ou tu vas sur l'heure éprouver mon bras.*

CRÉON : *Écarte-toi.*

LE CHŒUR : *Pas de toi, bien sûr, quand tu as tel dessein.*

CRÉON : C'est contre mon pays qu'il te faudra te battre, si tu me fais du mal.

ŒDIPE : Vous voyez ce que je disais !

LE CORYPHÉE : Vite, que tes mains lâchent cette fille !

CRÉON : Ne me donne pas d'ordre : tu n'es pas mon maître.

LE CORYPHÉE : Je te dis de lâcher.

CRÉON : Moi, d'aller ton chemin.

LE CHŒUR : *A l'aide ! Ici ! Venez, venez, gens du pays. On fait par force violence à ce pays — notre pays. — A l'aide, ici !*

ANTIGONE : Étrangers, étrangers, on m'entraîne, malheureuse !

ŒDIPE : Où es-tu, mon enfant ?

ANTIGONE : On me fait avancer de force.

ŒDIPE : Tends-moi les bras, ma fille.

ANTIGONE : Je n'en ai pas la force.

CRÉON, *à ses gardes* : N'allez-vous pas l'emmener, vous autres ?

ŒDIPE : Ah ! misère, misère, pour moi !

CRÉON : Je te défie bien maintenant de plus jamais marcher sur ces deux bâtons-là [1]. Tu prétends donc triompher de ta patrie, de ta famille, sur les ordres de qui j'agis ici moi-même, tout roi que je suis. Eh bien ! triomphe maintenant. Tu finiras bien, je le sais, par comprendre que, pas plus aujourd'hui qu'avant, tu ne sers ta propre cause, quand tu agis contre le gré des tiens et laisses le champ libre à cette passion qui toujours fait ta perte.

LE CORYPHÉE : Arrête, étranger.

CRÉON : Je t'interdis de me toucher.

LE CORYPHÉE : Non, je ne te lâcherai pas, puisque tu m'as ravi ces filles.

CRÉON : Soit ! tu n'y gagneras que d'attirer sur ton pays de plus sérieuses représailles. Je ne saisirai pas ces deux filles seulement...

LE CORYPHÉE : A quoi vas-tu penser ?

CRÉON : Je saisirai cet homme et l'emmènerai.

LE CORYPHÉE : Ah ! l'étrange propos !

CRÉON : Et ce sera chose faite aussitôt — à moins que le roi du pays ne s'y vienne opposer en personne.

ŒDIPE : O voix imprudente ! Quoi ! tu portes la main sur moi ?

CRÉON : Je te prie de te taire.

ŒDIPE : Ah ! non, que les déesses de ces lieux ne retiennent pas plus longtemps cette imprécation sur mes lèvres, puisque te voilà, lâche entre les lâches, qui, lorsque je suis sans défense, veux m'arracher un œil encore après mes yeux de jadis, et puis t'éloigner tout tranquillement ! Eh bien donc, veuille le Soleil, le dieu qui voit tout, te faire quelque jour, à toi et à ta race, une existence pareille à celle de ma vieillesse.

CRÉON : Vous voyez cela, hommes de ce pays ?

ŒDIPE : Ils nous voient, toi et moi, et ils se rendent compte qu'aux actes dont je souffre je ne réponds que par des mots.

CRÉON : Non, non, je ne veux plus contenir ma colère. Je l'emmènerai de force, pour seul que je puisse être et alourdi par l'âge.

Agité.

ŒDIPE : *Ah ! malheureux !*

LE CHŒUR : *Avec quelle idée arrêtée en tête faut-il, étranger, que tu sois venu, pour t'imaginer que tu aboutiras ?*

CRÉON : *Je me l'imagine.*

LE CHŒUR : *Je ne serai, à ce compte, plus rien, moi, dans mon pays.*

CRÉON : Quand il a le bon droit pour lui, le faible triomphe du fort.

ŒDIPE : Entendez-vous ce qu'il dit là ?

LE CORYPHÉE : Oui, mais il ne l'achèvera pas. Je le sais, moi, et sûrement.

CRÉON : Zeus peut le savoir, mais toi, non.

LE CORYPHÉE : Est-ce pas là de l'insolence ?

CRÉON : Insolence sans doute, mais dont il te faudra prendre ton parti.

LE CHŒUR : *Holà, tous, holà ! chefs, venez vite : déjà ils passent nos frontières.*

(Entrent Thésée et ses hommes.)

THÉSÉE : Qu'est-ce que cet appel ? et qu'est-il arrivé ? quelle épouvante vous a donc fait arrêter le sacrifice que, devant son autel, j'offrais au dieu des mers, protecteur de Colone ? Dites-moi — je veux tout savoir — pourquoi j'ai dû bondir ici plus vite que mes jambes ne l'eussent souhaité.

ŒDIPE : O très cher — je reconnais ta voix — je viens d'être traité d'une façon indigne par l'homme qui est là.

THÉSÉE : Traité, comment ? et qui t'a fait du mal ? dis-moi.

ŒDIPE : Ce Créon que tu vois se dispose à partir après m'avoir ravi mon seul bien, mes deux filles.

THÉSÉE : Que dis-tu ?

ŒDIPE : Tu sais exactement comme il m'a traité.

THÉSÉE : Qu'un de ceux qui me suivent aille vite aux

autels et invite le peuple entier, soit à pied, soit à cheval, à laisser là le sacrifice et à courir, bride abattue, au point où débouchent et convergent les deux chemins qui s'offrent aux voyageurs [1]. Il ne faut pas que ces filles dépassent l'endroit et que je devienne moi, vaincu par ses violences, la risée de cet étranger. Va, suis mon ordre sans retard. — Pour celui-là, si je cédais à la colère qu'il mérite, je ne le laisserais certainement pas sortir indemne de mes mains. Mais, en fait, s'il prétend importer ici des lois nouvelles, c'est suivant ces lois, et non d'autres, qu'il sera lui-même traité. Tu ne sortiras pas dès lors de ce pays avant de m'avoir ramené ces filles, avant de les avoir mises sous mes yeux. Tu as agi d'une façon indigne, indigne de moi, et de ceux dont tu sors, et de ton pays. Quoi? tu entres dans un État qui pratique la justice, qui ne fait rien sans l'aveu de la loi; et te voilà qui négliges ses chefs, qui te précipites pour emmener ce qui te plaît et qui te l'appropries de force. Tu parais t'être imaginé que ma ville était vide d'hommes, ou peuplée surtout d'esclaves, et que je comptais, moi, pour rien. Thèbes ne t'a pourtant pas élevé pour faire le mal : elle n'a pas coutume de nourrir des hommes dans la vilenie. Elle ne te ferait certes pas compliment, si elle apprenait que tu pilles ici à la fois mon bien et celui des dieux, en voulant emmener de force ces malheureux qui sont leurs suppliants. Je ne voudrais pas, pour ma part, quand même j'en aurais les meilleures raisons, pénétrer sur ta terre, sans l'aveu de son chef, quel qu'il fût; je ne voudrais en arracher, en emmener personne, et je saurais comment un étranger doit se comporter chez des citoyens; tandis que toi, tu déshonores ton pays, sans qu'il l'ait mérité en rien, et le nombre de tes années fait de toi tout ensemble un vieillard et un écervelé. Je te l'ai déjà dit, je te le répète : que l'on m'amène au plus vite ces filles, si tu ne veux pas devenir toi-même par force et contre ton gré un étranger fixé dans ce pays. Et cela, autant que ma bouche, c'est mon cœur qui te le dit.

LE CORYPHÉE : Tu vois à quoi tu as abouti, étranger. D'après ton origine, tu apparais comme un homme de bien, et tu te fais prendre à mal faire.

CRÉON : Non, je ne tiens pas ta ville pour vide d'hommes, fils d'Égée, et ce n'est pas en étourdi que j'ai agi ainsi que je l'ai fait; mais j'étais convaincu qu'aucun désir jaloux d'avoir des gens qui m'appartiennent ne lui pouvait venir en tête, pas plus que l'idée de vouloir les nourrir en dépit de moi. Je savais qu'elle n'admettrait ni un parricide, avec sa souillure, ni un homme dont l'hymen s'est révélé un inceste. Je n'étais pas sans savoir qu'il existe sur son sol un sage Conseil de l'Aréopage, qui interdit à pareils vagabonds de résider en ce pays. Voilà de quoi je m'assurais, quand j'ai mis la main sur ce gibier-là. Et cela même, je ne l'eusse pas fait, s'il n'avait lancé des imprécations amères contre moi et toute ma race. Traité de cette sorte, je me suis cru en droit de le traiter de même. La colère ne vieillit pas, elle ne cède qu'à la mort : les morts seuls sont insensibles. J'ai dit. Tu feras ce que tu voudras. J'aurai beau fournir de bonnes raisons : l'isolement fait de moi le plus faible. A des actes pourtant, si vieux que je sois, j'essaierai de répondre de même façon.

ŒDIPE : Ah ! cœur obstiné dans son impudence, qui crois-tu donc insulter ? Le vieux que je suis, ou toi-même ? dis-moi. Ta bouche déverse sur nous meurtres, mariages, malheurs de toute sorte, malheurs que j'ai subis, hélas ! bien malgré moi; mais tel était le bon plaisir des dieux, qui en voulaient à ma race sans doute depuis bien longtemps; car, en moi-même, tu ne saurais trouver nulle faute infamante qui dût me mériter de devenir l'auteur de celles que j'ai pu commettre à l'égard de moi et des miens.

Voyons, apprends-moi donc, lorsqu'une voix divine

venait par des oracles annoncer à mon père qu'il
périrait frappé par ses propres enfants, comment tu
pourrais en bonne justice me reprocher cela, à moi,
moi que n'avaient encore ni engendré mon père ni
conçu ma mère, moi qui n'étais pas né ! Et si, par un
malheur aussi éclatant que le fut le mien, j'en suis venu
aux mains avec mon père et si je l'ai tué, sans avoir
conscience de mon crime ni de ma victime, comment
d'un acte involontaire, pourrait-on raisonnablement
me blâmer ? Et pour ma mère, malheureux, pour celle
qui fut ta sœur, tu n'as donc point de vergogne que tu
me forces à rappeler ce qu'a été son mariage, comme je
vais le faire, et à l'instant même, car je n'entends pas
demeurer muet, quand tu t'égares, toi, dans la voie des
propos infâmes. Elle était ma mère — ma mère, hélas !
quelle pitié ! — et ni elle ni moi nous n'en savions rien !
Et c'est cette même mère qui m'a donné des enfants
qui sont sa honte ! Mais il est une chose du moins que
je sais bien : c'est que tu nous diffames ici, elle et moi,
délibérément, tandis que moi, je l'ai épousée malgré
moi, et c'est malgré moi encore que je parle ici de ces
choses. Mais je ne veux pas non plus que l'on
m'impute à crime ni ce mariage ni ce meurtre d'un
père que tu me jettes à la tête sans cesse avec d'âpres
outrages. Réponds donc seulement à une des questions
que je veux te poser. Si en ce moment même on
s'approchait de toi pour t'assassiner, sans que tu
eusses rien à te reprocher, irais-tu t'informer si ton
assassin est ton père, ou le punirais-tu sur l'heure ? Je
crois pour ma part qu'à moins de détester la vie tu le
punirais, et sans te demander si tu en as le droit. Eh
bien ! c'est exactement le malheur où j'ai été, moi,
conduit par la main même des dieux, et si l'âme de
mon père se trouvait encore en vie, elle ne me
démentirait pas. Mais toi, qui es sans conscience, toi,
qui toujours crois parler à propos, qu'il s'agisse de
choses à taire aussi bien que de choses à dire, voilà les

infamies que tu nous viens lancer en présence de ces hommes !

Et tu crois à propos aussi de vanter le nom de Thésée et l'admirable façon dont se gouverne son pays ? Cependant, parmi tant d'éloges, il en est un que tu oublies : c'est que, s'il est une ville qui sache les égards que l'on doit aux dieux, c'est celle-ci avant toute autre ; et c'est à elle que tu prétends ensuite ravir le vieillard et le suppliant que je suis, en te saisissant de mes filles et de moi tout ensemble, pour les emmener bien tranquillement ! Eh bien donc, c'est là pourquoi à mon tour j'invoque les déesses maîtresses de ces lieux, pourquoi je les implore, pourquoi je leur demande de venir à mes prières, en auxiliatrices et en alliées. Tu sauras de la sorte ce que valent les gens qui gardent cette terre.

LE CORYPHÉE : Cet étranger, prince, est homme de bien. Ses malheurs ont ruiné entièrement sa vie ; ils lui donnent le droit d'être secouru.

THÉSÉE : Assez parlé ! Les ravisseurs font hâte et nous, leurs victimes, nous ne bougeons plus.

CRÉON : Je suis un homme sans défense : que m'ordonnes-tu ?

THÉSÉE : Montre-moi la route qui mène là-bas, et je te fais escorte. De cette façon-là, si tu gardes ces filles aux lieux que j'imagine, tu me les montreras toi-même. Si ceux qui les retiennent sont en train de fuir, ce n'est plus notre affaire : d'autres que nous déjà font diligence, grâce à qui, j'en réponds, tes gens n'auront jamais à remercier les dieux d'avoir pu fuir de ce pays. Allons, en route ! et sache-le : si tu tenais, on te tient. Le chasseur est tombé dans les mains du Destin. Trésor acquis par ruse malhonnête ne se conserve pas, et, pour t'y aider, tu n'auras personne. Car, j'en suis sûr, ce n'est pas sans complicités ni ressources que tu en es venu à ce point d'insolence que dénonce ton effronterie. Tu comptais bien sur quelque appui pour

agir comme tu l'as fait. A cela je dois veiller — et aussi
à ne point donner à mon pays l'air d'être moins fort
qu'un homme isolé. Comprends-tu rien à ce langage ?
Ou bien ce que je te dis là te paraît-il vraiment aussi
vain maintenant qu'à l'heure où tu montais ton coup ?

CRÉON : Tant que tu es ici, tu ne me diras rien que
j'aie à critiquer. Mais une fois chez nous, je saurai, moi
aussi, ce que j'ai à faire.

THÉSÉE : L'heure presse : menace, mais marche. Toi
Œdipe, demeure ici en paix, et reste assuré que, si la
mort ne me prévient, je n'aurai point de cesse que je ne
t'aie remis tes deux filles en main.

ŒDIPE : Ah ! sois récompensé, Thésée, et de ta
générosité et de la juste prévoyance que tu témoignes à
mon endroit.

> *(Thésée et Créon se retirent avec leurs hommes.)*

Assez vif.

LE CHŒUR : *Ah ! que je voudrais être sur les lieux où nos
ennemis vont bientôt faire volte-face et engager la lutte dans le
fracas du bronze, soit sur le rivage du dieu pythien, soit sur celui
des Torches saintes* [1].

*C'est là que de Grandes Déesses maintiennent d'augustes
mystères au profit des humains sur les lèvres desquels
est posée la clef d'or* [2] *de leurs servants, les Eumolpides. Et
c'est là, j'imagine, que le héros éveilleur de batailles, Thésée, et
les deux voyageuses, les deux vierges sœurs,
vont bientôt se trouver pris dans une mêlée décisive, aux lieux
mêmes que je dis.*

*A moins qu'après avoir passé par les pâturages d'Œa, ils ne
veuillent se diriger à l'ouest du pic neigeux, rivalisant d'ardeur
pour fuir sur leurs chevaux ou sur leurs chars rapides.
Leur perte est sûre. Terrible est la guerre qui s'approche
d'eux, terrible est la vaillance des enfants de Thésée.*

*Tous les mors étincellent ; tout entière bondit, bride abattue,
la troupe montée des jeunes gens, dévots d'Athéna Cavalière*

et du dieu marin qui étreint la terre, fils chéri de Rhéa.

*Sont-ils en action ? sont-ils près d'agir ? Ma pensée me laisse
entendre qu'ils vont bientôt ramener saine et sauve*

*celle qui a déjà subi si cruel traitement et rencontré si cruelles
épreuves par le fait d'hommes de son sang. Aujourd'hui,
aujourd'hui même, c'est Zeus qui y mettra fin.*

*J'augure de nobles combats. Ah ! que je voudrais donc, tout
comme un ramier plus prompt que le vent, du haut d'un nuage,
au fond de l'éther,*

laisser mes yeux contempler ces combats.

*Zeus ! toi qui vois tout, maître souverain des dieux, oh !
permets aux gens de ce pays,*

*dans leur vigueur triomphante, de réaliser la surprise qui leur
livrera leur gibier. J'invoque également ton auguste fille, Pallas
Athéna.*

*Et à Apollon Chasseur, à sa sœur aussi, la compagne des
faons à la peau tachetée et aux pieds légers,*

*je dis mon désir de les voir porter leur double secours à ce pays
et à ses citoyens.*

LE CORYPHÉE : Pauvre étranger errant, à ton guetteur au moins tu ne pourras pas dire qu'il est un faux
prophète. Tes filles, je les vois. Elle approchent, elles
reviennent ici, et sous bonne escorte.

(Antigone et Ismène reparaissent avec Thésée.)

ŒDIPE : Où, où donc ? qu'y a-t-il ? Et comment as-tu
dit ?

ANTIGONE : Père, père, ah ! comme je voudrais
qu'un dieu te permît de voir le héros qui nous a
ramenées vers toi.

ŒDIPE : Ah ! ma fille, êtes-vous toutes les deux là ?

ANTIGONE : Oui, nous devons la vie aux bras que
voici : à Thésée, à ses bons compagnons.

ŒDIPE : Venez, ma fille, venez à votre père. Donnez-

lui à palper ces corps qu'il n'espérait plus retrouver
jamais.

ANTIGONE : Ton vœu sera satisfait. Ton plaisir
s'accorde à notre désir.

ŒDIPE : Où donc, où donc êtes-vous ?

ANTIGONE : Ici, tout près de toi.

ŒDIPE : O mes enfants chéries !

ANTIGONE : Tout est cher à un père.

ŒDIPE : Ah ! mes deux bâtons [1] !

ANTIGONE : Bâtons bien misérables d'un père misérable !

ŒDIPE : Je tiens là ce que j'ai de plus cher. Même
dans la mort, je ne connaîtrais pas le malheur total, si
je vous sentais toutes deux à côté de moi. Étayez
seulement mes deux flancs, ma fille, en vous serrant
toutes deux contre moi, et vous aurez ainsi mis fin à
ma pitoyable solitude errante. Puis, dites-moi ce qui
est arrivé — au plus bref : un court récit est suffisant
pour des filles de votre âge.

ANTIGONE, *montrant Thésée :* Voilà notre sauveur.
C'est lui, père, qu'il faut entendre, et ma besogne alors
sera courte à ton gré.

ŒDIPE : Ne t'étonne pas, étranger, si j'abuse, et si, en
présence d'enfants reparues contre tout espoir, je leur
parle bien longuement. La joie qu'elles font paraître
sur mon visage, c'est à toi, je le sais, à toi seul que je la
dois. C'est toi qui les as sauvées, c'est toi et nul autre.
Que les dieux t'accordent ce que je vous souhaite, à toi
comme à ton pays. La piété, c'est chez vous, seuls
entre tous les hommes, que je l'ai rencontrée, ainsi que
la justice et la loyauté. Et je sais ce dont je parle,
quand je te récompense avec ces simples mots. Ce que
j'ai, je l'ai par toi, par toi et par nul autre ; tends moi
donc la main, prince, que je la touche et que, comme il
est juste, je te baise au front... Mais que dis-je là ?
Malheureux que je suis, comment puis-je prétendre
t'imposer le contact d'un homme chez qui ont élu

domicile les souillures de tous les crimes ? Non, je ne veux ni te toucher ni te laisser, toi, me toucher. Seuls, ceux qui ont passé par pareilles épreuves sont faits pour prendre part aux miennes. Je te dis merci à distance. Continue-moi à l'avenir l'aide loyale que tu m'as prêtée jusqu'ici.

THÉSÉE : Que tu aies prolongé quelque peu tes discours, dans ta joie d'avoir tes enfants, ce n'est pas là ce qui m'étonne, ni même que tu aies préféré leurs propos aux miens. Il n'est rien là qui me gêne. Ce n'est pas par des mots que je veux voir donner quelque éclat à ma vie, ce n'est que par des actes. Et j'en fournis la preuve : des serments que je t'ai faits, vieillard, il n'en est pas un auquel j'aie manqué. Tu vois, je te ramène tes filles vivantes, indemnes de tout ce dont on les menaçait. Et quant à la victoire qui termina la lutte, pourquoi m'en vanterais-je bien inutilement ? Ce sont des choses que tu apprendras d'elles, maintenant qu'elles vont demeurer avec toi. Il est un bruit, en revanche, qui m'est parvenu tout à l'heure pendant que je venais ici, et sur lequel je te consulte. S'il n'est pas long à rapporter, il vaut pourtant qu'on s'en étonne : nul homme n'est en droit de négliger un fait.

ŒDIPE : Qu'est-ce là, fils d'Égée ? Éclaire-moi donc, car j'ignore tout, pour ma part, des faits sur lesquels tu veux mon avis.

THÉSÉE : On m'assure qu'un homme, qui ne serait pas ton concitoyen, mais bien ton parent, vient de se jeter, suppliant, au pied de l'autel consacré à Poseidôn devant lequel j'offrais un sacrifice à l'heure où je suis accouru ici.

ŒDIPE : D'où est-il ? et qu'attend-il en posture de suppliant ?

THÉSÉE : Une seule chose, à ce que je sais. C'est à toi, me dit-on, qu'il adresse un vœu — un vœu simple et assez modeste.

ŒDIPE : Lequel ? On ne prend pas une telle attitude pour un objet insignifiant.

THÉSÉE : Il demande, paraît-il, à venir parler avec toi, puis à s'en retourner en toute sûreté, la démarche faite.

ŒDIPE : Qui pourrait m'adresser une telle supplique ?

THÉSÉE : Vois donc si, à Argos, tu n'as pas un parent qui pourrait souhaiter une telle faveur.

ŒDIPE : Oh non ! très cher, restes-en là.

THÉSÉE : Que veux-tu dire ?

ŒDIPE : Ne me questionne pas.

THÉSÉE : Quoi donc ? parle.

ŒDIPE : J'ai entendu ; je sais quel est ce suppliant.

THÉSÉE : Et qui est-il ? Aurais-je donc, moi, quelque chose à lui reprocher ?

ŒDIPE : C'est mon fils, prince, mon affreux fils, celui de tous les hommes dont il me coûterait le plus d'avoir à écouter la voix.

THÉSÉE : Quoi ! ne peux-tu l'entendre, sans faire pour cela ce que tu ne veux pas ? Qu'y a-t-il donc de si pénible à l'entendre seulement ?

ŒDIPE : Sa voix est odieuse à l'oreille d'un père. Ne m'accule pas, prince, à l'obligation de t'accorder cela.

THÉSÉE : Mais si cette obligation, c'est sa posture suppliante qui en fait nous l'impose, vois donc si tu n'as pas à te garder plutôt du dieu qui le protège.

ANTIGONE : O père, écoute-moi, si jeune que je sois pour donner des conseils. Laisse l'homme qui te parle satisfaire ensemble et sa conscience et le dieu comme il le désire. Et pour nous deux aussi, laisse donc venir notre frère. Il ne va pas, sois tranquille, t'arracher de force à ton sentiment, s'il ne te parle pas suivant ton intérêt. Que risques-tu à l'écouter parler ? Chacun sait qu'un complot coupable se trahit lui-même en parlant. C'est toi qui lui donnas le jour : t'infligeât-il dès lors les pires avanies, tu n'es pas en droit, père, de lui rendre, toi, le mal pour le mal. D'autres parents, déjà, ont eu d'autres enfants criminels; ils en ont ressenti une ardente colère; mais les avis des leurs, comme un charme magique, ont calmé et dompté leur premier mouvement. Ne regarde pas tes maux d'aujourd'hui, mais bien ceux de jadis, ceux que tu dois à ton père, à ta mère, et si ce sont ceux-là que tu considères, tu reconnaîtras, j'en suis sûre, que fâcheuse colère ne peut trouver que fâcheux dénouement. Tu dois avoir matière à de sérieux scrupules en songeant à tes yeux désormais sans regard. Va, cède à nos prières. L'insistance ne convient pas à qui ne sollicite que ce qui est de droit. Mais il ne convient pas non plus à qui a reçu un service de ne pas savoir en rendre à son tour.

ŒDIPE : Vous vous serez donné à mes dépens, ma fille, le plaisir d'un succès cruel, en vous exprimant de la sorte. Qu'il en soit donc comme il vous plaira. Un seul mot cependant, étranger : si l'homme vient ici, que nul n'aille pour cela mettre la main sur ma personne.

THÉSÉE : C'est assez d'une fois, je n'ai pas besoin qu'on me le dise deux, vieillard. Je n'entends pas me vanter; mais sache que ta vie est en sûreté, tant qu'un dieu assure la mienne.

(Thésée s'éloigne avec sa suite.)

Modéré.

LE CHŒUR : *Celui que ne satisfait pas une part normale de vie et qui en souhaite une plus grande obéit à pure sottise : pour moi, toujours, ce sera là une éclatante vérité.*

Les longs jours n'ont jamais réservé à personne que des épreuves plus voisines de la douleur que de la joie. Les joies, où sont-elles ? Ton œil les cherchera en vain,

sitôt que tu auras franchi pour ton malheur la limite marquant ton lot. Ton seul recours sera dès lors celle qui donne la même fin à tous, à l'heure où se révèle la crise meurtrière qui fait taire les chants, les lyres et les danses, ce sera la Mort, qui termine tout.

Ne pas naître, voilà ce qui vaut mieux que tout. Ou encore, arrivé au jour, retourner d'où l'on vient, au plus vite, c'est le sort à mettre aussitôt après.

Dès l'heure en effet où le premier âge cesse de te prêter sa douce inconscience, est-il désormais une peine qui ne t'atteigne quelque peu ? est-il une souffrance qui manque à ton compte ?

Meurtres, dissensions, rivalités, batailles — envie surtout ! Et puis, pour dernier lot, la vieillesse exécrable, l'impuissante, l'insociable, l'inamicale vieillesse, en qui viennent se rejoindre tous les maux, les pires des maux.

Ce destin n'est pas pour moi seul. Voyez ce malheureux. Dirait-on pas un cap tourné au Nord, de tous côtés battu des flots et assailli par la tempête ?

Lui aussi, des infortunes effroyables, comme vagues sur des brisants, l'assaillent pour le détruire et vont le pressant sans répit.

Les voilà qui viennent et du Couchant et du Levant, et du Midi rayonnant, et des monts Rhipées[1] noyés dans la nuit !

ANTIGONE : Mais c'est bien là, je crois, notre étranger. Il va, lui, sans escorte, père, et des flots de larmes coulent de ses yeux, tandis qu'il vient à nous.

ŒDIPE : Et qui est-ce ?

ANTIGONE : Celui même que depuis tout à l'heure nous avions dans l'esprit : Polynice est devant toi.

> *(Polynice entre et s'arrête à quelques pas de son père.)*

POLYNICE : Hélas ! que dois-je faire ? Dois-je d'abord, enfants, pleurer mes propres maux ? ou ceux de mon vieux père que j'ai là sous mes yeux ? je le découvre donc ici avec vous deux, sur un sol étranger, et sous des hardes, dont la vieille et horrible crasse ronge les vieux flancs qu'elles couvrent, tandis que, sur

son front sans yeux, ses cheveux en désordre flottent à
tous les vents. Et ce qu'il porte avec lui, pour nourrir
son pauvre ventre, a bien l'air de même espèce. Le
maudit que je suis l'apprend ici trop tard, et j'en dois
témoigner moi-même : oui, je me suis montré le pire
criminel pour ce qui est des soins qui t'étaient dus. Ne
l'apprends pas d'un autre que de moi. Mais, auprès de
Zeus, et partageant son trône, siège la Pitié, pour tout
acte humain. Qu'elle vienne donc aussi prendre place
à tes côtés, père. Les fautes passées, on peut y
remédier, on n'y peut ajouter... Tu te tais, pourquoi ?
Dis quelque chose, père, ne te détourne pas de moi...
Tu ne me réponds rien ? Tu veux donc me faire
l'affront de me renvoyer sans un mot, sans même
m'avoir dit pourquoi tu m'en voulais ? O vous, ses
filles, vous, mes sœurs, essayez, vous du moins,
d'amener à bouger ces lèvres inaccessibles, closes à
tout mot d'accueil, pour qu'il n'inflige pas au suppliant du dieu l'affront de le laisser s'en aller de la
sorte, sans lui avoir répondu un seul mot.

ANTIGONE : Dis-nous toi-même, malheureux, ce
dont le besoin t'a conduit ici. Des mots qui savent
plaire, des mots qui s'indignent ou qui s'apitoient ont
rendu souvent la voix aux muets.

POLYNICE : Eh bien ! je dirai tout, car ton conseil est
bon. Je prends d'abord pour défenseur le dieu aux
pieds de qui j'étais, lorsque le roi de ce pays m'a fait
lever pour venir jusqu'ici, en m'accordant le droit de
parler et d'entendre, puis de me retirer en toute sûreté.
Et c'est ce que je souhaite obtenir aussi de vous-
mêmes, étrangers, et de mes sœurs, et de mon père.
Pourquoi suis-je venu ? Je tiens à te le dire tout de
suite, père : tu vois en moi un exilé, banni du pays
paternel, parce qu'il prétendait, étant le plus âgé,
prendre place à son tour sur ton trône tout-puissant.
Et c'est justement pourquoi Étéocle, mon cadet, m'a
jeté hors de ma patrie, non pas qu'il m'eût d'abord

vaincu par des raisons, ni qu'il eût, à l'épreuve, montré
force et prouesse, mais parce qu'il avait su séduire sa
cité. De tout cela je vois la cause avant tout dans ton
Érinys, et j'entends aussi des oracles s'exprimer dans
le même sens. A peine arrivé dans Argos dorienne, j'ai
pris Adraste pour beau-père, et j'ai, autour de moi,
sous la foi du serment, groupé tous ceux qui au pays
d'Apis [1] sont appelés les premiers des guerriers et sont
honorés comme tels. Assemblant avec eux contre
Thèbes une armée de sept corps, j'étais prêt ou à
mourir, à en finir, ou à expulser du pays ceux qui
m'avaient traité de pareille façon. Et maintenant
pourquoi suis-je venu ici ? Pour t'apporter, ô père, une
requête suppliante, en mon nom comme au nom de
tous mes alliés, qui, à cette heure même, avec leurs
sept colonnes, leurs sept lances au poing, assiègent la
plaine entière de Thèbes. Et c'est le preux Amphiaraos [2], le premier au combat, le premier aussi dans l'art
des présages. C'est, après lui, un Étolien, le fils
d'Œnée, Tydée ; et, en troisième, un Argien, Étéoclos ;
en quatrième, Hippomédon, que m'envoie son propre
père, Talaos ; le cinquième est Capanée [3], qui se flatte
de ravager par le feu la cité de Thèbes, pour l'anéantir
à jamais ; le sixième qui part au combat est l'Arcadien
Parthénopée. Il doit son nom à sa mère, qui demeura
si longtemps vierge avant de lui donner le jour,
Parthénopée, loyal fils d'Atalante. Et c'est moi-même
enfin, moi, ton fils — ou, si je suis né, non de toi, mais
de ton triste destin, moi qui du moins suis appelé ton
fils — c'est moi qui guide vers Thèbes l'intrépide
armée d'Argos. Voilà donc ceux qui, avec moi, par tes
filles, par ta vie même, père, tous ensemble ici te
supplient et te demandent de laisser fléchir ta lourde
colère en faveur de celui qui est là devant toi, à l'heure
où il part se venger d'un frère qui l'a dépouillé, qui l'a
chassé de sa patrie. S'il faut en effet prêter foi aux
oracles, la victoire sera, disent-ils, pour le parti que tu

auras rejoint. Aussi je t'en supplie, par nos sources,
par les dieux de notre race, écoute-moi et laisse-toi
fléchir. Que suis-je ici ? Un mendiant, un étranger,
comme tu es toi-même un étranger. Nous n'arrivons à
vivre tous les deux, toi et moi, qu'en flattant les
autres : notre lot est pareil. Et lui, pendant ce temps,
— las ! pitié sur moi ! — roi dans notre palais, s'y
pavane et s'y rit de toi comme de moi. Ah ! celui-là,
assiste-moi dans mon dessein, et en un instant, en un
tournemain, je disperse sa cendre aux vents. Et alors je
te conduis, je t'installe dans ta demeure, et je m'y
installe avec toi, sitôt que je l'aurai, lui, jeté dehors...
Mais de cela je ne puis me flatter que si tu le veux aussi
bien que moi. Sans quoi, je ne suis pas même capable
de conserver ma propre vie.

. LE CORYPHÉE : Par égard pour celui qui te l'a
adressé, ne renvoie pas cet homme, Œdipe, sans lui
avoir dit ce qui peut le servir.

ŒDIPE : Ah ! chefs de ce pays, si celui qui me l'a
envoyé ici n'était pas Thésée, Thésée qui a jugé bon
qu'il tînt sa réponse de moi, il n'eût pas même ouï le
son de ma voix. Mais il va au contraire s'en aller
satisfait, après avoir entendu de ma bouche des mots
peu faits pour réjouir sa vie. *(Se tournant vers Polynice.)*
Misérable, qui, quand tu possédais et ce trône et ce
sceptre[1] que possède aujourd'hui ton propre frère, à
Thèbes, as toi-même chassé ton père, et qui as fait de
lui un homme sans pays et couvert de ces hardes
devant lesquelles tu pleures maintenant, quand tu te
trouves malgré toi dans la même détresse que moi. Il
ne s'agit pas ici de pleurer ; il s'agit, pour moi du
moins, de porter mon malheur, tant que je vivrai, en
me rappelant que mon assassin, c'est toi. C'est toi qui
m'as fait vivre dans pareille misère ; c'est toi qui m'as
chassé ; c'est à cause de toi que je vis errant, mendiant
aux autres mon pain de chaque jour. Si je n'avais pas
engendré ces filles pour m'entretenir à leur tour, je ne

serais déjà plus, pour autant qu'il dépend de toi. Ce
sont elles qui sauvent ma vie, ce sont elles qui me
nourrissent, ce sont elles qui se montrent des hommes,
non des femmes, pour aider à ma peine. Vous êtes nés
d'un autre, vous ; vous n'êtes pas nés de moi. Aussi les
dieux ont-ils les yeux fixés sur toi, moins encore à cette
heure que dans l'instant qui vient, si les colonnes dont
tu parles s'ébranlent déjà vers Thèbes. Car cette cité-
là, non, non, tu ne l'abattras pas, et c'est toi, le
premier, qui tomberas souillé d'un meurtre, toi, et ton
frère avec toi. Voilà les imprécations que j'ai déjà
lancées sur vous naguère[1] et que j'appelle encore
aujourd'hui à mon aide, afin que vous vous décidiez à
honorer les auteurs de vos jours, au lieu de mépriser le
père aveugle dont vous êtes sortis tels que vous vous
montrez, cependant que ces filles faisaient tout autrement.

Et c'est pourquoi elles seront plus fortes, ces impré-
cations-là, que ta supplique et que ton trône, s'il est
bien vrai que l'antique Justice siège aux côtés des
vieilles lois de Zeus. Va-t'en donc à ta perte, ignominieusement, sans père désormais, ô méchant entre les
méchants, et emporte avec toi les malédictions que
j'appelle sur ta tête. Que ta lance jamais ne triomphe
du pays qui t'a fait naître ! Que jamais tu ne retournes
dans la plaine encaissée d'Argos, mais que, sous une
main de frère, tu tues et succombes à la fois, victime de
celui qui t'a banni ! Voilà comment je te maudis ; et
j'invoque d'abord l'ombre affreuse du Tartare, pour
qu'elle te prenne en son sein. J'invoque également les
déesses de ces lieux. J'invoque Arès enfin, qui vous a
mis, à tous deux, cette horrible haine au cœur. Tu
m'as entendu : va-t'en ; va, et annonce à tous les
Cadméens, comme à tes loyaux alliés, quels sont les
privilèges qu'Œdipe a en ce jour répartis à ses fils.

LE CORYPHÉE : Je ne puis, Polynice, ni te féliciter de

tes derniers voyages, ni te dire autre chose que : Va, pars au plus vite.

POLYNICE : Ah ! malheureux voyage et malheureux échec ! Ah ! malheureux amis ! Pour quelle triste fin suis-je donc parti d'Argos avec eux, infortuné ? et une fin telle que je ne puis m'en ouvrir à personne parmi mes compagnons, pas plus que je ne puis les ramener maintenant en arrière, et que j'en suis réduit à marcher en silence au-devant de mon destin. O enfants, mes sœurs, vous du moins, puisque vous venez d'entendre les malédictions implacables d'un père, au nom des dieux, n'allez pas, si ces malédictions un jour s'accomplissent et si pour vous s'achève le retour au foyer, n'allez pas me faire affront, mais mettez-moi dans une tombe, entouré d'offrandes funèbres. Alors la gloire que vous vous êtes acquise pour les soins rendus à cet homme ne s'accroîtra pas d'une moindre gloire pour le service que vous m'aurez rendu.

ANTIGONE : Polynice, écoute-moi, je t'en supplie.

POLYNICE : O très chère Antigone, que veux-tu que j'écoute.

ANTIGONE : Ah ! fais faire demi-tour à ton armée. Fais-la rentrer au plus vite à Argos et ne va pas d'un même coup perdre et ton pays et toi.

POLYNICE : Impossible. Vais-je ainsi ramener mon armée intacte, pour avoir brusquement pris peur ?

ANTIGONE : Qu'y a-t-il là qui t'indigne, enfant ? Quel profit auras-tu à ruiner ta patrie ?

POLYNICE : Fuir est honteux toujours, et surtout quand je suis l'aîné, me laisser moquer par un frère !

ANTIGONE : Vois-tu donc pas où te mènent tout droit les oracles d'Œdipe ? Il prédit à tous deux une mort mutuelle.

POLYNICE : Parce qu'il la désire. Nous n'avons qu'à ne pas céder.

ANTIGONE : Ah ! misère ! Et qui t'osera suivre, s'il a seulement connaissance des prédictions de ton père ?

POLYNICE : Je n'annoncerai pas de mauvaises nouvelles. Un bon capitaine proclame les avantages qu'il
possède, jamais il ne parle de ceux qui lui font défaut.

ANTIGONE : Alors, enfant, pour toi, c'est chose
résolue ?

POLYNICE : Oui, et ne cherche pas à me retenir.
J'aurai seul à voir si ma démarche est néfaste et funeste
du fait de mon père et de ses Érinyes. Daigne Zeus en
revanche vous être favorable, si, quand je serai mort,
vous me rendez ces soins, car vous ne pourrez plus
m'en rendre, vivant. Maintenant lâchez-moi, et adieu !
Vous ne reverrez plus Polynice vivant.

ANTIGONE : Ah ! malheureuse !

POLYNICE : Ne pleure pas sur moi.

ANTIGONE : Et qui ne gémirait, mon frère, à te voir
ainsi te jeter dans l'enfer ouvert devant toi ?

POLYNICE : Je mourrai, si c'est mon destin.

ANTIGONE : Ah ! non, non ! entends-moi.

POLYNICE : Ne me demande pas d'entendre ce que je
ne dois pas entendre.

ANTIGONE : Quelle douleur sera la mienne, si je me
vois privée de toi !

POLYNICE : Il dépend des dieux que les choses
tournent ou dans ce sens ou dans l'autre. Quoi qu'il en
soit pour vous, c'est moi qui leur demande qu'ils ne
placent pas de malheurs sur votre chemin ; — car tous
en sont d'accord — vous ne méritiez pas, vous, d'être
malheureuses.

(Il s'éloigne à pas précipités.)

Vif.

LE CHŒUR : *Inouïes, inouïes sont les lourdes peines que
m'aura values là cet étranger aveugle — à moins que ce ne soit
le Destin lui-même qui atteint aujourd'hui son but. Car je ne
saurais dire qu'aucun propos des dieux ait jamais été vain.*

Le Temps veille, veille sur eux. Pour les uns, il met des

années, pour les autres aussi bien un jour, à les mener jusqu'à leur terme. — L'Éther a tonné. Ah! Zeus!

ŒDIPE : Mes enfants, mes enfants, que je souhaiterais qu'un homme du pays pût m'amener Thésée, le héros accompli!

ANTIGONE : Qu'as-tu, père, à lui demander, pour le réclamer de la sorte?

ŒDIPE : Voici la foudre ailée de Zeus qui va à l'instant même m'emmener aux enfers. Allez, envoyez au plus vite.

LE CHŒUR : *Ah! l'effroyable, l'incroyable bruit qui s'abat sur nous, trait de Zeus! L'effroi pénètre en moi jusqu'au bout des cheveux; mon âme épouvantée se terre. Un nouvel éclair enflamme le ciel.*

Que va-t-il déchaîner finalement sur nous? J'ai peur : ce n'est jamais sans but qu'un éclair prend son vol. Le malheur toujours l'accompagne. — Ah! Éther immense! Ah! Zeus!

ŒDIPE : O mes filles, voici venir la fin que les dieux m'ont prédite. Rien ne peut plus la détourner de moi.

ANTIGONE : Et comment le sais-tu? sur quoi te fondes-tu?

ŒDIPE : Je le sais sans erreur. Ah! qu'on aille au plus vite chercher pour moi le roi de ce pays.

LE CHŒUR : *Ah! ah! voici que de nouveau un fracas strident nous assiège. Sois-nous clément, ô dieu, sois-nous clément si tu viens apporter à la terre dont nous sommes nés un don mystérieux.*

Puissé-je le trouver propice à ma prière, et que d'avoir vu un maudit ne me vaille pas une part de tes redoutables faveurs! — Zeus souverain, c'est vers toi que je crie.

ŒDIPE : Le roi approche-t-il? Me trouvera-t-il, mes filles, encore en vie et maître de ma raison?

ANTIGONE : Quel secret veux-tu donc confier à sa mémoire ?

ŒDIPE : Je lui voudrais offrir, pour payer ses bien-faits, une faveur tangible, celle même que je lui ai promise à l'heure où je les obtenais.

LE CHŒUR : *O mon fils, arrive, arrive ; que tu sois à cette heure aux champs ou bien que tu te trouves en train d'honorer par un sacrifice au fond de la plaine le foyer du dieu des mers, Poseidôn, ah ! viens.*

L'Étranger prétend nous donner, à toi, à notre ville, à tous ses amis, la juste récompense des bienfaits qu'il nous doit. — Hâte-toi, accours, ô prince.

(Thésée revient.)

THÉSÉE : Qu'est-ce encore que ce vacarme, où toutes les voix résonnent ensemble, celle, bien nette, de vous-mêmes, et, non moins claire, celle de l'étranger ? Qu'y a-t-il ? Est-ce un coup de la foudre de Zeus ? ou un orage qui éclate en averse ? On peut tout supposer, lorsque le dieu déchaîne une telle tempête.

ŒDIPE : Ta présence, roi, répond à mes désirs, et un dieu fait de ta venue une heureuse chance pour toi.

THÉSÉE : Quel fait nouveau s'est donc produit encore, ô fils de Laïos ?

ŒDIPE : Voici pour ma vie l'heure décisive : je ne veux pas mourir en vous frustrant, ta ville et toi, de ce que je vous ai promis.

THÉSÉE : Sur quel indice t'appuies-tu pour procla-mer ainsi ta mort ?

ŒDIPE : Les dieux, pour me l'annoncer, se sont faits leurs propres hérauts. Ils n'omettent aucun des signes convenus.

THÉSÉE : Et comment prétends-tu, vieillard, qu'ils se manifestent ici ?

ŒDIPE : En coups de tonnerre, multiples, prolongés, en éclairs répétés jaillis d'une invincible main.

THÉSÉE : Je te crois. Je sais que tu as fait maintes prophéties que les faits n'ont pas démenties. Va, dis-moi ce qu'il nous faut faire.

ŒDIPE : Je vais donc, fils d'Égée, t'apprendre quel trésor vous conserverez, toi et ta cité, à l'abri de l'âge et de ses soucis. L'endroit où je dois mourir, je vais t'y mener moi-même sur l'heure, sans qu'aucun guide me tienne par la main. Mais toi, ne l'indique à nul autre, ne révèle ni où il se cache ni l'endroit où il se trouve, si tu veux qu'un jour je te vaille une aide égale à mille boucliers, voire à une armée de renfort accourue d'un pays voisin. Mais le pieux mystère que la parole n'a pas le droit de remuer, tu l'apprendras, toi, une fois là-bas — toi seul, car moi je ne le peux révéler à personne, ni à nul de ces citoyens ni à mes propres enfants, malgré l'amour que je leur porte. Garde-le, toi seul, toujours, et, quand tu atteindras le terme de ta vie, confie-le au plus digne, pour que celui-ci à son tour et ainsi de suite, le révèle à son successeur.

C'est de cette façon que tu maintiendras ton pays à l'abri des ravages que lui infligeraient les Enfants de la Terre[1]. Que de villes, si bien gouvernées soient-elles, se laissent entraîner à la démesure ! L'œil des dieux sait bien découvrir, et même longtemps après, ceux qui, au mépris du ciel, se sont tournés vers la folie. Sois bien décidé, fils d'Égée, à ne pas devenir tel. — Mais pourquoi faire la leçon à qui sait déjà tout cela ? Partons, et sans tarder — l'appel du dieu me presse — partons pour l'endroit que j'ai dit. Mes filles, suivez-moi — ainsi ; c'est moi qui cette fois m'affirme votre guide, guide étrange sans doute, mais pareil à celui que vous étiez pour moi. Venez, sans me toucher, et laissez-moi tout seul trouver la tombe sainte où le Destin veut que je sois enseveli en ce pays. Par ici — ainsi —, par ici ! avancez. Oui, c'est bien par ici que m'emmènent ensemble et Hermès, le guide des morts, et la déesse des enfers. Lumière, invisible à mes yeux, depuis longtemps pourtant tu étais mienne, et mon corps aujourd'hui éprouve ton contact pour la dernière fois. Je m'en vais de ce pas cacher dans les Enfers mon dernier jour de vie. A toi, le plus aimé des hôtes, à ce pays, à tous ceux qui te suivent, je souhaite d'être heureux ; mais, au milieu de ce bonheur, ne m'oubliez pas, même mort, si vous voulez que la prospérité reste votre lot à jamais.

(Ils sortent tous derrière Œdipe.)

Agité.

LE CHŒUR : *S'il m'est permis d'adresser un pieux appel à la déesse invisible et à toi aussi, roi des Ombres,*

Aidoneus, Aidoneus[1]*, je t'implore, que ce soit sans souffrances, sans pénible agonie,*

que l'étranger descende dans la plaine des morts, où tout s'ensevelit, dans la maison de Styx !

Quand c'est un innocent que tant de maux atteignent, la divinité serait juste en le relevant de nouveau.

O divinités des enfers ! ô monstre invaincu[2]*, qui, devant ces portes franchies par des passants sans nombre,*

restes couché à hurler dans ton antre, et que partout on donne pour le gardien indomptable d'Hadès !

Ah ! ce gardien-là, fais donc, je t'en prie, fils de la Terre et du Tartare, fais qu'il laisse la route libre

à l'étranger qui se dirige vers la plaine infernale où s'assemblent les morts. C'est toi que j'en conjure, dieu du sommeil sans fin[3]*.*

(Arrive un Messager.)

LE MESSAGER : Citoyens, je puis en bref vous dire : Œdipe est mort. Quant au détail des faits, l'histoire ne se peut raconter en un mot, pas plus que les faits mêmes ne se sont déroulés en un seul instant.

LE CORYPHÉE : L'infortuné est mort ?

LE MESSAGER : Sache qu'il a conquis une vie qui ne finit pas.

LE CORYPHÉE : Mais de quelle façon ? Quelque divine chance a-t-elle au malheureux épargné la douleur ?

LE MESSAGER : C'est là que justement il y a lieu d'abord de vous émerveiller. Au moment où il s'est éloigné d'ici — tu étais là, tu le sais comme moi — aucun des siens ne lui servait de guide ; c'est lui qui nous conduisait tous. Il gagne ainsi le seuil à pic dont les assises d'airain s'enracinent dans notre sol[1]. Il s'arrête dans l'un des chemins qui rayonnent de ce point, tout près d'un creux formant cratère, où à jamais se conserve le texte des loyaux serments que se sont prêtés jadis Thésée et Pirithoos[2]. Il s'arrête à distance égale de ce cratère, du roc de Thoricos, du poirier creux et du tombeau de pierre. Il dépouille là ses hardes sordides ; puis, élevant la voix, il demande à ses filles de lui apporter, d'où elles pourront, l'eau vive nécessaire à ses ablutions et ses libations. Toutes deux alors se dirigent vers la colline, qu'elles voient devant elles[3], de Déméter, déesse du blé tendre, et vaquent promptement aux ordres de leur père. Ensuite elles le lavent, elles le parent du vêtement que veut le rite. Mais, à peine a-t-il eu le plaisir de voir tout cela fait, au moment même où il n'a plus d'autre désir à satisfaire, voici Zeus Infernal qui se met à gronder. Les filles, à l'ouïr, frissonnent et, tombant pleurantes aux pieds de leur père, elles ne cessent de se frapper la poitrine et de pousser de longs sanglots. Lui, cependant, n'a pas plus tôt perçu ce rude appel que, fermant les bras sur elles, il leur dit : « Mes enfants, de ce jour vous n'avez plus de père. Tout ce que j'ai été maintenant est mort. Le pénible souci de nourrir votre père, vous ne l'aurez plus. Il était dur pour vous, mes filles, je le sais ; mais un seul mot ici doit vous payer de toutes vos souffrances : il n'est personne dont vous ayez jamais eu plus de tendresse que de celui sans qui vous allez désormais vivre le reste de vos jours. »

Voilà comment, tous trois, se tenant embrassés, ils sanglotaient et ils pleuraient. Ils étaient au bout de leurs plaintes, aucun cri ne s'élevait plus et le silence s'était fait, quand soudain une voix s'en vient fouetter Œdipe et sur le front de tous fait brusquement, d'effroi, se dresser les cheveux. Un dieu est là qui l'appelle et qui longuement insiste : « Holà ! holà ! pourquoi tarder, Œdipe, à nous mettre en route ? Voilà longtemps que tu nous fais attendre. » Œdipe alors comprend que l'appel vient d'un dieu et mande au roi Thésée de venir le rejoindre ; puis, lorsque celui-ci s'approche, il lui dit : « Ami que j'aime, pour mes enfants, accorde-moi la vieille foi que leur garantit là ta main — et vous de même, mes filles — et promets-moi de ne jamais abandonner ces enfants de ton plein gré, mais au contraire de faire avec bonté tout ce que tu devras pour leur être utile. » Et Thésée, noblement, lui épargnant les plaintes, s'engage sous serment à satisfaire au vœu de l'étranger. Cela fait, Œdipe, sans retard, imposant ses mains aveugles à ses filles, leur dit : « Il vous faut maintenant, mes filles, rappeler la fierté dans vos cœurs et quitter ces lieux sans voir ni entendre les choses ou les mots qui vous sont interdits. Partez au plus tôt. Que Thésée toutefois demeure ; seul, il a qualité pour savoir ce qui se prépare. » Aucun de nous ne l'aura entendu en dire davantage, et tous, en sanglotant, nous faisons alors cortège à ses filles. Mais, à quelque distance et au bout d'un instant, nous nous retournons, et nous voyons que des deux hommes l'un n'était plus là, et l'autre, notre roi, avait la main au front, s'en ombrageant les yeux, comme en présence d'un spectacle effroyable qui se fût révélé à lui et dont il n'eût pu supporter la vue. Peu après cependant, et presque sans délai, nous l'apercevons qui adore à la fois dans la même prière la Terre et l'Olympe divin.

Mais de quelle mort l'autre a-t-il péri ? nul ne serait capable de le dire, sinon notre Thésée. Qui l'a fait disparaître ? Ce n'est pas un éclair enflammé du ciel, ni une rafale montée de la mer à ce moment-là. C'est bien plutôt un envoyé des dieux ; à moins que ce ne soit l'assise ténébreuse de la terre des morts qui ait eu la bonté de s'ouvrir devant lui. Il n'est pas parti escorté de plaintes, ni dans les souffrances de la maladie, mais en plein miracle, s'il en fut jamais de tel pour un homme. Et si l'on me croit privé de raison, je ne saurais, moi, prêter la raison à ceux-là qui me la refusent.

LE CORYPHÉE : Mais où sont ses filles et ceux des nôtres qui l'ont accompagné ?

LE MESSAGER : Elles ne sont pas loin. Le bruit de ces sanglots est suffisamment clair : il nous assure qu'elles viennent ici.

Modéré.

ANTIGONE : *Ah ! ah ! nous pouvons, nous pouvons, toutes deux, le déplorer cette fois, cette fois sans réserve, ce sang maudit, héritage d'un père, qui coule dans nos veines, à nous, infortunées.*

Nous avions déjà sans répit supporté pour ce père une longue peine ; mais sur sa dernière heure nous allons vous conter des faits qui défient la raison et que nous avons cependant nous-mêmes à la fois vus et soufferts.

LE CHŒUR : **(Plus vif.)** *Qu'est-ce donc ?*

ANTIGONE : *On peut l'imaginer, amis.*

LE CHŒUR : *Il est mort ?*

ANTIGONE : *De la façon qu'on souhaiterait le plus.*

Peut-on dire autrement ? Il n'a pas trouvé sur sa route la bataille ni la mer. Les plaines des ténèbres l'ont saisi, emporté dans un obscur trépas, tandis que pour nous — hélas ! —

une nuit de mort tombait sur nos yeux. Comment désormais, errantes en pays lointain ou sur les vagues marines, nous procurer le pain qui assurera notre vie ?

ISMÈNE : *Je ne sais. Qu'Hadès meurtrier fasse donc de moi sa proie, afin que je meure avec mon vieux père. Je suis une infortunée, pour qui la vie à venir ne sera plus une vie.*

LE CHŒUR : *O couple de filles modèles, le sort qui vous emporte, il faut le porter courageusement. Ne vous laissez pas trop brûler de fièvre. Le chemin que vous avez pris n'est pas de ceux qui prêtent au moindre blâme.*

ANTIGONE : *Oui, on peut, je le vois, regretter ses malheurs. Les choses les moins douces étaient douces pour moi, lorsque je le tenais, lui, entre mes bras.*

O père, ô toi que j'aime, toi que l'ombre souterraine enveloppe à jamais maintenant, même ainsi, je t'en réponds, tu ne seras jamais frustré de notre amour, à moi, à elle.

LE CHŒUR : **(Plus vif.)** *Il a eu le sort...*

ANTIGONE : *Le sort qu'il désirait.*

LE CHŒUR : *Lequel donc ?*

ANTIGONE : *C'est le sol étranger qu'il avait souhaité qui l'aura vu mourir. Il a son lit sous terre, bien caché à jamais. Il ne laisse pas après lui un deuil qui se refuse aux larmes. Vois donc mes yeux, ô père ; ils pleurent et se lamentent, et je ne sais, hélas !*

comment je pourrai faire pour mettre fin un jour à l'immense chagrin qu'aujourd'hui tu me laisses. Las ! tu souhaitais mourir sur un sol étranger ; mais pourquoi es-tu mort comme cela, sans moi ?

ISMÈNE : *Ah ! misère ! quel destin nous attend, toi et moi, ma chérie, ainsi privées de notre père* [1] *? . . . .*

. . . .

LE CHŒUR : *Mais puisque, pour finir, sa vie a eu cet heureux dénouement, cessez, mes amies, de vous chagriner. Il n'est personne qui un jour ne soit la proie du malheur.*

Animé.

ANTIGONE : *Retournons là-bas, ma chérie.*

ISMÈNE : *Pour y faire quoi ?*

ANTIGONE : *Un désir me possède.*

ISMÈNE : *Et lequel ?*

ANTIGONE : *Celui de voir le séjour souterrain..*

ISMÈNE : *De qui donc ?*

ANTIGONE : *De notre père, hélas !*

ISMÈNE : *Comment cela nous serait-il permis ? ne t'en rends-tu pas compte ?*

ANTIGONE : *Pourquoi ce reproche ?*

ISMÈNE : *Et songe à ceci encore...*

ANTIGONE : *A quoi donc ?*

ISMÈNE : *Songe qu'il est mort, et non enterré, à l'écart de tous.*

ANTIGONE : *Qu'on me mène donc là pour me tuer à mon tour.*

ISMÈNE [1] : . . . .

ANTIGONE : . . . .

ISMÈNE : *Hélas ! misérable, en l'état où je suis, toute seule dans ma détresse, où donc pourrais-je reprendre ma malheureuse vie ?*

LE CHŒUR : *Amies, ne craignez rien.*

ANTIGONE : *Où donc trouverai-je un refuge ?*

LE CHŒUR : *Vous en avez déjà toutes deux trouvé un.*

ANTIGONE : *Que veux-tu dire ?*

LE CHŒUR : *Contre un sinistre effondrement.*

ANTIGONE : *Je pense...*

LE CHŒUR : *Pourquoi penser en vain ?*

ANTIGONE : *Aux moyens de rentrer chez nous. Je n'en trouve aucun.*

LE CHŒUR : *Fais mieux : ne les cherche pas.*

ANTIGONE : *La fatigue me tient.*

LE CHŒUR : *Elle te tenait déjà.*

ANTIGONE : *Tantôt c'est l'angoisse, et tantôt pis encore.*

LE CHŒUR : *Vous avez devant vous un océan de maux.*

ANTIGONE : *Ah ! oui certes, oui.*

LE CHŒUR : *J'en conviens comme vous.*

ANTIGONE : *Hélas ! hélas ! où aller, Zeus ? A quel espoir maintenant nous réduit encore le Destin ?*

(Thésée revient à son tour.)

Mélodrame.

✕   THÉSÉE : Arrêtez là vos chants de deuil, enfants. Puisque la faveur des morts nous est à tous garantie, il n'y a pas lieu de gémir : ils nous en voudraient.

ANTIGONE : O fils d'Égée, nous tombons à tes pieds.

THÉSÉE : Qu'attendez-vous de moi, enfants ?

ANTIGONE : Nous voudrions voir de nos yeux la tombe de notre père.

THÉSÉE : Mais c'est chose interdite.

ANTIGONE : Que veux-tu dire, seigneur, maître d'Athènes ?

THÉSÉE : C'est lui qui l'a défendu, mes enfants. Aucun mortel ne doit approcher de ces lieux ni troubler de sa voix la tombe sainte où il repose ; et, si je respecte son ordre, j'aurai, m'a-t-il dit, un pays fermé pour toujours aux chagrins. Et nos engagements ont été recueillis à la fois par le dieu et par celui qui entend tout, par Serment, fils de Zeus.

ANTIGONE : Si tel est son désir, il suffit. Renvoie-nous donc alors dans notre antique Thèbes, afin que, s'il se peut, nous barrions la route au Meurtre qui déjà marche vers nos deux frères.

THÉSÉE : C'est à quoi je vais m'occuper, et tout ce qu'il faut que j'achève encore, et pour vous servir et pour satisfaire aux souhaits du mort qui vient de partir, tout cela, je m'y dois appliquer sans relâche.

LE CORYPHÉE : Assez ! n'éveillez plus de deuil. L'histoire ici se clôt définitivement.   ✕

CHRONOLOGIE

525. Naissance d'Eschyle.
496-495. *Naissance de Sophocle.*
Naissance de Périclès.
490. Victoire de Marathon.
485 ou 480. Naissance d'Euripide.
480. Victoire de Salamine.
469. Naissance de Socrate.
468. *Sophocle remporte pour la première fois le concours tragique.*
462-461. Début du rôle politique de Périclès.
456-455. Mort d'Eschyle.
455. Débuts d'Euripide (qui remporta son premier succès treize ans plus tard.)
447. Début de la construction du Parthénon.
443. *Sophocle hellénotame, c'est-à-dire membre du collège des trésoriers administrant les tributs des alliés.*
442-441. *Antigone. Sophocle élu stratège avec Périclès.*
438-433. Sculpture des frontons du Parthénon.
431. Début de la guerre du Péloponnèse.
420. Mort de Périclès.
409. *Philoctète.*
406-405. Mort d'Euripide.
Mort de Sophocle.
404. Fin de la guerre du Péloponnèse, effondrement de l'empire athénien.

401. *Œdipe à Colone (pièce représentée par les soins du petit-fils de Sophocle).*

399. Condamnation et mort de Socrate.

NOTES

LES TRACHINIENNES

Page 35.

1. Le titre de la pièce est fourni par le Chœur, composé de jeunes filles de Trachis.

Page 39.

1. Ce dicton est de Solon, lequel est postérieur à Déjanire, mais Solon ne reprenait qu'une vérité de sens commun sur laquelle Sophocle est revenu à plusieurs reprises.

2. L'Achélôos, le plus grand fleuve de Grèce, aujourd'hui appelé Aspropotamos, constituait la frontière ouest de l'Étolie. Descendu du Pinde, il coule vers le Sud et se jette dans la mer Ionienne, en Acarnanie.

3. Ce combat est décrit plus loin par le Chœur.

Page 40.

1. Leur propre terre étant trop exiguë pour assurer la subsistance de leur famille, les petits cultivateurs prenaient souvent à ferme un domaine assez éloigné, laissant à leur femme et à leurs enfants le soin de cultiver leur propriété. Ils ne venaient prêter aide à leur famille qu'à l'époque des grands travaux.

2. Iphitos était fils d'Eurytos, roi d'Œchalie en Eubée. Héraclès, s'étant rendu de Tirynthe, où il résidait, auprès d'Eurytos, s'éprit de Iole, fille de son hôte. Chassé par ce dernier, il revint à Tirynthe, y reçut Iphitos et le tua par traîtrise. A la suite de ce meurtre, il dut s'exiler et se réfugia alors à Trachis chez son cousin Céyx.

3. Parti depuis quinze mois de Trachis, Héraclès est resté un an en esclavage auprès d'Omphale et est ensuite allé ravager Œchalie, se vengeant ainsi d'Eurytos et enlevant Iole par surcroît.

Page 41.

1. C'est-à-dire Omphale.

Page 42.

1. Il s'agit sans doute des détroits entre les îles de la mer Égée.

Page 43.

1. Les marins grecs, accoutumés à une navigation d'île en île ou le long des côtes et non à la navigation hauturière, s'engageaient dans la mer de Crète avec une certaine appréhension.

2. Héraclès étant fils de Zeus, le Chœur ne peut croire à l'indifférence du maître des dieux à son égard.

Page 44.

1. L'oracle de Dodone avait averti Héraclès que ses travaux devaient durer douze ans. Les recommandations du héros à Déjanire au moment de son départ indiquent qu'il n'était plus qu'à quinze mois de l'échéance. Or ces quinze mois sont écoulés.

2. On appelait « Colombes » les prêtresses de Dodone.

Page 45.

1. Le sommet de l'Œta, consacré à Zeus, devait être laissé en friche et il était interdit d'y faucher l'herbe.

2. Ortygie est vraisemblablement ici le nom de Délos.

Page 46.

1. Le Chœur s'adresse ici à Dionysos.

2. Le cap Cénéen, aujourd'hui le cap Lithada, est situé à l'extrémité nord-ouest de l'Eubée et allonge sa pointe dans le golfe maliaque. Zeus y avait un culte. C'est donc là qu'après la prise d'Œchalie, Héraclès célèbre une cérémonie.

Page 47.

1. Eurytos, selon Hésiode, avait quatre fils : Déion, Clytios, Toxieus et Iphitos.

2. Héraclès séjournait alors à Tirynthe.

3. Iphitos soupçonnait Héraclès de lui avoir dérobé ses cavales. Au chant XXI de l'*Odyssée*, la culpabilité du fils de Zeus paraît admise. Mais, selon une autre version, c'est Autolycos, l'aïeul maternel d'Ulysse, qui aurait été l'auteur du rapt.

Page 50.

1. C'est sur l'ordre de Zeus, à la suite du meurtre d'Iphitos, qu'Héraclès avait été amené en Lydie par Hermès et vendu comme esclave à Omphale pour une durée d'un an.

Page 54.

1. La liste dressée par Apollodore des enfants attribués à Héraclès confirme cette déclaration de Déjanire.

Page 55.

1. Le drame satyrique de Sophocle intitulé les *Limiers*, dont un papyrus nous a conservé d'importants fragments, nous fournit un exemple de ces infidélités de Zeus à l'égard d'Héra.

Page 57.

1. L'Événos, aujourd'hui le Phidaris, se jette dans le golfe de Patras.

Page 58.

1. C'est-à-dire teinte par le sang de l'Hydre de Lerne.

Page 60.

1. Ce sont les Thermopyles, voisines de Trachis, ville bâtie sur les rochers de l'Œta.
2. En fait, depuis quinze mois.

Page 62.

1. Poursuivis par Héraclès, les Centaures s'étaient réfugiés sur le Pélion, dans la grotte de Chiron. Atteint par mégarde d'une flèche d'Héraclès, Chiron, ne pouvant ni mourir en tant que dieu, ni guérir, la flèche ayant été trempée dans le sang de l'Hydre, descendit dans l'Hadès à la place de Prométhée.

Page 64.

1. Voir note 2 de la page 46.

Page 66.

1. Voir note 1 de la page 44.
2. Il s'agit du sang de l'Hydre.

Page 67.

1. Le Chœur, composé de quinze personnages, comprenait le coryphée, deux chefs de demi-chœur, deux groupes de six choreutes chacun.

Page 70.

1. Il semble, d'après les propos qu'il tient, que ce vieillard soit un médecin.

Page 73.

1. Héraclès avait prêté assistance aux dieux dans leur lutte contre les Géants. Quant aux monstres, ce sont les Centaures.

Page 74.

1. Voir note précédente.
2. Il s'agit de Cerbère.
3. Le dragon gardien du jardin des Hespérides.

Page 76.

1. A Dodone, les interprètes de Zeus étaient choisis dans la tribu des Selles ; ils devaient coucher sur le sol et il leur était interdit de se tremper les pieds dans l'eau.

Page 80.

1. C'est avec des crampons de fer scellés que les Grecs du Ve siècle liaient entre elles les pierres des murs.
2. Il s'agit de la mort de Déjanire et des malheurs d'Héraclès.

ANTIGONE

Page 86.

1. La lapidation a lieu d'ordinaire hors des murs à cause de l'impureté des condamnés à ce genre de supplice. Une lapidation sur l'acropole, par son caractère exceptionnel, serait de nature à frapper davantage la population.

Page 87.

1. C'est-à-dire les morts.

Page 89.

1. La source Dircé (aujourd'hui source Paraporti) est située dans une grotte au pied de la Cadmée. — Les représentations théâtrales commençaient au lever du soleil. L'action de la première pièce débutait ainsi à l'aube. C'est ce qui se produit pour *Antigone*.
2. L'aigle représente les Argiens, le serpent les Thébains. La légende faisait d'ailleurs naître les Thébains des dents du Dragon semées par Cadmos.
3. Ce guerrier est Capanée, second chef argien. Il s'était moqué des éclairs et de la foudre de Zeus en se ruant contre Thèbes. Il se

flattait d'incendier la ville. Il fut foudroyé par Zeus au moment où il montait à l'assaut de la porte Électre.

Page 90.

1. Il s'agit d'Étéocle et de Polynice, fils d'Œdipe et de Jocaste.
2. Dionysos est né à Thèbes.

Page 91.

1. Ces paroles de Créon impliquent qu'après la mort d'Œdipe, ses fils lui ont succédé. Cependant, dans *Œdipe Roi*, c'est Créon qui succède à Œdipe, Étéocle et Polynice n'étant pas en âge de régner.
2. La patrie avant tout, tel est le principe de gouvernement dont s'inspire Créon. Polynice, ayant porté la guerre contre sa patrie, s'est mis hors la loi et l'on doit être sans pitié à son égard.

Page 93.

1. D'après ce texte, la désobéissance aux ordres de Créon se serait produite à la fin de la nuit ; or, Antigone n'a quitté Ismène qu'au lever du jour. Peut-être la relève de la sentinelle s'est-elle accomplie avec quelque négligence et le cadavre est-il resté un instant sans surveillance.

Page 95.

1. Les gardes sont menacés ainsi d'être pendus par les mains, avant d'être fouettés et mis à mort.

Page 96.

1. Ces produits sont les mules, jugées meilleures que les bœufs pour tirer la charrue (voir *Iliade*, X, 351-353).
2. Cet animal sauvage est vraisemblablement la chèvre.

Page 100.

1. Il s'agit du Zeus du foyer dont l'autel se dresse dans l'enceinte de la maison.

Page 104.

1. Antigone est fiancée à Hémon, fils de Créon.
2. Par le fait des fiançailles, Antigone a maintenant pour maître Hémon.

Page 105.

1. Les « mots insensés », ce sont les paroles d'Antigone, le « délire furieux », c'est l'attitude de Créon.

Page 106.

1. Dans son trouble, l'homme ne se rend pas compte qu'il marche sur des cendres chaudes et il se brûle les pieds.

2. Maxime d'un auteur inconnu.

Page 107.

1. Ces paroles de Créon sont rigoureusement conformes à la coutume antique.

2. Voir note 1 de la page 100.

Page 110.

1. Hémon veut dire que la mort d'Antigone entraînera la sienne propre. Créon s'imagine que son fils le menace de mort.

Page 112.

1. Sophocle, développant un lieu commun sur l'amour, à la suite de Parménide et d'Empédocle, oppose le rut brutal des bêtes à l'amour délicat qui naît, chez les hommes, de la beauté des jeunes visages.

Page 113.

1. Fille de Tantale et petite-fille de Zeus, Niobé, originaire de Phrygie, avait épousé Amphion, roi de Thèbes. Après la mort de ses douze enfants, elle fut changée en un bloc de pierre, en haut du mont Sipyle, en Lydie.

2. Voir note 1 de la page 89.

Page 114.

1. Polynice avait épousé la fille d'Adraste, roi d'Argos, et s'était alors allié avec les Argiens contre Thèbes.

Page 115.

1. Ce tombeau pourrait être une sorte de tombe à coupole comme on en a découvert en mainte région de Grèce.

Page 116.

1. Danaé, fille d'Acrisios, avait été enfermée par son père dans un cachot doté d'une porte de bronze, un oracle ayant prédit à Acrisios qu'il mourrait de la main de son petit-fils, *Acrisios* et *Danaé* sont les titres de deux pièces perdues de Sophocle.

Page 117.

1. Ce fils de Dryas, roi des Édoniens, est Lycurgue. Selon l'*Iliade* (chant VI), il fut aveuglé par Zeus pour s'être attaqué aux nourrices

de Dionysos. Mais selon Apollodore, il fut enfermé par le dieu au fond d'une caverne.

2. Phinée, roi de Salmydesse, sur la côte occidentale du Pont-Euxin, avait épousé Cléopatra, fille de Borée, le dieu des vents, et d'Orithye, fille du roi d'Athènes Érechthée. Il en avait eu deux fils, Plexippos et Pandion. Après la mort de Cléopatra, Phinée épousa Eidothée, fille de Cadmos, qui creva les yeux avec une navette aux fils de Phinée et les fit mourir en prison.

3. Le Chœur s'adresse à Antigone, bien qu'il ne semble pas que cette dernière soit encore sur la scène.

Page 118.

1. Quand la flamme ne jaillit pas, c'est de mauvais augure.

Page 119.

1. Créon insinue que Tirésias s'est laissé acheter pour parler en faveur de Polynice et d'Antigone.

2. Voir note 1 de la page 100.

Page 121.

1. Il s'agit des villes alliées d'Argos ; leurs guerriers tués au combat contre Thèbes étaient restés sans sépulture.

Page 122.

1. Sémélé, fille de Cadmos, mourut foudroyée en donnant le jour à Bacchos (Dionysos).

2. Sans doute à cause de ses vignobles.

3. Autre nom de Déméter.

4. Voir note 2 de la page 89.

5. Il s'agit des Nymphes qui se plaisent dans la Grotte Cory-cienne, sur le Parnasse.

6. Source de Delphes.

7. Le site exact du Nysa est inconnu ; Sophocle le situe ici en Eubée.

Page 123.

1. Voir note 1 de la page 122.

2. C'est-à-dire l'Euripe.

3. Nymphes compagnes de Bacchos.

4. Autre nom de Bacchos.

Page 124.

1. C'est-à-dire Hécate.

Page 128.

1. Eschyle, dans *Les Sept contre Thèbes*, donne Mégarée, fils de Créon, comme un des sept chefs thébains. Ce Mégarée aurait donc été tué au cours de la lutte.

AJAX

Page 135.

1. Les chiens de Laconie, et particulièrement les chiennes, étaient renommés dans l'Antiquité pour leur flair.

Page 137.

1. C'est-à-dire Agamemnon et Ménélas, les deux Atrides.

Page 140.

1. Sous l'influence de la peur.

Page 141.

1. Il s'agit ici d'Artémis Tauropole, déesse du butin.
2. Autre nom d'Arès, dieu de la guerre.
3. Certains affirmaient qu'Anticlée, la mère d'Ulysse, avait eu, avant son mariage avec Laërte, des relations avec Sisyphe et était enceinte du fait de ce dernier, au moment de ce mariage.

Page 142.

1. Sophocle reconnaît les Salaminiens comme descendants d'Érechtée, de même que les Athéniens.
2. Tecmesse était, en effet, ia fille du roi phrygien Téleutas. Enlevée par Ajax au cours d'une incursion contre la cité de son père, elle était devenue sa compagne et était restée près de lui devant Troie.

Page 143.

1. Dans l'esprit dément d'Ajax, ces deux béliers sont les deux Atrides.
2. Ajax plie la longe en deux.

Page 144.

1. Il s'agit des feux de bivouac.

Page 146.

1. Eurysacès, fils d'Ajax et de Tecmesse, devait régner plus tard sur Salamine, après le décès de son grand-père Télamon.

Page 147.

1. Ajax donne aux bœufs et aux moutons les épithètes homériques.

Page 148.

1. C'est-à-dire Athéna.

2. Il y a dans le texte grec un jeu de mots sur le nom d'Ajax, à peu près de même consonance que l'exclamation signifiant « hélas ! ».

Page 149.

1. Télamon, le père d'Ajax, avait participé à l'expédition d'Héraclès contre Troie. A titre de récompense, Héraclès avait donné à Télamon Hésioné, sœur de Priam et fille de Laomédon. Ajax est fils de Périboé (appelée aussi Éribée), la première femme de Télamon, tandis que Teucros est fils d'Hésioné.

Page 151.

1. Sophocle s'inspire ici des paroles d'Hector à Andromaque, au chant VI de l'*Iliade*.

Page 153.

1. Eurysacès signifie « au large bouclier ».

Page 154.

1. Allusion probable à la victoire grecque de Salamine sur la flotte perse, anachronisme que le public dut pardonner facilement à Sophocle.

Page 156.

1. C'est-à-dire du désir de danser.

2. Hermès et son fils Pan étaient nés sur le Cyllène, mont d'Arcadie.

3. Voir note 7 de la page 122.

4. C'est dans la mer entre Samos et Myconos qu'Icare avait été englouti par les flots.

Page 158.

1. Calchas, fils de Thestor, est le devin de l'armée grecque devant Troie.

Page 164.

1. Ces paroles de Tecmesse s'adressent à Eurysacès.

Page 166.

1. Teucros est maintenant en présence du corps d'Ajax.
2. C'est-à-dire Hésioné. Voir note 1 de la page 149.

Page 167.

1. Effectivement, lorsque Teucros revint à Salamine après la prise de Troie, Télamon lui reprocha de n'avoir pas vengé Ajax et l'accusa même de l'avoir tué. Teucros fut contraint à l'exil et vint fonder dans l'île de Chypre une ville qui prit le nom de Salamine de Chypre. Ces aventures faisaient l'objet d'une pièce perdue de Sophocle, intitulée *Teucros*.
2. Après avoir tué Hector, Achille traîna son cadavre attaché à son char.

Page 170.

1. C'est-à-dire Agamemnon.
2. Teucros était un excellent archer, le meilleur de l'armée achéenne.

Page 173.

1. Le cap Sounion, situé au bout de l'Attique, est la première terre que voit s'élever le navigateur venant de l'Est

Page 175.

1. Fils d'Hésioné, Teucros était fils d'une esclave, barbare par surcroît.
2. Épisode du chant XV de l'*Iliade*.
3. A l'occasion du combat singulier d'Ajax et d'Hector (*Iliade*, chant VII). Quant à la motte de terre humide, elle vient de la légende de Cresphonte et du partage du Péloponnèse par les Héraclides.

Page 176.

1. Aéropé, fille du roi de Crète Catreus, surprise aux bras d'un esclave, fut envoyée par son père au roi d'Eubée Nauplios, qui devait la faire périr. Épargnée par Nauplios, Aéropé épousa Atrée et eut pour fils Agamemnon. Cette légende faisait l'objet de la pièce d'Euripide intitulée *Les Crétoises*.

Page 179.

1. C'est-à-dire Zeus.

ŒDIPE ROI

Page 186.

1. Fils d'Apollon Isménos, Isménos avait à Thèbes un autel où l'examen des cendres permettait de prédire l'avenir.

2. Lorsque la malédiction divine frappe un pays, la terre devient stérile, les troupeaux sont décimés, les femmes sont stériles.

3. C'est-à-dire la Sphinx.

Page 187.

1. Fils de Ménécée, petit-fils de Penthée, descendant direct de Cadmos, le fondateur de Thèbes, Créon est le frère de Jocaste.

Page 190.

1. Cette *Parole éternelle* est l'oracle.

2. Sur l'agora de Thèbes, on honorait Artémis-Gloire.

Page 191.

1. C'est-à-dire Hadès.

2. Après le tueur substitue actuellement la peste aux armes de guerre.

3. Par opposition à la mer de Thrace, « la vaste demeure d'Amphitrite » est vraisemblablement l'Atlantique.

4. Bacchos (Dionysos) étant né à Thèbes a donné son nom à la terre thébaine, dite « terre de Bacchos ».

Page 192.

1. C'est-à-dire le compte rendu de Créon sur sa consultation à Pytho, chez Phœbos.

2. Œdipe suggère au coupable de disparaître et de libérer ainsi la terre thébaine de la souillure qui lui vaut l'épidémie de peste.

Page 193.

1. Agénor, phénicien, ayant envoyé ses trois fils à la recherche de sa fille Europe, enlevée par Zeus, l'un d'eux, Cadmos, fonda Thèbes, eut pour fils Polydore, père de Labdacos, grand-père de Laïos.

Page 195.

1. Sachant la menace qui pèse sur Œdipe, Tirésias souhaiterait ne pas avoir obéi à l'appel du roi.

Page 198.

1. Voir note 3 de la page 186.

Page 199.

1. C'est-à-dire « l'Oblique », surnom donné à Apollon, à cause, peut-être, de l'ambiguïté de ses oracles.

2. Autrement dit : « quelle montagne... ». C'est dans les gorges du mont Cithéron qu'Œdipe enfant fut exposé aux convoitises des fauves et des oiseaux de proie. Voir, plus loin, la déclaration du Corinthien.

Page 201.

1. Les déesses de mort sont assimilées fréquemment aux Érinyes, notamment par Eschyle dans *Les Sept contre Thèbes.*

2. C'est sur le Parnasse qu'est situé le sanctuaire de Delphes.

3. Poursuivi par les oracles, le coupable s'enfuit comme un taureau affolé harcelé par des taons.

4. Le prétendu fils de Polybe, Œdipe, ne pouvait apparemment avoir aucun grief contre les Labdacides, pas plus que les Labdacides contre lui.

Page 202.

1. C'est-à-dire la Sphinx.

Page 209.

1. Œdipe venait de Delphes et Laïos s'y rendait.

Page 211.

1. Le guide n'est autre que le héraut qui précède le char.

Page 214.

1. Abae est une localité de Phocide, entre Élatée et le lac Copaïs. Apollon y avait un sanctuaire qui fut brûlé par les Perses en 480.

Page 217.

1. Selon Hérodote, Hippias, avant la bataille de Marathon, avait eu un rêve de ce genre et l'avait estimé présage favorable.

Page 222.

1. Hermès, dont la mère Maia était nymphe du Cyllène, en Arcadie.

Page 226.

1. La brutalité de cette image était moins sensible à l'auditeur grec qu'à nous-mêmes. On la retrouve trois fois un peu plus loin, une fois dans *Antigone* et aussi dans Eschyle *(Les Sept contre Thèbes)* et dans Euripide *(Les Phéniciennes)*.

Page 227.

1. Ce sont aujourd'hui le Danube et le Rion.

Page 228.

1. Une agrafe maintenait la tunique de Jocaste, une autre son manteau.

2. C'est-à-dire les enfants que Jocaste lui a donnés.

3. Ses véritables parents, dont l'identité vient de lui être révélée et qui avaient désiré sa mort.

Page 229.

1. Selon le scholiaste, les choreutes, n'osant regarder Œdipe, détournaient la tête.

Page 231.

1. *Les* désigne les choreutes ou peut-être les Thébains.

2. Chez les poètes tragiques, l'emploi du pluriel pour le singulier était courant.

Page 236.

1. Sophocle revient à plusieurs reprises sur cette idée.

ÉLECTRE

Page 241.

1. Io, fille d'Inachos, objet de l'amour de Zeus, avait été transformée en vache par Héra; harcelée par un taon, elle s'était enfuie jusqu'en Égypte.

2. La place Lycienne, consacrée à Apollon Lycien, est l'agora. L'Héraeon d'Argos est à environ 4 km au sud-est de Mycènes.

3. Pylade, fils de Strophios, roi de Phocide, et d'Anaxibia, sœur d'Agamemnon, devait plus tard épouser Électre. Son père Strophios, hôte d'Agamemnon résidant à Crisa, avait reçu chez lui Oreste après le meurtre d'Agamemnon.

Page 242

1. Ce Phanotée allié d'Égisthe et de Clytemnestre habitait en Phocide.

Page 243.

1. Est-ce une allusion à ce Zalmoxis de Thrace dont parle Hérodote, qui s'était caché pendant trois ans, que ses compatriotes croyaient mort et qui reparut la quatrième année?

Page 245.

1. Cet oiseau est le rossignol. Pour se venger de Térée, son mari, Procné tua son fils Itys et le donna à manger à son père. Changée alors en rossignol, elle ne cesse de se lamenter et de l'appeler.

2. Sur Niobé, voire note 1, de la page 113.

3. Au chant IX de l'*Iliade*, Agamemnon s'engage à offrir à Achille de choisir pour femme entre ses trois filles, Laodicé, Chrysothémis, Iphianassa. Il ne nomme pas Électre, qu'il convient peut-être d'identifier avec Laodicé.

Page 246.

1. Crisa, où réside Strophios et où Oreste est réfugié, est située au sud-ouest de Delphes, à proximité du golfe de Corinthe.

2. Électre en est réduite à mendier sa nourriture auprès des convives, en allant de table en table.

3. Selon Eschyle (*Agamemnon*), c'est Clytemnestre elle-même qui frappa Agamemnon.

Page 248.

1. Ce « festin d'Agamemnon » était une fête mensuelle instaurée par Clytemnestre pour commémorer le meurtre d'Agamemnon.

Page 249.

1. Égisthe était en effet resté au pays, tandis que les autres hommes guerroyaient devant Troie.

Page 254.

1. Pour conjurer le mauvais sort, il était d'usage, chez les Anciens, de conter ses rêves au Soleil.

Page 256.

1. Roi de Pise, en Élide, Œnomaos avait promis la main de sa fille, Hippodamie, à qui triompherait de lui dans une course de chars. Pélops, fils de Tantale, acheta Myrtile, le cocher d'Œnomaos,

et vainquit ce dernier qui, d'ailleurs, trouva la mort au cours de l'épreuve. Pélops emmena Hippodamie, mais, soupçonnant Myrtile, qui l'accompagnait, de vouloir courtiser Hippodamie, il le précipita dans la mer.

2. Il s'agit du char de Poseidôn, que le dieu de la mer avait prêté à Pélops.

3. Iphigénie, sacrifiée à Aulis.

Page 257.

1. Le canal de l'Euripe, sur lequel est situé le port d'Aulis, est soumis à de violents vents alternés.

Page 258.

1. Agamemnon, après avoir tué le cerf qu'il venait de lever, se serait exclamé qu'Arthémis n'aurait pas fait mieux.

2. Clytemnestre avait eu d'Égisthe une fille, Érigoné. Parmi les pièces perdues de Sophocle figure une *Érigoné.*

Page 259.

1. L'accueil de Strophios et de Pylade ne saurait faire oublier à Oreste l'amertume de l'exil.

Page 261.

1. Voir note 1, de la page 242.

2. En réalité, les Jeux Pythiques n'existaient pas encore à l'époque mycénienne. La course de chars n'y figurera même qu'à partir de 582 av. J.-C.

Page 263.

1. La course se déroule donc « corde à gauche ».

2. Il omet ainsi de retenir le cheval de gauche, alors qu'il n'avait pas manqué de le faire aux tours précédents.

Page 264.

1. Il s'agit d'une urne.

Page 266.

1. Le devin Amphiaraos, fils d'Oïclès, prévoyant qu'il y trouverait la mort, s'était caché pour éviter de participer à l'expédition des Sept contre Thèbes. Sa femme Ériphyle, contre un collier d'or, révéla à Polynice, le fils d'Œdipe et l'un des Sept Chefs, la cachette de son mari. Amphiaraos fut donc contraint de suivre l'expédition et il y périt. Son fils Alcméon le vengea en tuant Ériphyle.

Page 273.

1. Chrysothémis veut dire qu'Électre sera un jour obligée de reconnaître que la prudence de sa sœur était fondée.

Page 274.

1. Les cigognes, selon le scholiaste, sont les oiseaux les plus intelligents.

Page 281.

1. Pluriel pour le singulier. Il ne s'agit évidemment ici que d'Agamemnon.

2. C'est ainsi qu'Achille se qualifie lui-même au chant XVIII de l'*Iliade* et que les prétendants qualifient le mendiant Ulysse au chant XX de l'*Odyssée*.

Page 286.

1 Autrement dit les Érinyes.

Page 287.

1. Il y a dans ce passage une double lacune, d'abord de trois, puis de un vers, que le traducteur indique par des points.

Page 290.

1. C'est-à-dire qu'il sera la proie des chiens et des oiseaux.

PHILOCTÈTE

Page 297.

1. Philoctète, fils de Péas, ancien compagnon d'Héraclès, d'origine thessalienne, habitait la presqu'île de Magnésie et régnait sur quatre villes, Méthone, Thaumacie, Mélibée et Olizone. Sophocle, cependant, le place en pays maliaque, sur les bords du Sperchios, à proximité de l'Œta où Héraclès eut son bûcher.

Page 299.

1. Tyndare avait exigé de tous les prétendants de sa fille Hélène le serment de prêter assistance à celui qu'elle choisirait pour époux, lorsque celui-ci le leur demanderait. C'est pourquoi les principaux chefs achéens acceptèrent de suivre Agamemnon devant Troie. Ulysse, à qui Pénélope venait de donner un fils, Télémaque, avait tenté d'éluder ses obligations en simulant la folie, mais il avait été

démasqué par Palamède et contraint de participer à la guerre de Troie.

Page 303.

1. Le Coryphée a jeté un coup d'œil dans la grotte.

Page 304.

1. La nymphe Chrysé, vainement éprise de Philoctète, aurait donc eu quelque responsabilité dans la morsure du serpent qui immobilisa le héros.

Page 305.

1. Vivant à Scyros, habillé en femme, parmi les filles de Lycomède, roi des Dolopes, Achille s'était épris de Déidamie et en avait eu un fils, Néoptolème. Lycomède avait élevé son petit-fils tandis qu'Achille combattait en Troade.

Page 306.

1. C'est-à-dire Ulysse, qui conduisit à Troie les Céphaloniens, autrement dit les gens d'Ithaque, de Céphalonie et de Zante.

2. Selon certains, Philoctète aurait été mordu par une vipère à Ténédos, selon d'autres c'est sur l'île de Chrysé, domaine de la nymphe Chrysé, qu'il fut mordu. Cette île de Chrysé a aujourd'hui disparu.

Page 307.

1. Mycènes, domaine d'Agamemnon, Sparte, domaine de Ménélas.

Page 308

1. C'est au cap Sigée qu'était érigé le tombeau d'Achille.

Page 309.

1. En réalité, Ulysse avait remis les armes d'Achille à Néoptolème dès l'arrivée de ce dernier à Troie.

Page 310.

1. C'est-à-dire Cybèle.

2. Ajax, pris de folie, s'était suicidé (voir *Ajax*).

3. Anticlée, la mère d'Ulysse, aurait été, selon certains, enceinte du fait de Sisyphe lorsqu'elle épousa Laërte. Sisyphe, le grand damné, serait ainsi le véritable père d'Ulysse, et les ennemis d'Ulysse ne manquaient pas de se faire parfois les messagers de cette assertion malveillante. Voir note 3, de la page 141.

Page 311.

1. Antiloque avait été tué par Memnon.

2. Thersite, le type du mauvais soldat, toujours mécontent, toujours médisant, toujours querelleur et lâche par surcroît.

Page 312.

1. Voir note 1, de la page 297.

Page 313.

1. Chalcodôn, compagnon d'Héraclès, dont le fils Éléphénor fut tué devant Troie par Agénor, avait son tombeau au nord-ouest de l'Eubée, face au mont Œta.

Page 314.

1. Péparéthos, île de la mer Égée, contribuait sans doute au ravitaillement de l'armée achéenne devant Troie.

Page 315.

1. C'est-à-dire Démophon et Acamas.

Page 316.

1. Dans le *Philoctète* d'Euripide, c'était Diomède, fils de Tydée, qui accompagnait Ulysse.

Page 317.

1. C'est-à-dire Sisyphe, père supposé d'Ulysse. Voir note 3, de la page 310.

Page 319.

1. Il s'agit d'Ixion.

Page 320.

1. En fait, une source sourd à proximité de la grotte de Philoctète.

2. C'est-à-dire Héraclès.

Page 322.

1. C'est-à-dire Ulysse et Diomède, dont l'arrivée a été annoncée par le marchand.

Page 323.

1. Ulysse. Voir note 1, de la page 306.

2. La forge d'Héphæstos était située par la légende à Lemnos. Un « feu de Lemnos » est un feu violent.

Page 330.

1. Il s'agit des marins qui viennent d'entrer avec Ulysse.

Page 331.

1. Philoctète est seulement maintenu par les marins, mais il n'a pas les mains attachées.

2. Voir note 1, de la page 299.

Page 332.

1. Voir note 1, de la page 166.

2. Ulysse, lui aussi, était un excellent archer. Il l'a prouvé au chant XXI de l'*Odyssée* en massacrant les prétendants.

Page 333.

1. Le mot « étrangers » signifie simplement : étrangers à mon royaume, à ma ville.

Page 334.

1. Sans son arc, Philoctète mourra de faim.

2. C'est-à-dire ma source de ravitaillement.

Page 336.

1. Obéissant à l'ordre de Philoctète, le chœur se dirigeait vers la sortie.

Page 338.

1. Lacune dans le texte.

Page 340.

1. Voir note 3, de la page 310.

Page 341.

1. En tant que nymphe, Chrysé était dotée d'un simple enclos.

2. Dans le théâtre de Dionysos, faisant face au public, l'acteur a l'est à sa droite et l'ouest à sa gauche.

3. C'est-à-dire Machaon et Podalire.

Page 344.

1. Héraclès apparaît sur une machine de théâtre spéciale, le « theologeion » qui permettait de voir les divinités en l'air.

Page 345.

1. Héraclès avait enlevé Troie, avec l'aide de Télamon.

2. Le mont d'Hermès est à l'extrémité nord-est de Lemnos.

Page 346.

1. C'est-à-dire Zeus.

ŒDIPE A COLONE

Page 352.

1. C'est-à-dire les Euménides, nommées deux vers plus loin.

Page 356.

1. Ces libations miellées sont destinées aux Euménides, à qui on n'offre pas de vin.

Page 357.

1. Il y a ici une lacune de trois vers.

Page 360.

1. L'hospitalité d'Athènes était bien connue.

Page 361.

1. Le Coloniate apparu au début de la pièce.
2. Il y a deux kilomètres jusqu'à l'entrée d'Athènes.
3. Les chevaux de Sicile étaient fameux dans l'Antiquité.

Page 364.

1. C'est-à-dire à moins qu'il ne procure à Thèbes la possibilité d'une victoire dont le renom irait jusqu'aux cieux.

Page 366.

1. Les deux crimes qu'il expie, le parricide et l'inceste.

Page 371.

1. Fils d'Égée, mais élevé à Trézène loin du foyer paternel, auprès de Pittée, son aïeul maternel, Thésée, une fois adolescent, fut informé par sa mère Æthra du nom de son père. Pour rejoindre Égée, il se rendit par terre à Athènes ; la route était peu sûre et il dut combattre contre les brigands.

Page 372.

1. Autrement dit les oracles.

Page 375.

1. Ce sont Déméter et Coré. Coré a été enlevée par Hadès au moment où elle cueillait un narcisse.

2. Selon Hérodote, lorsque les Perses brûlèrent l'olivier de l'Érechthéion, sur l'Acropole, l'arbre repoussa le lendemain.

Page 376.

1. Poseidôn est à la fois dieu des chevaux et des vaisseaux.

2. Les Néréides, filles de Nérée, sont les nymphes de la mer.

3. Étéocle, roi de Thèbes en titre, partage en fait l'autorité avec Créon. Après la mort de ses deux neveux, Étéocle et Polynice, Créon montera sur le trône.

Page 380.

1. Ces bâtons de vieillesse que sont pour lui Antigone et Ismène.

Page 383.

1. Le premier chemin passe par la mer et Éleusis, l'autre, après avoir évité par le Nord les hauteurs d'Œa, traverse la plaine de Thria et rejoint le premier avant Œnoé.

Page 387.

1. Le premier chemin passe en effet devant le temple d'Apollon Pythien avant d'arriver à Éleusis où est célébrée la Veillée des Torches.

2. Les Eumolpides révélaient les mystères aux initiés, sous promesse du secret

Page 389.

1. Voir note 1, de la page 380.

Page 393.

1. Les monts Rhipées étaient situés, pour les Anciens, à l'extrême nord de la Scythie, au bout du monde.

Page 395.

1. Le pays d'Apis est le Péloponnèse. Le magicien Apis, venu de Naupacte, avait nettoyé cette presqu'île des monstres homicides qui l'infestaient.

2. Voir note 1 de la page 266.

3 Voir note 3 de la page 89.

Page 396.

1. En réalité, Polynice n'a pas régné.

Page 397.

1. D'après le poème cyclique de la *Thébaïde*, Œdipe avait été, après la révélation de ses crimes, enfermé dans le palais. Ayant fait un sacrifice, ses fils lui envoyèrent, au lieu de l'épaule de la victime, un morceau inférieur, la hanche. Œdipe, vivement irrité, maudit ses fils et leur souhaite de mourir par la main l'un de l'autre.

Page 402.

1. C'est-à-dire les Thébains, nés des dents du dragon semées par Cadmos.

Page 403.

1. Autrement dit Hadès.
2. Cerbère.
3. Sans doute s'agit-il de la Mort.

Page 404.

1. Ce site de Colone était appelé le « seuil d'airain », comme il est dit au début de la pièce.
2. En ce lieu, Thésée et Pirithoos avaient conclu un pacte d'amitié et le cratère où avait été recueilli le sang des victimes du sacrifice avait été scellé dans le sol. Du roc de Thoricos, du poirier creux et du tombeau de pierre, nous ne savons rien.
3. Aujourd'hui la colline de Skouzé.

Page 407.

1. Lacune d'un vers.

Page 408.

1. Lacune de deux répliques.

L'ANTIQUITÉ
DANS *FOLIO*

APULÉE. L'ÂNE D'OR OU LES MÉTAMORPHOSES. *Préface de Jean-Louis Bory. Traduction de Pierre Grimal.*

ARISTOPHANE. THÉÂTRE COMPLET (2 volumes). *Préface et traduction de Victor-Henry Debidour.*

Tome I : LES ACHARNIENS. LES CAVALIERS. LES NUÉES. LES GUÊPES. LA PAIX.

Tome II : LES OISEAUX. LYSISTRATA. LES THESMOPHORIES. LES GRENOUILLES. L'ASSEMBLÉE DES FEMMES. PLUTUS.

SAINT AUGUSTIN. CONFESSIONS. *Préface de Philippe Sellier. Traduction d'Arnauld d'Andilly.*

JULES CÉSAR. GUERRE DES GAULES. *Préface de Paul-Marie Duval. Traduction de L.-A. Constans.*

ESCHYLE. TRAGÉDIES : LES SUPPLIANTES. LES PERSES. LES SEPT CONTRE THÈBES. PROMÉTHÉE ENCHAÎNÉ. ORESTIE. *Préface de Pierre Vidal-Naquet. Traduction de Paul Mazon.*

EURIPIDE. TRAGÉDIES COMPLÈTES (2 volumes). *Préface et traduction de Marie Delcourt-Curvers.*

Tome I : LE CYCLOPE. ALCESTE. MÉDÉE. HIPPOLYTE. LES HÉRACLIDES. ANDROMAQUE. HÉCUBE. LA FOLIE D'HÉRACLÈS. LES SUPPLIANTES. ION

Tome II : LES TROYENNES. IPHIGÉNIE EN TAURIDE. ÉLECTRE. HÉLÈNE. LES PHÉNICIENNES. ORESTE. LES BACCHANTES. IPHIGÉNIE À AULIS. RHÉSOS.

HÉRODOTE. L'ENQUÊTE (2 volumes). *Préface et traduction d'Andrée Barguet.*

Tome I : Livres I à IV.

Tome II : Livres V à IX.

HOMÈRE. ODYSSÉE. *Préface de Paul Claudel. Traduction de Victor Bérard.*

HOMÈRE. ILIADE. *Préface de Pierre Vidal-Naquet. Traduction de Paul Mazon.*

LONGUS. DAPHNIS ET CHLOÉ, suivi d'HISTOIRE VÉRITABLE de LUCIEN. *Préface de Kostas Papaïoannou. Traduction de Pierre Grimal.*

OVIDE. L'ART D'AIMER, suivi des REMÈDES À L'AMOUR et des PRODUITS DE BEAUTÉ POUR LE VISAGE DE LA FEMME. *Préface d'Hubert Juin. Traduction d'Henri Bornecque.*

OVIDE. LES MÉTAMORPHOSES. *Préface et notes de Jean-Pierre Néraudau. Traduction de Georges Lafaye.*

PÉTRONE. LE SATIRICON. *Préface d'Henry de Montherlant. Traduction de Pierre Grimal.*

PLAUTE. THÉÂTRE COMPLET (2 volumes). *Préface et traduction de Pierre Grimal.*

Tome I : AMPHITRYON. LA COMÉDIE DES ÂNES. LA COMÉDIE DE LA MARMITE. LES BACCHIS. LES PRISONNIERS. CASINA ou LES TIREURS DE SORT. LA COMÉDIE DE LA CORBEILLE. CHARANÇON. ÉPIDICUS. LES MÉNECHMES. LE MARCHAND.

Tome II : LE SOLDAT FANFARON. LA COMÉDIE DU FANTÔME. LE PERSE. LE CARTHAGINOIS. L'IMPOSTEUR. LE CORDAGE. STICHUS. LES TROIS ÉCUS. LE BRUTAL.

SOPHOCLE. TRAGÉDIES : LES TRACHINIENNES. ANTIGONE. AJAX. ŒDIPE ROI. ÉLECTRE. PHILOCTÈTE. ŒDIPE À COLONE. *Préface de Pierre Vidal-Naquet. Traduction de Paul Mazon.*

SUÉTONE. VIES DES DOUZE CÉSARS. *Préface de Marcel Benabou. Traduction d'Henri Ailloud.*

TACITE. HISTOIRES. *Préface d'Emmanuel Berl. Postface de Pierre Grimal. Traduction d'Henri Goelzer.*

TACITE. ANNALES. *Préface et traduction de Pierre Grimal.*

TÉRENCE. THÉÂTRE COMPLET. *Préface et traduction de Pierre Grimal.*

VIRGILE. ÉNÉIDE. *Préface et traduction de Jacques Perret.*

COLLECTION FOLIO

Dernières parutions

Impression S.E.P.C. à Saint-Amand (Cher),
le 28 juillet 1994.
Dépôt légal : juillet 1994.
1ᵉʳ dépôt légal dans la collection : mai 1973.
Numéro d'imprimeur : 1839.
ISBN 2-07-036360-0./Imprimé en France.

70030